日経 テクノロジー展望 2024

世界を変える100の技術

日経BP 編

日経BP

はじめに　世界を変えるのはＡＩだけではない

今、注目されているテクノロジーと言えば何と言っても生成ＡＩでしょう。米オープンＡＩが２０２２年11月に公開した「ＣｈａｔＧＰＴ」はわずか2カ月で利用者数が1億人を超えました。Ｗｅｂ、ＳＮＳ、テレビ、新聞、雑誌、書籍、セミナー、学会誌、あらゆるメディアが生成ＡＩについて賛否両論を語り、報じ続けています。特定の技術がこれだけ騒がれた例は記憶にありません。

なぜここまで盛り上がっているのかと言えば、あっと言う間に文章やプログラム、画像をつくってくれるという分かりやすさと、その威力をスマートフォンやＰＣを通じて誰でも簡単に体験できるからでしょう。入退室がしっかり管理された研究所や実験施設あるいは工場まで行かないと見られない技術ではないのです。

生成ＡＩのインパクトは広範囲に及びます。ワークスタイル、ライフスタイル、さらには人類の将来にまで影響していくでしょう。しかも、テクノロジーが起こす世の中の変化をリアルタイムで、自分自身で体感できるわけです。

毎年発行している本シリーズは、電機・自動車・ロボット、ＩＴ・ニューメディア、建築・土木、医療・健康・バイオテクといった専門分野を追う日経ＢＰのＷｅｂサイトや雑誌の編集長、総合研究所のラボ所長らが選んだ「２０３０年に向けて世界を変える技術」を１００件掲載しています。今回、１００件のうち14件がＡＩ関連になりました。それ以外にもＡＩが絡んでいる技術があります。

一方、まだかなり先の話になりますが、エネルギーにおいてインパクトがある技術と言えば核融合でしょう。実現すれば世界の政治、産業、生活、あらゆることのバランスが大きく変わります。

取り上げた１００の技術について、ビジネスパーソン８００人にアンケート調査を実施し、結果を「テクノロジー期待度ランキング」として掲載しています。「２０３０年に重要性が高い」テクノロジーのランキングで核融合は第４位に入りました。

核融合のほかにも、いわゆるカーボンニュートラルを目指したエネルギー関連の技術が上位にランクインしています。世界を変える技術はＡＩだけではないのです。

生成ＡＩにせよ、核融合にせよ、テクノロジーによってどこに連れていかれるか分からない、と不安を感じる方がおられるかもしれません。ぜひ、色々な技術に関心を持ち、ウオッチしていただければと思います。技術の専門家だけではなく、多くの社会人がテクノロジーについて知り、市民として意見を言っていくことが大事です。

自分の専門領域以外のテクノロジーを展望したい専門家の方から、今後有望な産業や事業分野を知りたい就活生の方まで、多くの方に役立つ、技術の図鑑として本書をまとめました。「こんなテクノロジーがあるのか」と楽しんでいただければ幸いです。

日経ＢＰ 常務取締役　技術メディア統括　望月洋介

第7章 ライフスタイル／ワークスタイル

第8章 ＩＴ・通信

第1章

2030年のテクノロジー期待度ランキング

1位は「完全自動運転」

「2030年のテクノロジー期待度ランキング」の第1位は、運転手が乗らず、システムが運転のすべてを担う「完全自動運転」になった。

本書に登場する100件の技術についてビジネスパーソンに依頼し、ビジネスの拡大や新規ビジネス創出の視点から「2030年において重要性が高い」技術と「今（2023年）、重要性が高い」技術をそれぞれ選んでもらい、その技術を選んだ回答者数の割合を技術の期待度としてランキングした（有効回答数は767人）。これはニーズ（技術を利用する側の需要や期待）の調査と言える。

2030年の期待度の第2位は「産業メタバース」。例えば自動車産業、電機産業といった分野ごとにメタバースを用意し、スキルのある技術者がメタバースを通じて遠隔地の仕事をこなすなどして、熟練作業者の不足などに備える。

第3位は「介護ロボット」。介護ロボットは感知・判断・動作ができる介護用機器全般を含む言葉であり、人型ロボットの形をとらないものも入る。介護ロボットは1年前、2022年に実施した同様の調査において、2030年の期待度、2022年の期待度、共に第1位だった。

これら3件は今、重要性が高い技術を並べた「2023年度のテクノロジー期待度ランキング」においても上位に入っている。「完全自動運転」が4位、「産業メタバース」が2位、「介護ロボット」は1位である。2023年から2030年まで、これらの技術が重要であり続けるとビジネスパーソンはみていることになる。

人を支援するテクノロジーが上位に

上位3件に共通するのは、人間を支援するテクノロジーということである。人の仕事を自動化ないし効率化する。人だけではできなかったことをこなせるようにする、すなわち増力化する。並べて掲載した２０３０年と２０２３年のテクノロジー期待度ランキングの上位30件を見比べると、人を後押しする技術が多いことが分かる。

例えば「ドローン配送」や「自動配送ロボット」が上位に来ているのは、運転業務の年間時間外労働時間が今より抑えられる、いわゆる「物流の２０２４年問題」への懸念からである。従業員や部門の希望に基づき、人材配置を最適化する「人材マッチングアルゴリズム」への期待もある。日本においては労働人口が減っていくため、貴重な人材を生かしていかなければならない。

医療の革新や健康維持への関心も高い。「手術支援ロボット遠隔操作」は２０２３年期待度で9位、２０３０年においても14位。「老化細胞除去」の２０２３年期待度は30位、２０３０年期待度は11位まで上昇する。

エネルギー関連のテクノロジーにも期待が集まる

人間を支援するテクノロジーと並ぶ柱がエネルギー関連のテクノロジーである。２０２３年

2023年のテクノロジー期待度ランキング（有効回答767人）

順位	テクノロジー名称［概要］	期待度（%）
1	介護ロボット［感知・判断・動作ができる介護用機器］	61.5
2	産業メタバース［産業ごとに用意し、熟練作業者の不足などに備える］	50.6
3	透明太陽光発電用パネル［壁面や天窓などガラスを設置できる場所に取り付けられる］	45.6
4	完全自動運転［運転手が乗らず、システムが運転のすべてを担う（自動運転レベル5）］	44.3
5	ドローン配送［人手を介さず商品などを配送］	43.3
6	自動配送ロボット［2023年4月1日に改正道路交通法が施行され、公道走行が解禁された］	41.2
6	次世代パワー半導体［電力損失を小さくできる次世代素子］	41.2
8	グリーンコンクリート［二酸化炭素を吸収または固定できる］	40.2
9	手術支援ロボット遠隔操作［遠隔地からネットワークを通じて手術支援ロボットを操作する］	37.4
10	人工光合成［二酸化炭素や水から水素や炭化水素を生成］	35.1
11	燃料電池システム［乗用車に加え、トラック、建機、定置電源にも搭載できる］	34.6
12	合成燃料（e-fuel）［再生可能エネルギー由来の水素と二酸化炭素からつくった燃料］	34.3
13	顔認証決済［顔を映すだけで商品を買える］	33.8
14	文書生成AI［質問に答えたり、説明文を書いてくれたり、議事録を要約してくれる］	33.0
15	無線給電/無線充電［IoTデバイスやセンサーのバッテリー交換や給電に無線を利用］	32.7
16	ディープフェイク対策［AIでつくった本物そっくりの偽画像などを検知］	32.6
17	水素エンジン車［水素を燃料とする内燃機関車］	31.9
18	IoT防犯［窓などにセンサーを付け、不正に開かれた場合、住人に連絡する］	31.0
19	太陽光発電舗装［人や車が通っても壊れない太陽光パネルを道路に設置する］	30.8
19	更年期対策［体に付けるセンサーでデータを集め、健康維持に関して助言する］	30.8
19	人材マッチングアルゴリズム［従業員や部門の希望に基づき、人材配置を最適化する］	30.8
22	パスキー（Passkeys）［パスワードなしで認証ができる］	30.4
23	量子暗号通信［情報の漏洩や盗聴を量子力学の原理で防ぐ］	27.6
23	ペロブスカイト太陽電池［低コストで製造、折り曲げられる］	27.6
25	核融合［重水素などを融合、高エネルギーを出す。実用は2030年代という見方がある］	27.4
26	送信ドメイン認証［なりすましメールを見抜く技術で、生成AI技術の発達で重要性が高まる］	27.2
27	陸上養殖［海の魚などの水産物を陸上の水槽で養殖］	27.1
28	建設3Dプリンター［3次元の壁や型枠を現場で造形］	25.8
29	XR HMD（拡張現実ヘッドマウントディスプレイ）［頭部に付けると映像と現実を重ね合わせて見られる］	25.6
30	老化細胞除去［自然の成分などを用いて老化細胞を除去する］	24.6

出所：日経BP 総合研究所『5年後の未来に関する調査【有望技術（2023年）編】』
調査実施機関：日経BP 総合研究所
調査期間：2023年6月13日～6月27日
調査対象：日経BPのネットメディア（日経ビジネス電子版、日経クロステックなど）の読者を中心に、幅広い業界で活躍するビジネスパーソンに対してインターネット調査を実施
有効回答数：767
対象技術と回答方法：本書で取り上げた100件の技術を7分野に分類。各分野の技術について、ビジネスの拡大や新規ビジネス創出の視点で「今（2023年）、重要性が高い」と思う技術を3件まで選んでもらい、選んだ回答者数の割合を期待度とした。

2030年のテクノロジー期待度ランキング（有効回答767人）

順位	テクノロジー名称　[概要]	期待度(%)
1	完全自動運転［運転手が乗らず、システムが運転のすべてを担う（自動運転レベル5）］	58.8
2	産業メタバース［産業ごとに用意し、熟練作業者の不足などに備える］	50.5
3	介護ロボット［感知・判断・動作ができる介護用機器］	48.8
4	核融合［重水素などを融合、高エネルギーを出す。実用は2030年代という見方がある］	43.3
5	透明太陽光発電用パネル［壁面や天窓などガラスを設置できる場所に取り付けられる］	42.5
6	グリーンコンクリート［二酸化炭素を吸収または固定できる］	40.8
7	人工光合成［二酸化炭素や水から水素や炭化水素を生成］	40.2
8	太陽光発電舗装［人や車が通っても壊れない太陽光パネルを道路に設置する］	37.4
9	ドローン配送［人手を介さず商品などを配送］	35.9
10	自動配送ロボット［2023年4月1日に改正道路交通法が施行され、公道走行が解禁された］	35.6
11	老化細胞除去［自然の成分などを用いて老化細胞を除去する］	33.5
12	合成燃料（e-fuel）［再生可能エネルギー由来の水素と二酸化炭素からつくった燃料］	32.7
13	量子暗号通信［情報の漏洩や盗聴を量子力学の原理で防ぐ］	31.9
14	手術支援ロボット遠隔操作［遠隔地からネットワークを通じて手術支援ロボットを操作する］	31.0
15	水素エンジン車［水素を燃料とする内燃機関車］	30.1
16	更年期対策［体に付けるセンサーでデータを集め、健康維持に関して助言する］	30.0
16	次世代パワー半導体［電力損失を小さくできる次世代素子］	30.0
16	ディープフェイク対策［AIでつくった本物そっくりの偽画像などを検知］	30.0
19	オフグリッド住宅［送電網（グリッド）がいらない（オフ）住宅でどこにでも設置できる］	29.5
20	人材マッチングアルゴリズム［従業員や部門の希望に基づき、人材配置を最適化する］	29.3
21	XR HMD（拡張現実ヘッドマウントディスプレイ） ［頭部に付けると映像と現実を重ね合わせて見られる］	28.8
22	燃料電池システム［乗用車に加え、トラック、建機、定置電源にも搭載できる］	28.0
23	シリコン型量子コンピューター［超電導型と比べ、温和な条件でノイズを制御でき、小型になる］	27.1
24	顔認証決済［顔を映すだけで商品を買える］	26.6
25	建設3Dプリンター［3次元の壁や型枠を現場で造形］	26.1
26	五感遠隔転送［遠隔地にあるものに触ったり、においをかいだりできる］	25.8
27	BMI（ブレイン・マシン・インターフェース）［脳とコンピューターをつなぐ］	24.9
27	マテリアルズ・インフォマティクス［AIなどを使って材料の開発を支援］	24.9
29	人工肉［植物や培養した動物の細胞を材料にする］	24.4
30	AI生成コンテンツの探知［AIでつくったコンテンツかどうかをAIで判断］	23.1

出所：日経BP総合研究所『5年後の未来に関する調査【有望技術（2023年）編】』
調査実施機関：日経BP総合研究所
調査期間：2023年6月13日～6月27日
調査対象：日経BPのネットメディア（日経ビジネス電子版、日経クロステックなど）の読者を中心に、幅広い業界で活躍するビジネスパーソンに対してインターネット調査を実施
有効回答数：767
対象技術と回答方法：本書で取り上げた100件の技術を7分野に分類。各分野の技術について、ビジネスの拡大や新規ビジネス創出の視点で「2030年において重要性が高い」と思う技術を3件まで選んでもらい、選んだ回答者数の割合を期待度とした。

のテクノロジー期待度ランキングで「完全自動運転」「産業メタバース」「介護ロボット」に続く第4位に「核融合」が入った。

核融合の２０２３年の期待度は25位であり、２０３０年に向けての期待の急上昇ぶりが目立つ。まだ研究途上の技術であり、核融合の実現は２０３０年以降とされているにもかかわらず、これだけ期待が集まるのは、エネルギーの安定供給への危機感があるからだ。

様々な活動を支えている電力を化石燃料に頼って供給することは、温暖化ガス排出という環境問題の面も含めて、このまま続けるのは難しい。核融合あるいは各種の再生可能エネルギー技術に期待がかけられるゆえんである。

２０２３年と２０３０年の期待度ランキングでエネルギーに関連するテクノロジーを見ると、壁面や天窓などガラスを設置できる場所に取り付けられる「透明太陽光発電用パネル」が3位から5位へ、二酸化炭素や水から水素や炭化水素を生成する「人工光合成」が10位から7位へ、人や車が通っても壊れない太陽光パネルを道路に設置する「太陽光発電舗装」が19位から8位へ、となっている。

二酸化炭素など温室効果ガスの排出を全体としてゼロにする、カーボンニュートラルに関連するテクノロジー、例えば再生可能エネルギー由来の水素と二酸化炭素からつくる「合成燃料（ｅ-ｆｕｅｌ）」、そして「水素エンジン車」、「燃料電池システム」などがランキングの30以内に入っている。

話題のＡＩを巡るビジネスパーソンの反応

人を支援するテクノロジー、エネルギー関連のテクノロジーが２０３０年に向けて期待を集める。これがニーズにおける大きな流れだが、その一方で２０３０年にせよ、２０２３年にせよ、期待度ランキングの上位30件にあまり顔を出さなかったのがＡＩ（人工知能）関連の技術である。

本書に掲載した１００件のテクノロジーは、エレクトロニクス、メカトロニクス、自動車、ＩＣＴ（情報通信）、建築、土木、医療、バイオテクなどをウオッチしている日経ＢＰの専門媒体の編集長、シンクタンク部門である総合研究所のラボ所長、総勢50人に「翌年以降、世界を変える可能性を持つ技術は何か」を挙げてもらい、そこから選んでいる。こちらはシーズ（研究開発の側から提供する技術）の調査と言える。

その結果、今回取り上げた１００件のうち、12件がＡＩ関連のテクノロジーになっている。だが、期待度ランキングでＡＩはさほど上位に来なかった。２０２３年の期待度で「文書生成ＡＩ」が14位に入っているが、２０２３年の期待度では30位に入らなかった。

理由として考えられるのは、２０２３年に入って大きな話題になった、文書や画像を生成するＡＩがあっという間に多くのツールやアプリケーションに組み込まれ、ごく身近なところで使われ、当たり前の存在になってしまったことがある。

今すぐ使えるだけに、ここまで挙げてきた上位のテクノロジーほどには世界を変えるものとみなされていないのかもしれない。

そもそもＡＩはそれ単独で使われるというより、何かに組み込まれてその力を発揮する。自動化に欠かせない技術であり、自動運転やロボットをはじめ、様々な技術の中で使われていく。

ＡＩの期待度がさほど高くなかったもう一つの理由として、あまりの急速な広がりに、世界を悪い意味で変える技術と疑われている面もありそうだ。ＡＩで作った本物そっくりの偽画像などを検知する「ディープフェイク対策」は２０２３年、２０３０年、どちらにおいても期待度で16位になっている。２０３０年の期待度には、ＡＩでつくったコンテンツかどうかをＡＩで判断する「ＡＩ生成コンテンツの探知」が30位に入った。

あらゆるテクノロジーは諸刃の剣であり、世の中を大きく変えれば変えるほど、副作用を伴う場合がある。副作用にはテクノロジーの使いこなしと共に、「ディープフェイク対策」「ＡＩ生成コンテンツの探知」のようにテクノロジーで対処していくことになる。

本書の構成

本書は第2章から第8章まで分野別にテクノロジーを紹介している。第2章はＡＩであり、ビジネスパーソンが期待している「ＡＩの危険から身を守るためのＡＩ」をいくつか紹介している。

第3章は建築&土木、第4章は電機&エネルギー、第5章はモビリティー（移動）である。前述のエネルギー関連のテクノロジーはこれらの章に登場する。

建築や土木においては、二酸化炭素の吸着や太陽光の利用など環境に配慮する取り組みが活発である。二酸化炭素を吸収または固定できる「グリーンコンクリート」は２０３０年の期待度で6位、２０２３年は8位に入っている。

電機の領域では、電力を有効利用できる半導体や電池の研究が進む。自動車に代表されるモビリティーの分野では、再生可能エネルギーの利用へ挑戦がなされている。

人を支援するテクノロジーは、第6章の医療・健康・食農、第7章のライフスタイル／ワークスタイルの中で多くみられる。医療や健康の領域ではかねてより、ＱｏＬ（クオリティ・オブ・ライフ）を高めることが重視されており、そこにテクノロジーが貢献していく。生活にせよ、仕事にせよ、ストレスを減らし、心身を穏やかに、豊かにすることが求められている。

最後の第8章はＩＴ・通信を取り上げているが、五感の伝送や脳との直結など、人間との融合も進む。これもＱｏＬを実現するための動きと言える。

技術成熟度と期待度の読み方

本書に記載した１００件の技術すべてについて「技術成熟度」と「２０３０年期待度」を記載している。

技術成熟度は三段階評価で、「高」は実用化され、製品が出ているもの、「中」はプロトタイプがあり、検証をしているもの、「低」はまだ研究段階で場合によっては理論だけのものとした。

「２０３０年期待度」は前述のテクノロジーの期待度に関する調査に基づき、２０３０年の期待度を記載している。

ただし、成熟度と期待度が高い技術が有望かというと話はそう単純ではない。テクノロジーが普及し、世界を変えていく過程は様々である。高い成熟度を持っていながら普及しないこともあるし、検証中であったにもかかわらず、引き合いが殺到し、一気に製品となり、市場を席捲することもある。

市場調査をして多くの消費者が望むと分かった技術を使って商品を出したがさっぱり売れなかったということもしばしば起こる。

成熟度と期待度はいずれもある面からの見方であり、「この技術はまだ成熟していないし、期待度も高くないが、自分の仕事にこう関連付けたら面白いのではないか」といったように、考える際のヒントにしていただければと思う。

なお、期待度については、すでに使える有力な技術であっても数字が低く出る場合がある一方、メディアでよく報じられる技術は期待度が高くなる傾向がある。

（谷島 宣之＝日経ＢＰ 総合研究所 未来ラボ）

第2章

ＡＩ（人工知能）

ＡＩの危険から身を守るためのＡＩが登場

001

文書生成ＡＩ

質問に答えたり、説明文を書いてくれたり、議事録を要約してくれる

技術成熟度……高

2030期待度……16.6

米オープンＡＩのＣｈａｔＧＰＴに代表される、対話型の自然言語処理モデルの総称。チャット形式で英語や日本語などの自然言語で質問すると、自然な文章で回答してくれる。大量の文書データを学習させ、さらに適切な回答をするように人間がモデルに情報を与え（『６　ＲＬＨＦ（人間のフィードバックに基づく強化学習）』）、モデルの精度を高めている。

文書生成ＡＩは急速に進化しているテクノロジーであり、利用の仕方まで含めて成熟したとは言えない。だが、米マイクロソフトの製品をはじめ、日常の仕事で使うアプリケーションやシステムに次々に組み込まれており、それらを使うと、ＡＩが提案や関連情報を瞬時に複数出し、次の問いを促してくれる。人はさらに問い、判断や調整をしながら成果物を生み出す。実用に入っていることから「技術成熟度」は「高」とした。

ビジネスパーソンにアンケート調査をした結果の「２０３０期待度」は16・6とそれほど高くなく、1章に掲載したランキングの上位30件に入っていない。今期待している結果を示す

「２０２３期待度」は33・0で14位、ＣｈａｔＧＰＴが登場して以降の騒動を考えればこちらも高いとは言えないが、文書生成ＡＩは身近にあり当たり前になっていることの結果と見ることができる。

２０２３年3月、オープンＡＩはＣｈａｔＧＰＴのＡＰＩ（アプリケーション・プログラミング・インターフェース）を公開、先行して導入に取り組んできた事例を複数紹介した。

カナダのショップファイが運営する電子商取引サービス「Ｓｈｏｐｉｆｙ」の利用者向けアプリ「Ｓｈｏｐ」を使うと、考えが定まっていなくても「こういうものはありますか」と気持ちを言葉にしていくだけで、Ｓｈｏｐｉｆｙを使っている店舗群を横断して商品の候補を探し出してくれる。優秀な店員に話しかけ、たちどころに商品を並べてもらう感覚に近い。

米インスタカートの買い物代行サービス「Ｉｎｓｔａｃａｒｔ」は「子供の健康を考えたらどんなランチがよいか」といった、親同士が交わすような問いに応答してくれる機能を備えた。利用者は今の気分や知りたいことを伝え、やりとりしていくうちに「今日のランチはこうしよう」という行動と買い物のアイデアを得て、買い物を頼む。ＣｈａｔＧＰＴと独自ＡＩを使い、Ｉｎｓｔａｃａｒｔの提携店の商品データを使用する。

６０００万人以上が学習に使う米クイズレットの「Ｑｕｉｚｌｅｔ」はＣｈａｔＧＰＴのＡＰＩを組み込み、学生が楽しくチャットしながら、学習資料を読み、質問し、理解を進めていけるようにした。理解が足りず、的確に質問できなくても、聞いては答えてもらうということを繰り返すうちに理解すべき対象の全体が見えてくるので本当に知りたかったことを質問できる。

文書生成ＡＩの利用が本格化するにつれ、ある用途や分野に特化した取り組みが生まれている。

米ブルームバーグはＣｈａｔＧＰＴと同様の技術を使用し、金融分野に特化した言語モデルを持つ生成ＡＩを実用化している。

米マッキンゼーは「Ｌｉｌｌｉ」という独自の生成ＡＩツールを開発した。コンサルティング・プロジェクトの情報、洞察、計画について対話でき、必要な専門家を推奨してくれる。２０２３年８月に発表した段階で約７０００人が使用し、調査や計画に費やす時間を従来の数週間から数時間に短縮しているという。

米リンクトインは２０２３年６月、マーケティング担当者向けに、オープンＡＩの生成ＡＩを使って広告原稿の作成を支援するＣｏｐｙＳｕｇｇｅｓｔｉｏｎｓの提供を始めた。趣旨を30語程度でＡＩに伝えるとＡＩがドラフトをつくり、それを確認、編集して投稿できる。ＡＩはＬｉｎｋｅｄＩｎページとキャンペーンマネージャー設定といったデータを使い、５通りのヘッドラインとコピー文を提案してくれる。

専門家の業務支援においても文書生成ＡＩは実用に入っている。オープンＡＩが支援するスタートアップの米ハーベイは英大手法律事務所アレン・アンド・オーヴェリーの43拠点の職員約３５００人に、法律に関する簡単な質問に答え、法律文書を起草し、顧客へのメッセージを書き出すツールを提供している。職員の８割が月１回以上、４人に１人は毎日使用しているという。

医療従事者向けＳＮＳ（交流サイト）「Ｄｏｘｉｍｉｔｙ」を運営する米ドキシミティは保険会社への事前承認書や診断結果（アピールレター）の文案作成など、医師がしなければならないタスクを支援するＣｈａｔＧＰＴツールのベータ版を公開している。

以上の例から分かるように人と文書生成ＡＩとの協調により、創造性が高まる効果が得られる。日々の仕事や生活に溶け込み、手順や解き方を変えていく。「医師の診断を代行する」といったように、人の代替を狙うものではない。

答えがそもそもないことや、問いや欲求がまだあいまいなものであっても、対話をしながら、問いと答えを組み立てていける。大量の情報を基に、瞬時に、様々な角度から提案や関連情報を出してくれるので対話が弾み、思考と行動が刺激される。人が単独で仕事をするより圧倒的に速く、弁護士や医師といった専門家でなければできない管理タスクなどを支援でき、専門家はもっと価値の高い仕事に時間を使える。

なお、人とＡＩの協調の効果は画像生成ＡＩなど他のＡＩについても同様である。

（桑原 里恵＝札幌スパークル、谷島 宣之＝日経ＢＰ 総合研究所 未来ラボ）

002

プロンプトエンジニアリング

AIの回答をうまく引き出すプロンプト（指示の文字列）を用意する

技術成熟度……中

2030期待度……9.9

文章や画像などのコンテンツを作成できる生成AIに対して、利用者の意図に沿った成果物を効率的に作成させる方法を考えて指示すること。プログラミングコードや画像など、用途ごとに効果的な指示方法がある。

テキストで簡単に指示するだけで、文章や画像などを作り出せる生成ＡＩの利用が急拡大している。「桃太郎の続編」や「馬に乗る宇宙飛行士の肖像」など、自然言語による簡単な指示だけでも、それなりの文章や画像を作れる。

しかし、簡単な指示だけで作られる成果物に対しては、すぐに物足りなさを感じ、違和感を持つようになる。個性と言えるものが足りず魅力が感じられなかったり、指示には沿っているものの、期待し想像していた結果から遠いものがどんどん出てきたりするからだ。

プロンプトエンジニアリングはＡＩの特徴を理解した上で、利用者の期待に沿った成果物を引き出すための指示方法である。

ＡＩの特徴を利用したノウハウに近いもの、用意されている命令文を使うプログラミングに近いもの、それらの組み合わせ、といったことがプロンプトエンジニアリングに含まれる。例えば、文章生成ＡＩに「中学生が分かるように」「3～4文で説明」と言った指示を伝えたり、イラストを生成するＡＩにコマンドで「(happy laughing:1.3)，」と笑顔の程度を指定したりすることで、利用者の目的や期待に沿った成果物を得やすくなる。

対話型生成ＡＩのＣｈａｔＧＰＴに「貿易業務でよく使う英語の専門用語集」を作らせた例を示す。専門用語をリストアップさせるだけでなく、発音記号や例文、例文の日本語訳などを追加して表形式で表示させる、という指示を加えている。こうすることで、そのまま業務で使える用語集を用意したい、という目的に合う結果を短時間で作成できるようになる。

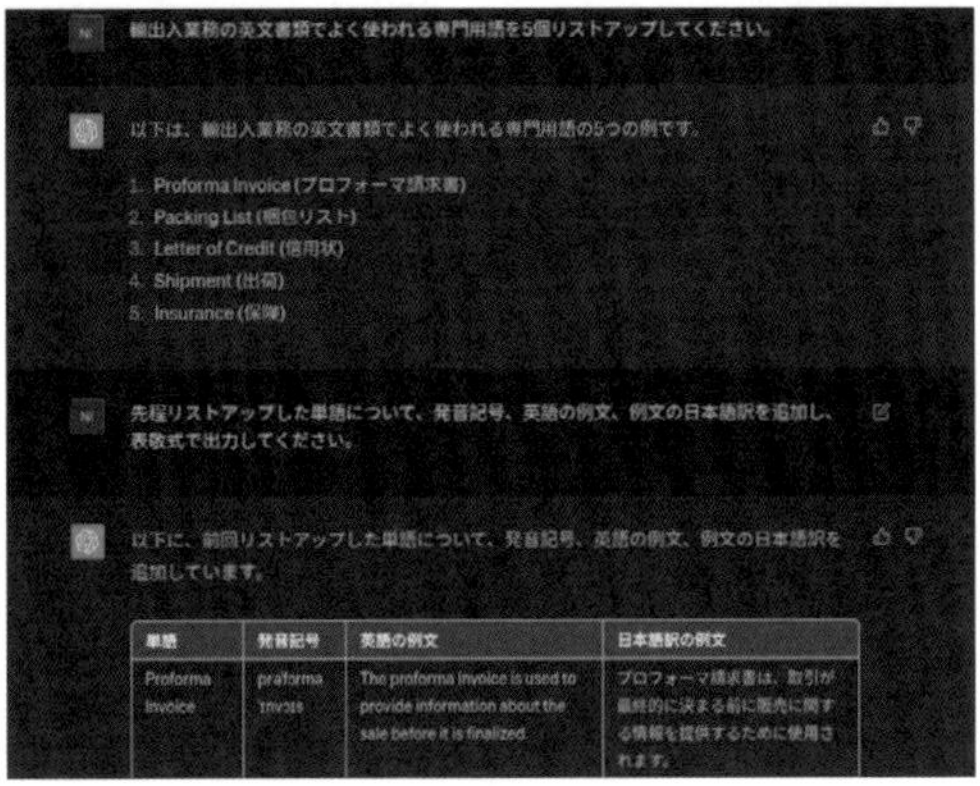

図　プロンプトエンジニアリングの例
貿易業務でよく使う専門用語集を作らせている。
（出所：日経パソコン）

　プロンプトエンジニアリングを担うプロンプトエンジニアという職種が登場するという意見があり、実際、その名称の人材募集がある。ただし、生成ＡＩが様々なサービスやアプリケーションに組み込まれ、一般化していくことを考えると、プロンプトエンジニアリングは広く一般の利用者の素養になっていくとみられる。

（佐藤 怜＝ライター）

003

画像生成AI

文章で説明するだけで、欲しい画像を生成してくれる

技術成熟度……中

2030期待度……12.8

発注者や設計者が手書きの絵や文章を使ってツールと対話すると、画像が自動生成される。プレゼンテーションや設計の労力を激減させる可能性がある。ただし導き出される絵はまだ玉石混交であり、最短で「使える絵」に近づく方法が企業や大学で研究されている。

建築分野の生成ＡＩサービスを提供しているｍｉｇｎ（マイン）は２０２３年７月、「Architecture Design Bot」を発表した。このサービスを使うと、設計者による発注者へのインタビューをＡＩが肩代わりし、発注者が求める建物の画像をＡＩが自動生成してくれる。

まず生成ＡＩ（米オープンＡＩのＣｈａｔＧＰＴ）が発注者に望む住宅のスタイルや色、周囲の環境などを質問する。6～8問なので5分程度で答えられる。回答を終えるとその内容を踏まえた建物の外観や内観の画像4枚を画像生成ＡＩ（英スタビリティーのＳｔａｂｌｅ　Ｄｉｆｆｕｓｉｏｎ）が自動生成する。

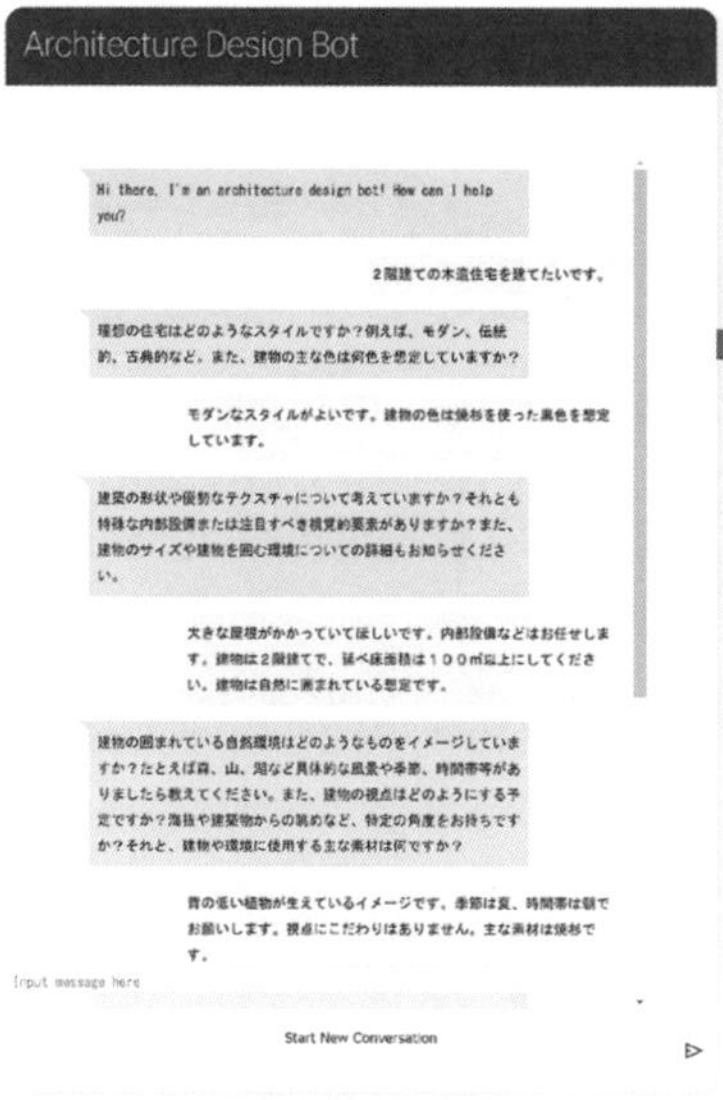

図　Architecture Design Botを使って作成したパース

複数の質問に答えると、建物の外観や内観の画像が出力される。
（出所：mign）

大林組は２０２３年7月、ＡＩを使う設計支援ツール「ＡｉＣｏｒｂ（アイコルブ）」の社内運用を始めた。手描きのスケッチと建物をイメージした文章から、様々なファサードのデザイン案を短時間で出力でき、それを基に3次元モデルを作成する。

アイコルブは大林組と米ＳＲＩインターナショナルが共同開発した。スタートアップの米ハイパーの設計プラットフォームＨｙｐａｒの拡張機能として実装する。Ｈｙｐａｒに敷地条件などを入力すると、どのくらいの規模の建物を建てられるかを自動で検討できる。

日本語による文章入力もできる。ラフなスケッチと「湾曲したガラスカーテンウオールが特徴的な、都会的なオフィスビル」という文章、周辺環境や時間帯な

■ Designer AI 結果例

図　大林組が使う設計支援ツールAiCorb
ボリュームモデルやスケッチの画像データなどを基にAIがデザインを生成する。
（出所：大林組）

どを入力すると、40秒ほどでそれらを反映したファサードデザインが3枚提示される。

建物規模の検討から複数のデザイン案を発注者に提出するまで、大林組は「アイコルブを活用すれば最短1週間程度で提案をまとめられる」という。従来は4週間から6週間を要していた。

設計の初期段階にかかる期間を短縮することで「発注者との打ち合わせで提案と修正を高い頻度で実行できるようになり、より要望に近い設計案を作成できる」（大林組）とみている。

大阪大学大学院工学研究科環境エネルギー工学専攻の福田知弘准教授は建て主の希望するイメージに縛りをかけ、建築として成立する画像を自動生成する方法を開発し、2023年3月に発表した。

建て主が建築様式など好みのスタイルを表す事例を選び、設計者が窓やドア、壁、屋根といっ

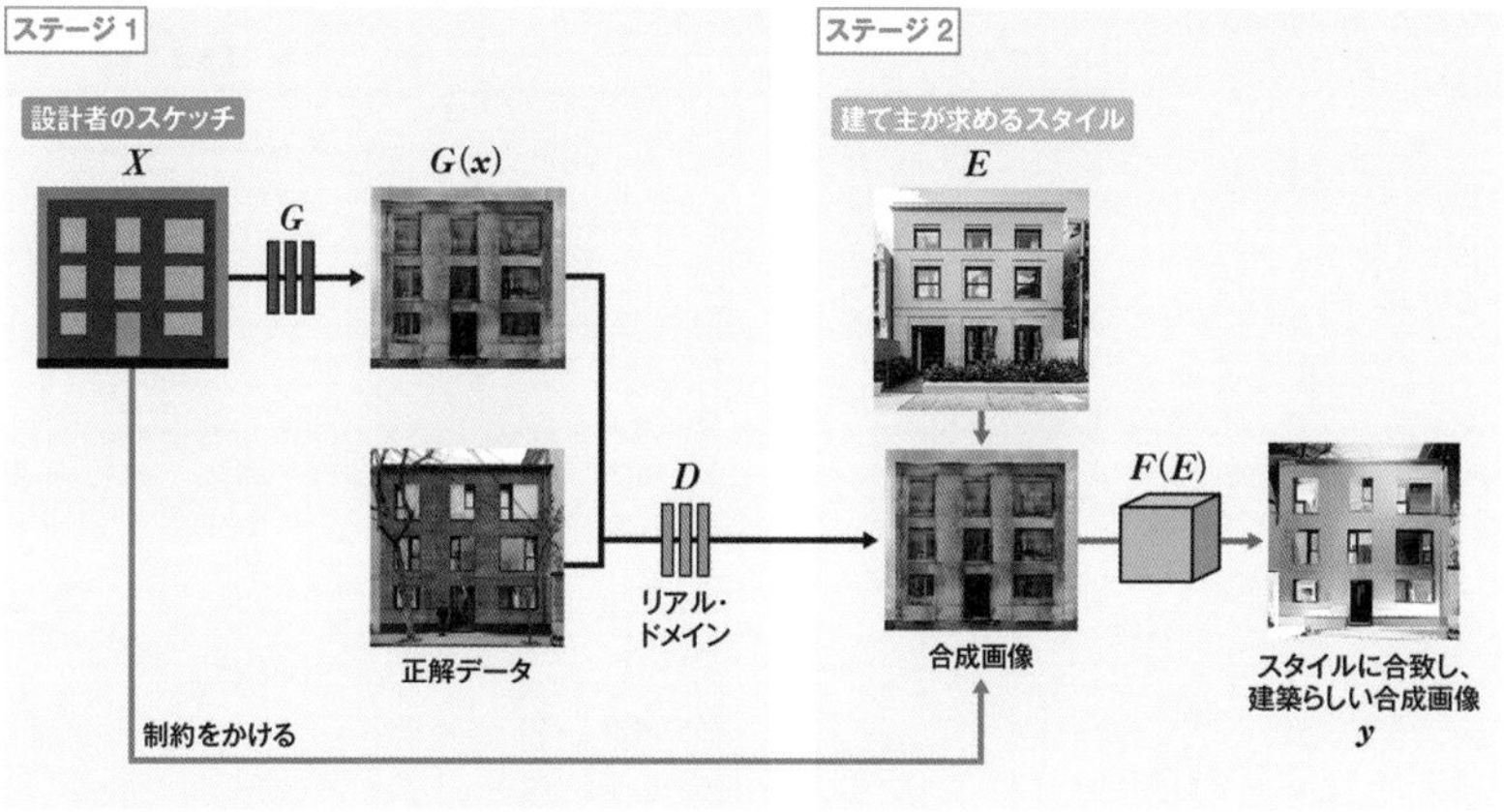

図　建て主と設計者の意向に沿う画像を生成する方法
ステージ1で建築として実現可能な範囲を持たせるために、窓やドア、壁といった構成要素のイメージを現実の画像へと近付ける。ステージ2で発注者が期待するスタイルと合成する。
（出所：大阪大学福田知弘研究チーム）

たファサードを構成する要素を入力すると、最終プランを自動生成してくれる。

自動生成は2段階あり、まず設計者の描いた画像をリアルな画像へ変換する。次にディープラーニング（深層学習）を用いて、発注者が選んだスタイルの特徴を合成する。こうすることで発注者のイメージから逸脱せず、しかも建築として可能な範囲の画像を生み出せる。

今後注目の技術として福田准教授は「NeRF（ナーフ）」を挙げる。映像や複数枚の画像から3Dレンダリングをつくれる画像生成AI技術で、3Dモデルを介さなくて済む。透明や反射、屈折、つまりガラスや鏡面など建築において重要な要素も再現可能になる。

（菅原 由依子、奥山 晃平＝日経クロステック・日経アーキテクチュア）

004

オープンソースLLM（大規模言語モデル）

自社の環境で、自社だけの生成AIを構築し、活用できる

技術成熟度……高

2030期待度……17.9

利用者が自前の環境で稼働させられるLLM（大規模言語モデル）。米スタンフォード大学、米カリフォルニア大学バークレー校、米カーネギーメロン大学などの研究者が相次いで発表した。

いずれも、米メタが2023年2月に研究者向けに公開した、事前学習済みLLM「Llama（ラマ）」を基に開発された。

米オープンAIのChatGPTに匹敵する性能があるとするオープンソースソフトウエア（OSS）が次々と登場している。公開しているのは世界中の研究者や企業で、これまでに10個以上のOSSが登場した。オープンAIはChatGPTなどをサービスとして提供しているが、ソフトウエア本体や学習済みの機械学習モデルは公開していないので、ChatGPTを自前の環境で稼働させることはできない。

まず注目されたのは米有力大学の研究者が公開したOSSだ。米スタンフォード大学の研究

日時（米国時間）	発表した研究者の所属	OSSの名称
2023年3月13日	米スタンフォード大学	Stanford Alpaca（アルパカ）
3月30日	米カリフォルニア大学バークレー校（UCB）、米カーネギーメロン大学（CMU）	Vicuna（ビクーニャ）
4月3日	BAIR（Berkeley Artificial Intelligence Research）	Koala（コアラ）
5月23日	米ワシントン大学	Guanaco（グアナコ）

図　オープンソースLLMの一例
（出所：日経クロステック）

者らが２０２３年3月に発表した「Stanford Alpaca（アルパカ）」、米カリフォルニア大学バークレー校（ＵＣＢ）と米カーネギーメロン大学（ＣＭＵ）の研究者らが２０２３年3月に発表した「Ｖｉｃｕｎａ（ビクーニャ）」、ＵＣＢのＡＩ研究機関であるＢＡＩＲ（Berkeley Artificial Intelligence Research）が２０２３年4月に発表した「Ｋｏａｌａ（コアラ）」などである。

これらはすべて米メタが２０２３年2月に研究者向けに公開した事前学習済み大規模言語モデル「Ｌｌａｍａ」をベースに開発された。

メタは最大６５０億パラメーターの機械学習モデルを最大１兆４０００億トークンの文章データで学習させたＬｌａｍａを、研究者に対して無償で公開した。それまでコスト面でなかなか取り組めなかった大規模言語モデルに関する研究を活性化するためだ。

さらにメタは２０２３年7月に、一般企業が商用利用できる大規模言語モデルである「Ｌｌａｍａ ２（ラマ2）」を公開した。公開されたＬｌａｍａ ２は最大７００億パラメーターで、メタは２０２３年8月24日にはプログラムのソースコードを生成できる「Ｃｏｄｅ Ｌｌａｍａ（コードラマ）」も公開している。大規模言語モデルを共有型のクラウドサービスとしてのみ使うのではなく、自社専用として利用できる状況が整った。

（中田 敦＝日経クロステック・日経コンピュータ）

005

日本語LLM（大規模言語モデル）

より自然な日本語で文書の作成や質問への回答ができる

技術成熟度……高

2030期待度……13.8

日本語に特化して学習することでより自然な日本語を出力できるようにしたLLM（大規模言語モデル）。

英語を中心に多言語に対応するLLMと比べて、モデルのサイズが小さい。

米オープンAIのLLM「GPT-3・5」の学習に使ったデータは圧倒的に英語のものが多く、英語で学んだ知識が日本語で学んだ知識よりも多いため、英語で質問するとより的確な回答を得やすい傾向がある。

日本語に特化したLLMを開発し商用利用可能なライセンスとして公開する事例が相次いでいる。

サイバーエージェントは2023年5月11日、独自の日本語LLMを開発したと発表した。130億件のパラメーターを使った学習と開発を完了済みで、バナー広告に記述する広告コピーの文言案の生成に使う。

日時	発表元	モデル名（Hugging face に登録されている名称）	最大パラメーター数	公開ライセンス
2023年5月	サイバーエージェント	open-calm	68億	CC BY-SA 4.0 license
5月	rinna	japanese-gpt-neox	36億	The MIT license
8月	Stability AI Japan	japanese-stablelm-base-alpha	70億	Apache License, Version 2.0
8月	LINE	japanese-large-lm	36億	Apache License, Version 2.0

図　商用利用可能な日本語特化LLMの発表が相次ぐ
（出所：日経クロステック）

実用化しているバナー広告作成支援システム「極予測ＡＩ」に、新開発したＬＬＭを適用することで、より自然な日本語の広告コピー案をつくれるという。広告コピーの文言案を自動生成して広告効果を予測し、既存のバナー広告を上回る見込みが高いものをデザイナーが選べる。

サイバーエージェントはさらに２０２３年5月17日、１３０億パラメーターの日本語ＬＬＭとは別に、生成ＡＩ向けに使える日本語ＬＬＭを独自開発し、一般公開したと発表した。商用利用ができるライセンスで無償公開しており、他の企業が同モデルを基に独自の生成ＡＩを開発できる。

公開したＬＬＭはパラメーター数が最大68億で、Ｗｉｋｉｐｅｄｉａの日本語ページと、非営利団体「Ｃｏｍｍｏｎ Ｃｒａｗｌ」がクロールして集めた日本語データを使って学習させた。この学習済みモデルをソースコード共有サイト「Ｈｕｇｇｉｎｇ Ｆａｃｅ Ｈｕｂ」で、商用利用が可能な「ＣＣ ＢＹ-ＳＡ ４・０」のライセンスで無償公開した。

（玉置 亮太、玄 忠雄＝日経クロステック・日経コンピュータ）

006

ＲＬＨＦ（人間のフィードバックに基づく強化学習）

人間の好みや意図に合うように人間がＡＩに情報を与える

技術成熟度……高

2030期待度……16.3

reinforcement learning from human feedbackの略称。「人間のフィードバックに基づく強化学習」と訳される。いったん学習をしたＬＬＭ（大規模言語モデル）を、人間に受け入れやすいようにふるまうＬＬＭに進化させることができる。

機械学習のやり方には、正解データを与える「教師あり学習」、正解データを与えず、ＡＩ自身がデータの特徴を見いだして学ぶ「教師なし学習」、ＡＩが試行錯誤をして学んでいく「強化学習」がある。強化学習においては、より価値が高まるほうへ試行していくように仕向けるために、推論結果を評価する別のモデルを用意する。

米オープンＡＩの対話型ＡＩである「ＣｈａｔＧＰＴ」は、自己教師あり学習によって事前学習したＬＬＭ（ＧＰＴ-3・5）に対して、「教師あり学習によるファインチューニング（supervised fine-tuning、ＳＦＴ）」とＲＬＨＦを加えることによって開発された。

ＳＦＴは質問と回答が対になった会話サンプルを人間があらかじめ大量に作成し、これを

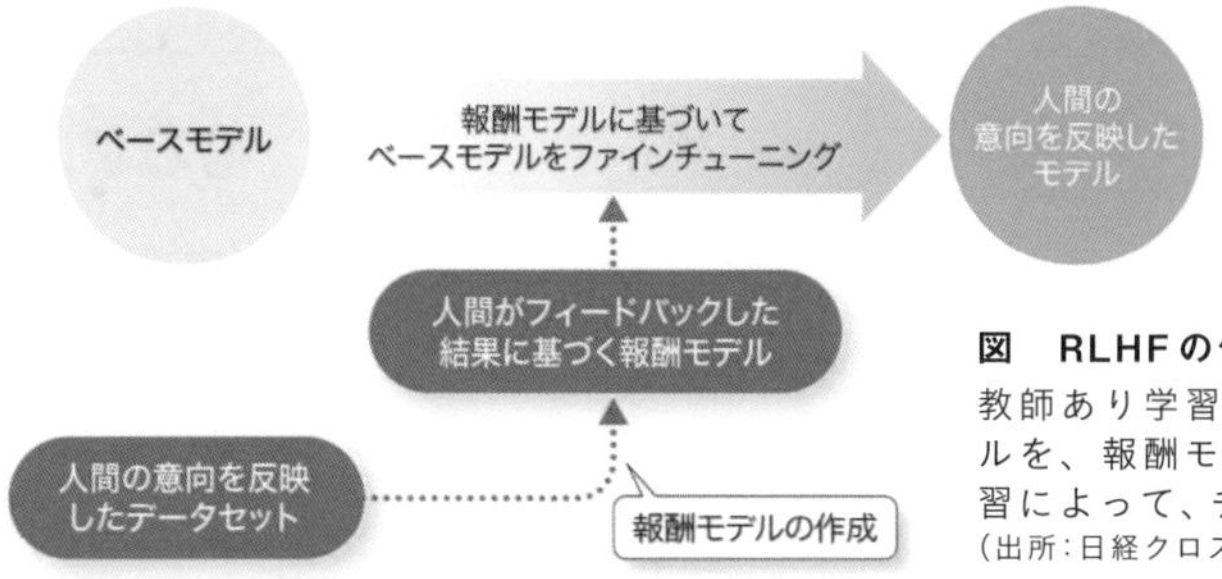

図　RLHFの仕組み
教師あり学習をしたベースモデルを、報酬モデルを使う強化学習によって、チューニングする。
（出所：日経クロステック）

使って人間が好む会話パターンを事前学習済みモデルに追加学習させる。

続けて行ったＲＬＨＦのために、追加学習済みモデルによる出力の内容を人間が評価し、出力に優先順位を付けた評価データを作成した。この評価データを使って推論結果に対する評価を与える報酬モデルを作成し、この報酬モデルに従って強化学習を実施した。これによって一段と人間の好みにそった推論ができるようになった。

オープンＡＩは２０２２年1月、ＳＦＴとＲＬＨＦを実施したＬＬＭであるInstruct-GPTの詳細を論文で公開した。事前学習済みのＧＰＴ-3モデルに対して、人間が作った1万３０００件の会話サンプルデータに基づくＳＦＴを実施。さらに報酬モデルを用いてＲＬＨＦを行った。ＲＬＨＦのために、追加学習済みのモデルの出力に関する評価データを３万３０００件、作成した。この取り組みから、機械学習モデルを巨大化しなくてもＳＦＴとＲＬＨＦを行えば性能を向上できることが分かった。論文によれば、13億パラメーターのInstructGPTの方が、１００倍以上も大きい１７５０億パラメーターのＧＰＴ-3よりも人間に好まれる出力をしたという。ＳＦＴとＲＬＨＦはＬＬＭの進化や普及に貢献した技術と言える。

（北郷 達郎＝日経クロステック・日経ＮＥＴＷＯＲＫ、中田 敦＝日経クロステック・日経コンピュータ）

007

ＡＩ生成コンテンツの探知

ＡＩでつくったコンテンツかどうかをＡＩで判断

技術成熟度……中

2030期待度……23.1

ＡＩ（人工知能）が作成した文章や画像を検知するためにＡＩを使う。ＡＩの進化により、人間が作成したかのような文章や画像が出回るようになり、それを見極める必要が出てきている。

特に教育の現場ではＡＩに書かせた文章を学生が提出するかもしれない、という懸念がある。

幅広い分野の質問に詳細な回答を生成できる「ＣｈａｔＧＰＴ」を開発した米オープンＡＩは２０２３年1月、ＡＩが書いた文章を見つけるツールAI classifier for indicating AI-written textを発表した。

１０００文字、１５０～２５０単語の文章について、人が書いたのかＡＩが書いたのかを判別する。ＣｈａｔＧＰＴの生成文が自然で人が書いた文との識別が難しく、なりすましなどの懸念があることに技術で応えようとする試みである。

オープンＡＩは教育関係者に意見や情報提供を求めているが、このツールの精度はまだ高くはないとされている。

この問題解決を目指すスタートアップが登場している。２０２３年1月設立の米ＧＰＴゼロはＡＩ ｄｅｔｅｃｔｉｏｎ（ＡＩ検知）というツールを公開、１００万人以上が利用者登録をしている。文章の複雑さと変化の度合いを計測し、ＡＩが書いたかどうかを判断する。

２０２３年5月にはorigin chrome extensionを発表した。米グーグルのブラウザーと組み合わせて使うと、検索した文章がＡＩ生成かどうかを自動判断してくれる。

また、メリーランド大学の研究者はＡＩで生成した文書にウォーターマークを残す方法を考案し、公開している。ウォーターマークは紙の透かしを意味するが、デジタル情報に著作権表示などをするために追加される情報をそう呼ぶこともある。文書データにウォーターマークが付いていれば、それを検知して、ＡＩで書いたものだと判定する。

もちろん、ＡＩによる検知以前に、生成ＡＩを使うルールを企業や教育機関が決め、社員や学生がそれを守ることも求められる。とはいえ、生成ＡＩ自体の進化は速く、利用者は増え続けるから、どうしても問題は起きる。技術が起こす問題は技術で解く必要がある。

（降旗 淳平＝日経クロストレンド）

008

ディープフェイク対策

AIでつくった本物そっくりの偽画像などを検知

技術成熟度……高

2030期待度……30.0

AI（人工知能）を使って本物をそっくりにまねて作成した、偽の画像や動画、音声など、いわゆるディープフェイクを検知する。

ある音声が人間によるものか、AI生成によるものかを判断する技術が研究されている。

政治家や著名経営者をまねたディープフェイク映像や音声が多数出回っており、対策は急務である。

すでに2019年の段階で、ディープフェイク音声を使った電話による詐欺が報告されていた。米ウォール・ストリート・ジャーナルなどによれば、英国に本拠を置くエネルギー会社の最高経営責任者（CEO）が被害にあった。親会社のCEOの声で、22万ユーロ（当時のレートでおよそ2800万円）を1時間以内に送金するよう依頼されたが、この指示はディープフェイクだった。

トレンドマイクロは2022年12月に公開した「2023年セキュリティー脅威予測」にお

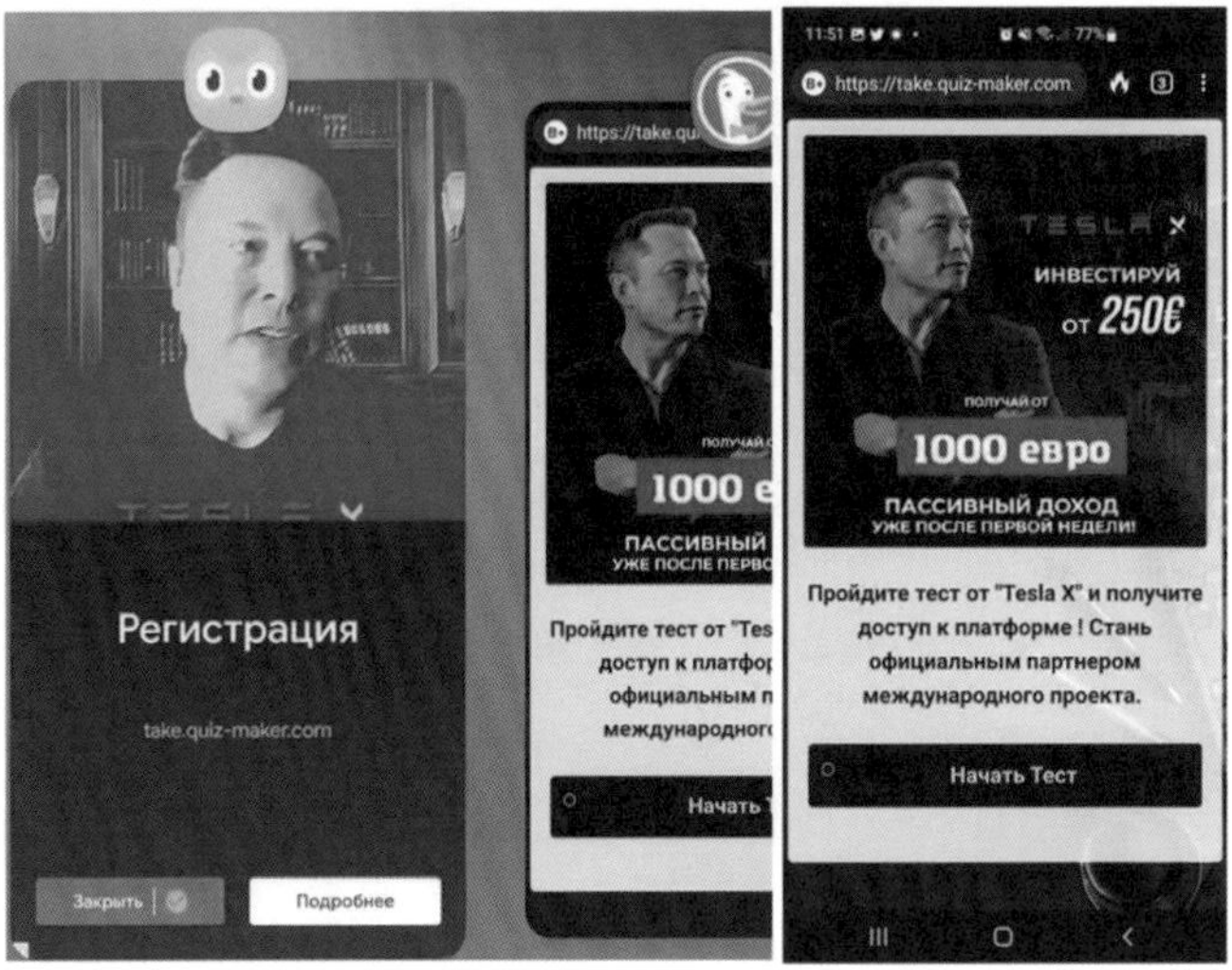

図　ディープフェイクを使った、イーロン・マスク氏に関する偽広告
（出所：トレンドマイクロ）

いて、主要トピックとしてディープフェイクを挙げた。

２０２３年にはディープフェイク音声だけでなく、ディープフェイク動画を悪用した詐欺リスクも高まる恐れがある。すでにディープフェイク動画をつくるツールは誰でも手に入れられる。例えばスマートフォンなどで利用できるアプリＡｖａｔａｒｉｆｙは、撮影した動画に映る人の顔を別人の顔に簡単に差し替えられる。こうして作ったディープフェイク動画を使う詐欺行為が生じる危険がある。

被害の拡大懸念に対し、対策技術の開発・実装が進んでいる。一例として米フロリダ大学の研究者グループはディープフェイク音声であることを見破る手法を開発した。音声は動画に比

時期	概要
2020年10月	ディープフェイクに関係した国内初の逮捕事例。ディープフェイクを使ってアダルトビデオを合成したとして、男性らが名誉毀損と著作権法違反の疑いで逮捕された
21年 4月	欧州委員会が「欧州連合(EU)AI(人工知能)規則案」を公表。AIが実際の人間や物体、場所などに類似させて作成したデジタルコンテンツについては、AIが生成したコンテンツであると明示することを義務付けた
22年 3月	ウクライナのゼレンスキー大統領が自国民に対してロシアへの降伏を促すという内容のディープフェイクがFacebookなどに投稿される
6月	EUが2018年策定の「偽情報に関する行動規範(Code of Practice on Disinformation)」を改訂し、ディープフェイクやフェイクニュースには広告を表示せず、偽情報の発信者が広告収入を得られないように求めた。米グーグルや米ツイッター、米メタなどが署名した

図 ディープフェイクを巡る国内外の主な動向

悪用側と規制側でいたちごっこが続く。

(出所:日経クロステック)

べて情報量が少ないため本物との違い（矛盾点）を見つけるのが難しく、偽物であることを見破りにくいとされている。

今回発表された手法は、音声を基に、それが発せられたときの声道の形状を推測する。その結果が人間としてあり得ない形状だった場合、ディープフェイク音声だと判定する。論文はこれを「恐竜の鳴き声を再現する手法」の応用だとしている。恐竜の鳴き声の場合、化石などを基に恐竜の声帯（音の発生器）や声道（声帯から口や鼻までの空洞）の形状を推測し、その結果から再現している。

まず、音声に含まれる特定の周波数の振幅から、話し手の声道の形状（断面積）を算出する数学的モデルをつくる。声道を15本の半径が異なるパイプで近似し、流体力学や過去の研究などに基づいて声道の形状と音声を関係づけるモデルを導出した。

次に、人間が実際に発した音声（オーガニック音声）のサンプルを使い、人間として可能な声道の形状の範囲を計算した。声道の各地点の断面積の最大値および最小値を算出し、これらを逸脱する場合、人間には出せないディープフェイク音声だと判断する。

構築したモデルを評価したところ、精度99・９％、再現率99・５％、偽陽性率（False Positive Rate）２・５％を達成できた。精度は「ディープフェイクだと判定した音声のうち、実際にディープフェイクだった割合」、再現率は「全ディープフェイク音声のうち、ディープフェイクだと判定できた割合」、偽陽性率は「オーガニック音声を誤ってディープフェイクだと判定した割合」をそれぞれ指す。評価にあたっては、４９６６個の音声ファイルを使った。内訳は２４７６個がディープフェイク、２４９０個がオーガニック。

さらに研究者グループは「算出した声道の形状がもっともらしいディープフェイク音声」をつくれるかどうかを検討し、「現状では計算に時間がかかりすぎて困難」と結論付けている。

とはいえ安心はできない。著名なセキュリティー研究者であるブルース・シュナイアー氏は自身のブログで「興味深い研究だが、攻撃者はこの手法を応用し、この手法で検出できないディープフェイク作成方法を見つけ出すだろう」とコメントし、「そして軍拡競争は続く（And the arms race will continue.）」と結んでいる。

（勝村 幸博＝日経クロステック、貴島 逸斗＝日経クロステック・日経ＮＥＴＷＯＲＫ）

009

エッジＡＩ

カメラやクルマなど利用者の手元に近いデバイスにＡＩを搭載

技術成熟度……高

2030期待度……24.0

ネットワークの末端（エッジ）側の端末や機器でＡＩ（人工知能）ソフトウエアを稼働させるシステムを指す。

データをサーバーなどに送らずその場で処理するため、リアルタイム性が高く、ネットワークが不調もしくは無くても利用可能で、自律的に稼働する。

画像処理ＡＩを活用したスマートカメラの実用例が多くある。カメラ以外では、工場などの製造装置にＡＩ処理を組み込み、稼働管理や故障診断などを担うといった用途がある。ドローンなどの自律操縦にもエッジＡＩが使われる。

デロイトトーマツ ミック経済研究所の調査によるとエッジＡＩ市場の国内規模は２０２１年度に76・6億円とまだ揺籃期にあるが、２０２２年度以降本格的に立ち上がって年率41・3％増で伸張し、２０２６年度までには４３１億円規模に達すると予想されている。

エッジだけで処理することもできるし、エッジＡＩからデータを他へ送ることもできる。後

図　AI倉庫管理の実証実験の様子

赤い枠のところにカメラを備え、倉庫の空き棚を把握する（左）。ソニーセミコンダクタソリューションズが開発したAI画像処理機能を備えたイメージセンサー「IMX500」（右上）とこれを使ったカメラ（右下）を使う。
（出所：ソニーセミコンダクタソリューションズ、NEC）

者の場合、エッジでいったんデータを処理して軽量化すれば、データ転送のリアルタイム性を高めたり、ネットワーク負荷や中央サーバーの処理負荷を下げたりできる。

ＡＩについては、エッジ端末の処理能力が限られるため、比較的軽量な学習済みモデルを使った推論処理が中心となる。ただし最近は、半導体技術の進歩でエッジ端末への搭載を前提とした高性能のＡＩチップなどが開発されている。

例えば、ルネサス エレクトロニクスはＡＩ処理向けのマイクロプロセッサーを開発している。ルネサスと国立研究開発法人新エネルギー・産業技術総合開発機構（ＮＥＤＯ）が共同開発した、ＡＩ処理アクセ

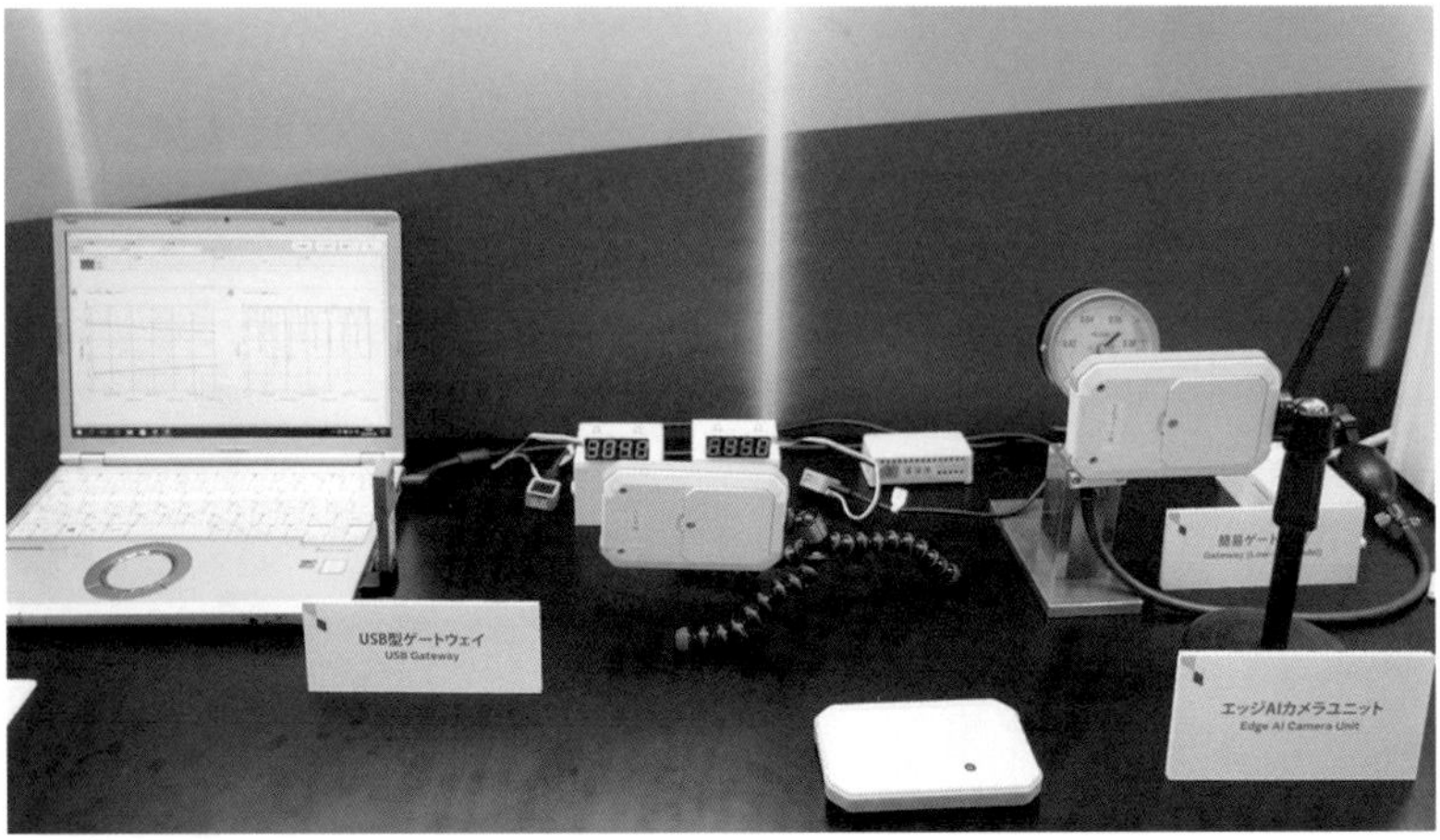

図　村田製作所が開発したアナログ計器を読み取るAIカメラユニット

アナログメーター（右）や7セグメント表示器（中央）の数値を読み取れる。AIカメラユニットが解析した数値とその値の信頼度をPCに送信する。
（撮影：日経クロステック）

ラレーター「ＤＲＰ-ＡＩ（Dynamically Reconfigurable Processor-AI)」を組み込む。集積することで電力効率を上げ、発熱を防ぐ。また、プロセッサーにとどまらず、特定用途に合わせた学習済みＡＩモデルもそろえて提供する。

利用例としてはスマートカメラが多く、顔認証機能を備えて万引きを防ぐ防犯カメラ、交通違反を検知して記録するドライブレコーダー、入出庫管理ができる倉庫用カメラ、空席を読み取るカメラ、などが実用化されている。

村田製作所は古い計器を継続利用し、データを自動で読み取るエッジＡＩ内蔵のカメラユニットを開発している。アナログメーターや7セグメント表示器の画像をカメラで撮影し、ユニット内で解析して数値を認識、ＰＣに数値を無線送信する。

従来はアナログメーターなどを備えた設備からデータをとろうとすると、アナログメーターからデジタルメーターへの交換・改造などが必要となることが多かった。アナログメーターの数値を読み取れるようにするために、使っているメーターの画像を数枚ほどＡＩに読み込ませ、単位や最大値などを設定しておく。カメラユニットは電池駆動なので、煩わしい配線作業をしなくて済む。

エッジで処理することでデータの秘匿性を保ちやすい。コストも抑えられる。ＡＩを活用したアナログメーター読み取りシステムはこれまであったが、画像データをクラウド上にアップロードして解析することが多く、クラウドの利用料などが発生していた。

（長場 景子＝日経クロステック・日経ものづくり）

010

畜産ＡＩ

発情兆候の検知や体重推定などにＡＩを利用

技術成熟度……高
2030期待度……7.2

牛や豚、鶏といった家畜の体調管理や出荷作業をＡＩで支援する。育成データから発情の兆候を検知したり、画像から体重を推定したりすることで、重労働が多い農家の負担を減らす。

ファームノートが提供するＦａｒｍｎｏｔｅ Ｃｏｌｏｒは牛の首に取り付けるモーションセンサー内蔵の首輪と活動量を分析するソフトから成る。首輪で集めた行動データをＡＩが分析し、発情の兆候や病気などの異常を農家に知らせる。

牛の発情周期は約20日で、種付けの機会を逃すと3週間ほど待たなければならない。相手は生き物だけに周期がずれることもある。データとＡＩの活用で牛の健康状態を把握し、きめの細かい管理を可能にする。

コーンテックはスマートフォンを使って豚の背中側から撮影した写真を基に、ＡＩが体重を推定するアプリＰＩＧＩを提供している。体重を日次管理することで出荷量の推移を確認した

図　エコポークが開発する豚の発情判定システムのイメージ
自由に歩き回る豚のお尻の画像を基に、一頭ずつ発情しているかどうかAIが推定する。
（出所：エコポーク）

り、出荷日をＡＩが予測したりする機能を備える。

豚肉は出荷時の重量や肉質で等級が分かれており、体重不足だけでなく超過した場合も「格落ち」となって価格が下がる。こまめな管理が望ましいが、１００kgを超える豚の体重測定は負荷が高かった。飼料を過度に与えることなく適切な時期に出荷できれば、コスト削減にもつながる。

欧州連合（ＥＵ）から世界へと広がりつつある「アニマルウェルフェア（動物福祉）」の波にもＡＩが活躍する。

エコポークは1頭ずつ囲うストール（柵）に入れない「フリーストール」の豚の映像を撮影し、映像から切り出した複数の静止画像から豚が発情しているかどうかをＡＩが推定するシステムを開発中だ。豚の快適さを重視して柵やケージを無くすことで管理の負荷が高まることに対処する。

新興国などを中心にタンパク源として需要が高まっている鶏肉についても、大量生産に向けて劣悪な環境で鶏を飼育する農家が少なくなく、鶏の平飼いを画像認識ＡＩで支援する研究も進んでいる。

（貴島 逸斗＝日経クロステック・日経ＮＥＴＷＯＲＫ、増田 圭祐＝日経クロステック）

０１１

ＡＩうつ病診断支援

機能的ＭＲＩで評価された脳の活動指標を
ＡＩで分析、うつの診断を支援する

技術成熟度……高
2030期待度……17.6

脳のある領域と別の領域機能的なつながり（相関）とその強さをＭＲＩ（磁気共鳴画像装置）で計測し、その結果をＡＩで分析、うつ病の診断に役立てる研究が進む。脳を一定時間、連続撮像し、脳活動の変動を計測できる機能的ＭＲＩ（ｆＭＲＩ）を使う。

うつ病患者と健常者から集めたデータを学習させたＡＩに、うつ病かどうかを判別させたところ、有効だと確かめられた。データ診断を支援するアルゴリズムをプログラム医療機器として２０２３年３月30日に承認申請した。

従来、患者の自覚症状を問診していたが、これだけで正しくうつ病を診断するのは難しいとされていた。

開発した解析アルゴリズムを使い、面接でうつ病の診断基準を満たした患者47人と、健常者39人とを対象に有効性を確認したところ、感度72・１％、特異度66・７％、精度69・７％という成績が得られた。

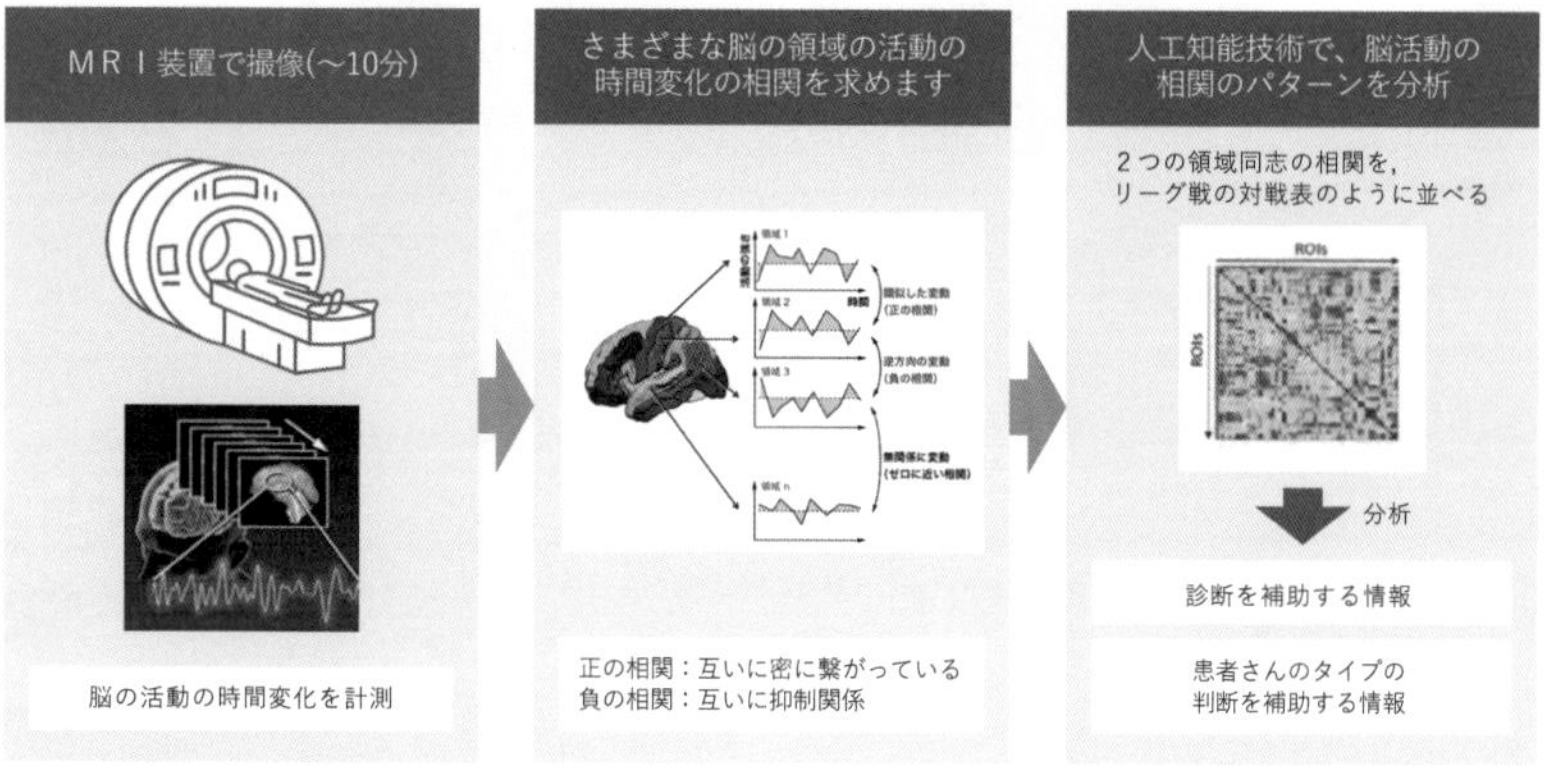

図　脳回路バイオマーカーの概要
（出所：ATR、XNef）

この研究を手掛ける、広島大学精神神経医科学の岡本泰昌教授、岡田剛准教授、国際電気通信基礎技術研究所（ＡＴＲ）脳情報通信総合研究所の川人光男所長、ニューロフィードバック技術などを使った診断・治療機器の開発を進めるＸＮｅｆの酒井雄希副社長らのグループが２０２３年２月、高い診断補助能と汎化性を確認したと発表した。さらに広島大学を中心とした多施設共同特定臨床研究でも有効性を検討している。

研究グループは２００８年から始まった文部科学省の脳科学研究戦略推進プログラムにおいて、ｆＭＲＩを使う脳回路マーカーの開発を進めてきた。脳回路マーカーとは、脳の領域同士のつながりの強さを明らかにする指標である。脳回路マーカーを測定する際、特定の課題や問題を課す必要はなく、被験者はｆＭＲＩの中に入って好きなことを考えていてよい。研究チームはＭＲＩの計測結果を比較可能にする工夫をした上で広島大学など４施設から、うつ病患者１４９人、健常者５６４人の脳回路マーカーデータを収集し、ＡＩに学習させた。

（加藤勇治＝日経メディカル）

012

適応学習（アダプティブラーニング）

生徒の学習履歴などを使い、AIが習熟度に応じて問題や教え方を変える

技術成熟度……高

2030期待度……21.5

児童・生徒がデジタル教材を利用して学習した履歴データなどを活用、一人ひとりの習熟度に応じて提示する演習問題の内容を変えるなどして、学びの質を高める手法。その実現を支援するツールが続々と登場している。

ＡＩ（人工知能）を活用してアダプティブラーニングを支援するサービスやツールが登場している。児童や生徒が入力した解答の正誤をＡＩが分析し、正解できなかった問題や類題を繰り返し表示する。

国内ではスタートアップのコンパスが開発するデジタル教材「Ｑｕｂｅｎａ（キュビナ）」、凸版印刷が提供する「ｎａｖｉｍａ（ナビマ）」、すららネットの「すららドリル」などがある。Ｑｕｂｅｎａは２０２２年12月の段階で１７０以上の自治体が導入し、学校数で見ると公立・私立小中学校の計２３００校以上が導入済みという。

これらのサービスやツールは児童・生徒がなぜ問題を間違えたのか、原因を分析する機能を

備える。教員にとって理解度を基に宿題を作成する際に有用なツールとして活用が見込める。経済産業省は同省が運営するＷｅｂサイト「未来の教室」で、アダプティブラーニングを導入した学校の事例や教員、児童・生徒の声を紹介している。

文部科学省は２０１８年６月に発表した「Ｓｏｃｉｅｔｙ５・０に向けた人材育成～社会が変わる、学びが変わる～」で「すぐにでも着手すべき課題」としてアダプティブラーニングの推進を挙げていた。

同省が２０１９年度に打ち出したＧＩＧＡスクール構想により、児童・生徒１人につき学習用端末１台と学習用アカウントが整備されるようになり、児童・生徒が自分のペースで学習を進めやすくなった。

ただし小中学校でアダプティブラーニングを実践する際は児童・生徒のデータの管理に注意が必要だ。児童・生徒の学習データをデータベースに蓄積し解析するため、サービス提供者や自治体・学校はプライバシーポリシーやセキュリティーポリシーの制定、文科省の「教育情報セキュリティーポリシーに関するガイドライン」の順守が求められる。

（貴島 逸斗＝日経クロステック・日経ＮＥＴＷＯＲＫ）

013

歩行解析ソフト

動画を撮影するだけで高齢者などの歩き方を解析できる

タブレットやスマートフォンで歩行の動画を撮影するだけで、ＡＩが骨格の動きを識別、歩行の速度とリズム、歩行の際のふらつきと左右差といった4項目の点数を付け、改善点を提示する。

技術成熟度……高

2030期待度……7.6

東京都の荒川区立荒川東部在宅高齢者通所サービスセンターは毎月、体力測定週間を設け、通所介護サービスの全利用者の体力を測定している。握力、前屈を経て歩行速度の測定に移ると、スタッフが利用者の正面からタブレットで歩行の動画を撮影する。

エクサホームケアの歩行解析サービスＣａｒｅＷｉｚトルトに動画をアップロードすると、推奨されるトレーニング方法を含む、分析の結果を記載したコミュニケーションシートが2分程度で作成される。対象者がつえや歩行器を利用していたり、見守りや介助で横に他の人が付いていたりしても分析できる。シートは家族やケアマネジャーなど関係者と共有する。「ケアマネジャーが居宅を訪問する際、要介護者は座った状態でいることがほとんど。歩行の様子を

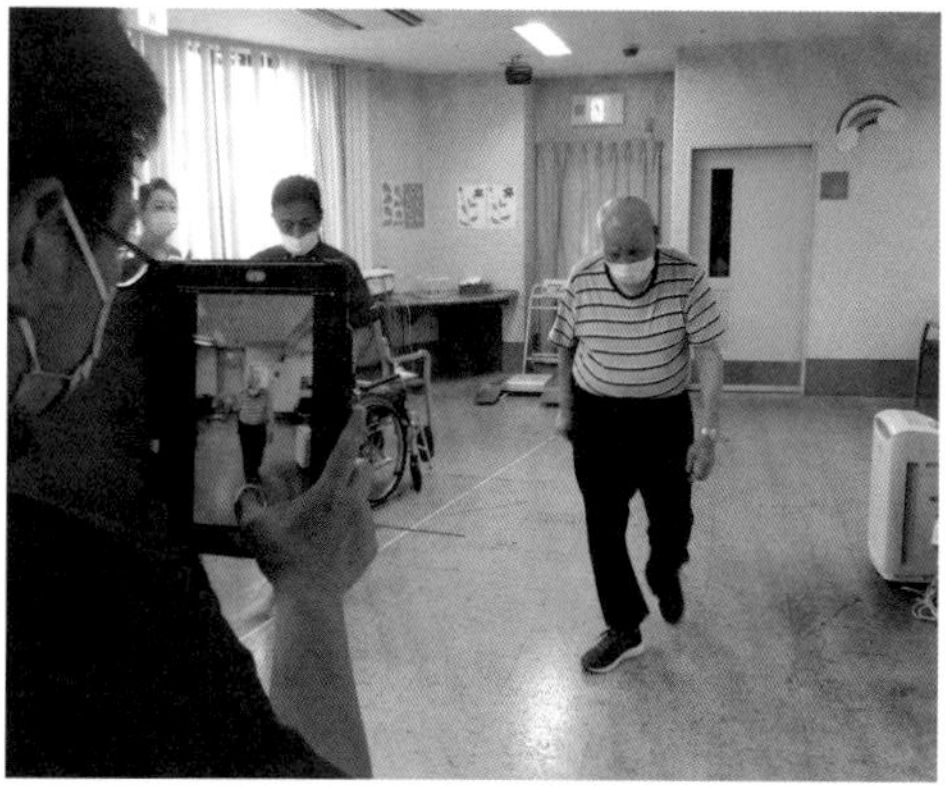

図　歩行状態を計測・記録する
荒川東部在宅高齢者通所サービスセンターの様子。
（撮影：日経ヘルスケア）

細かく確認する機会は案外少なかった」と事業所責任者の井澤美博氏は語る。

CareWizトルトはAIサービス開発のエクサウィザーズが開発した。同社と福祉用具レンタル・販売大手のヤマシタが共同出資し、エクサホームケアを2021年5月に設立した。発売から1年余りの2022年8月時点でトルトを導入する事業所は約400となっている。

福祉用具の事業所ではトルトを使い、歩行器やつえの使用時と非使用時の歩行機能を比較している。「つえは年を取ったように見えるから嫌だ」という高齢者への説得材料にもなるという。用具の使用から一定期間経過後のモニタリングにも活用されている。

特別養護老人ホームでトルトを導入して入所者の歩行を毎月撮影し、運動の内容の検討とともに、介護職員の動作介助の動画に理学療法士がコメントすることで、入所者の7割の歩行状態が改善した事例もある。

神奈川県藤沢市は要介護者の歩行動画を複数事業者が共有する効果を2022年に検証。通所系サービスなど参加15事業所の73％でサービス利用者の運動意欲の向上が認められ、デジタル活用によるスタッフ間連携で月500分の業務短縮を実現した事業所もあった。

（石垣恒一＝日経ヘルスケア）

014

マテリアルズ・インフォマティクス

ＡＩなどを使って材料の開発を支援

技術成熟度……高

2030期待度……24.9

材料開発にデータサイエンスを応用する開発手法。個別の素材の性質のシミュレーション値や膨大な実験結果のデータを機械学習などの人工知能（ＡＩ）で解析し、目的とする材料の組成や製造方法を予測する。実験とシミュレーションを繰り返して経験的に正解を見つけ出す従来手法とは一線を画す。

マテリアルズ・インフォマティクスはリチウムイオン二次電池の材料、タイヤの合成ゴム、合金、誘電材料、磁性材料など、あらゆる材料開発で既に成果を出している。材料を構成する分子構造や組成などのパラメーターが多く、複雑すぎて理論構築が遅れている分野で特に効果を発揮しやすい。

従来は実験を繰り返すしかなかったアイデアの検証作業を大幅にスピードアップできる。組み合わせが多すぎて探しきれなかった意外な組み合わせを見つけ出す効果もあり、材料開発を加速できる。

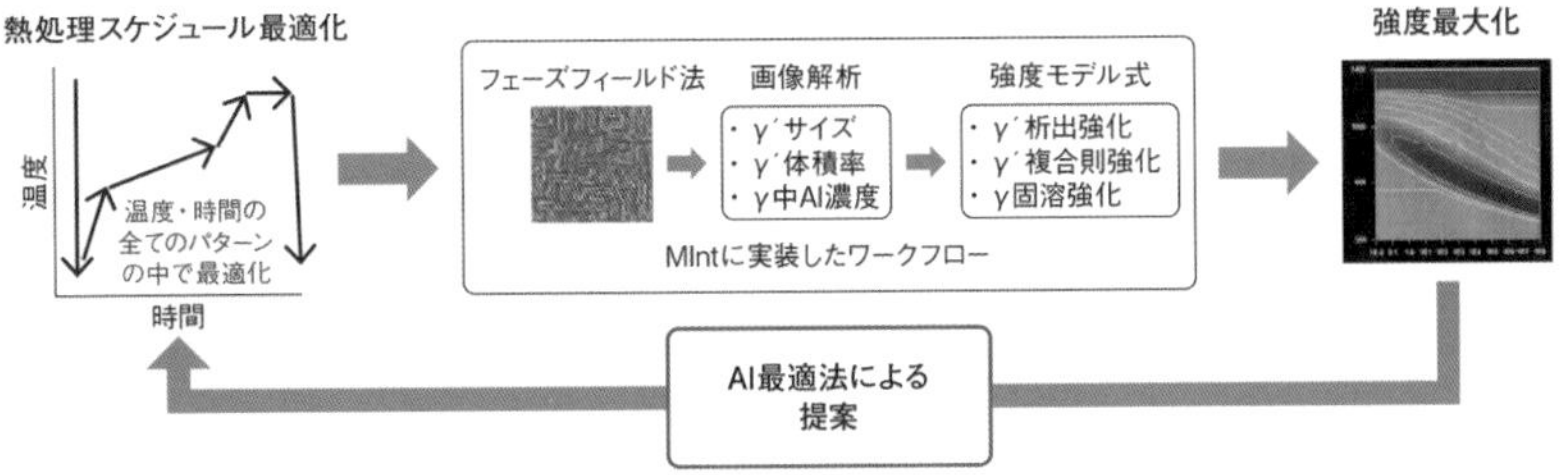

図　MIntに実装した時効処理プロセスを検討する逆問題解析
（出所：NIMS）

新素材・新材料開発の切り札となるだけでなく、ロボットによる自動実験などと組み合わせると研究開発の自動化にもつながる。デジタルトランスフォーメーション（ＤＸ）の中核として国内外の素材メーカーを中心に製造業で急速に導入が進んでいる。

物質・材料研究機構（ＮＩＭＳ）が中心となり２０１８年からオールジャパン体制で開発しているのが金属材料のマテリアルズ・インフォマティクス・システム「ＭＩｎｔ（Materials Integration by Network Technology、ミント）」である。

所望の性能を得るための生成条件や組成などのプロセスを検討する「逆問題解析」、材料組成から強度や密度などの物性を予測する「順問題解析」、両方の解析に対応できる。

データベースに納めた構造材料データに対して複数のアルゴリズムを組み合わせた解析フローを自由自在に組める。材料内部の組織形成を計算するフェーズフィールド法や、材料強度の予測モデルなど、さまざまなアルゴリズムを備える。

例えば、ニッケル（Ｎｉ）基超合金の強度を最も高める加熱パターン「高温でさっとあぶった後、低温でじわっと焼く」を、

図　「MInt」システムを搭載したコンピューター

NIMSの開発拠点（茨城県つくば市）に設置された手前のコンピューターをMIntに使っている。

（撮影：日経ものづくり）

加熱温度と時間の膨大な組み合わせからＡＩがピックアップした。これは最適な時効処理プロセスを検討した逆問題解析の例である。ＡＩの導入で加熱温度を時間で変化させる新たなプロセスを発想することが可能になった。従来は実験や検証時間の限界から単一温度で処理する加熱パターンしか試せなかった。

ＭＩｎｔは組成や形状などを決める「プロセス」と、材料の耐久性や使い勝手などの「性能」の関係だけでなく、中間要素である原子や分子の配置といった「ミクロ構造」と、材料の密度や強度などの「特性」を含めた4要素の因果関係を組み合わせて自由に計算できる。

個別の要素一つひとつを予測する「モジュール」は全部で３６１個が既に用意されているが、まだまだ足りない。モジュール開発を続けていくには、大学や公的研究機関の積極的な参画によるデータや成果、豊富なノウハウの提供がカギとなる。

そこでＮＩＭＳは、ＭＩｎｔを運用する組織「マテリアルズインテグレーションコンソーシアム」を発足させた。大学や公的研究機関が企業の材料課題に対して産官学連携の研究プロジェクトを組み、ＭＩｎｔシステムを活用した材料開発を進める。この結果、得られた新材料は企業が製品にするなど実用化を進め、モジュールやワークフローなど開発ツールとして共用可能な成果はＭＩｎｔシステムに還元する。モジュールやワークフローが増えれば、ＭＩｎｔシステムを活用した材料開発が一層加速するだろう。

（石橋 拓馬＝日経クロステック・日経ものづくり）

第3章

建築・土木

二酸化炭素の吸着や
太陽光の利用など環境に配慮

015

グリーンコンクリート

二酸化炭素を吸収または固定できる

技術成熟度……高

2030期待度……40.8

製造の際に二酸化炭素（CO_2）を吸収、固定できるコンクリート。低炭素・脱炭素コンクリートとも言う。

開発する方法として、セメントを高炉スラグ（鉄以外の成分に石灰石やコークスの灰分が混ざったもの）などに置き換える、骨材や粉体にCO_2を固定して混入する、コンクリートにCO_2を吸収させる、などがある。従来、製造過程で大量のCO_2を排出するセメントがコンクリートの主要な材料だった。

カーボンニュートラルの広がりに伴い、低炭素・脱炭素コンクリートの実用化に向けて動き出す大手建設会社が出てきており、開発競争が激しさを増している。

鹿島建設は２０２３年４月、同社が開発したコンクリート技術を紹介する展示施設「ＫＡＪＩＭＡ ＣＯＮＣＲＥＴＥ ＢＡＳＥ」を技術研究所内に開設した。環境配慮につながる８つの技術を写真や動画などで解説。特設サイトも用意し、いつでもオンラインで展示を見

図　導入が進むCO_2-SUICOM

KAJIMA CONCRETE BASEのエントランスの舗装に約10m^3のCO_2-SUICOMを使用した。横浜市立元街小学校に導入した太陽光発電設備の基礎ブロックなどでも使っている。（撮影：日経アーキテクチュア）

られるようにした。坂田昇執行役員は「CO_2排出量の削減は世界的な潮流だ。旬のコンクリート技術を多くの人に知ってもらいたい」と期待をかける。

鹿島などが開発した「CO_2-SUICOM（スイコム）」は脱炭素コンクリートの代表格と言える存在だ。セメントの半分以上を高炉スラグなどに置換し、消石灰を原料とした特殊混和材「γ-C_2S」でCO_2を吸収させる。γ-C_2Sは水ではなくCO_2と反応して硬化する。材料を練り混ぜた後、高濃度CO_2環境下で養生してつくる。排ガス中のCO_2を固定した炭酸カルシウム（$CaCO_3$）の微粉末「エコタンカル」を混入すれば、さらなるCO_2削減効果が得られる。

コンクリートのアルカリ性が失わ

図　防音壁に新材料を適用
2023年3月、神奈川県内で施工した防音壁に約14m^3のクリーンクリートNを適用。クリーンクリートNはCO_2排出量をマイナスにできる。
（出所：大林組）

れるため、無筋のプレキャスト部材や舗装ブロックなどで適用を進めてきた。ＫＡＪＩＭＡ ＣＯＮＣＲＥＴＥ ＢＡＳＥの外構舗装では、コンクリート１m^3当たり１２３kgのCO_2を吸収して、カーボンネガティブを達成した。

大成建設は２０２１年２月、セメントの一部を高炉スラグなどに置き換えた上で、CO_2を吸収・固定した$CaCO_3$の粉末を混合するコンクリート「T-eConcrete/Carbon-Recycle」を発表した。１m^3当たり45～１１６kgのCO_2を削減できる。舗装などで適用実績がある。

大成建設は供給網の整備を進める。「大量生産・供給できなければ市場で勝負できない」（技術センターの大脇英司栄誉研究員）。カギになるのはカーボンリサイクル材となる$CaCO_3$の安定確保だ。

２０２２年４月、自動車部品大手のアイシンと共同開発契約を締結。アイシンはアミノ酸を利用して、排ガスに含まれるCO_2を$CaCO_3$として固定する技術を持つ。その４カ月後、伊藤忠商事、$CaCO_3$の製造技術を保有する豪スタートアップＭＣｉの２社と協業に関する覚書を締結した。

大林組は自社で開発した低炭素コンクリート「クリーンクリート」に、$CaCO_3$の粉末を混合する脱炭素コンクリート「クリーンクリートＮ」を２０２２年４月に発表。２０２３年３月、神奈川県内で施工した工場の防音壁に、現場打ちで初適用した。

大林組は低炭素コンクリートの使用実績で業界ナンバーワンを自負する。２０２３年３月に開業した新球場「エスコンフィールドＨＯＫＫＡＩＤＯ」では、開閉式屋根の荷重を受けるガーダー架構に低炭素コンクリートのクリーンクリートを９万㎥使用した。

竹中工務店が２０１４年に、鹿島や日鉄高炉セメントなどと共同で開発した低炭素型の「ＥＣＭ（エネルギー・CO_2・ミニマム）コンクリート」も実績を積んでいる。ＥＣＭコンクリートはセメントの６～７割を高炉スラグの粉末に置き換え、CO_2排出量を削減する。

竹中工務店によると、２０２２年のＥＣＭコンクリートの使用量は２０２０年の約４倍になった。建設基盤技術研究部の辻大二郎建設材料グループ長は「世界的な環境意識の高まりは追い風。ＥＣＭコンクリートを選択肢に加える設計者も増えてきた」と話す。

大手以外でも取り組みが進む。東急建設は２０２３年1月竣工の13階建てビル「ＣＵＲＡＧＩＮＺＡ」に低炭素コンクリート「ＣＥＬＢＩＣ（セルビック）」を初適用した。建設会社13社が参加するＣＥＬＢＩＣ研究会が共同で開発した技術だ。研究会の幹事は長谷工コーポレーションで、東急建設のほか熊谷組や五洋建設、安藤ハザマ、奥村組などがメンバーに名を連ねる。

（中東壮史、星野拓美＝日経クロステック・日経アーキテクチュア）

016

生物発光（植物への応用）

発光する植物で
夜の都市部を明るく照らす

技術成熟度……低
2030期待度……15.5

街路樹や観葉植物が光を発して夜の街を明るく照らせるようにする。蛍、クラゲや魚の生物発光（バイオルミネセンス）を引き起こす遺伝子を植物に導入する。

フランス北東部アルザス地方、ストラスブール市のスタートアップ、ウッドライト（Ｗｏｏｄｌｉｇｈｔ）は生体発光遺伝子を植物に導入する生体内実験を終え、２０２４年のプロトタイプ完成に向けて研究開発を進めている。

「節電ができ、植物の光合成のおかげで都市の公害を減らせる。植物だから１００％リサイクルが可能。これからの都市環境のために取り組む価値のある新技術だと考えている」

ウッドライトの創業者の1人、ストラスブール大学の植物学者ローズ＝マリー・オクレール（Rose-Marie Auclair）氏はこう語る。ウッドライトは同氏とギスラン・オクレール（Ghislain Auclair）氏が設立した。創業した２０１８年に生体発光遺伝子を植物に導入する試験管実験を、２０２１年には生体内実験をそれぞれ終えた。２０２２年11月、プロトタイプの作成に必要な資金を調達するため、1人10ユーロからのクラウドファンディングを実施、2カ月後の2023年1月、目標額の10万ユーロを集めた。「発光する植物を使って灯りをともすプロダクト」を多くの市民が望んでいることが分かる。

植物を発光させるアイデアは両氏が2016年、ニューヨークへ旅行をした際にひらめいた。街灯や電柱のポールを発光する樹木に替えられたら、通りが緑に覆われ、歩行者たちは心地のいい日陰を歩ける。都市の空気はクリーンになり、ヒートアイランド現象は緩和される。

2022年11月にラジオ局のインタビューで、ローズ＝マリー氏は「第一段階の用途として光る目印を考えている」と語った。自転車レーンや車道の白線、たくさんの灯りが必要ではない場所の照明などである。「都市の照明に関する人々の考え方を変える機会でもある」という。ライトを代替する用途を目指さないのは、生物発光から得られる光はほのかなものだからである。暗がりで本を読めるような光量はない。

都市の照明が「光害《ひかりがい》」と言われて久しい。日本の環境省のサイトは光害を「照明の設置方法や配光が不適切で、景観や周辺環境への配慮が不十分なために起こるさまざまな影響」と定義している。悪影響として、エネルギーの無駄、居住者の安眠妨害やプライバシー妨害、動植物の住処が無くなる、などが挙げられる。眩しすぎる看板があると運転手は歩行者が見えにくい。

（木村 知史＝日経BP 総合研究所 クリーンテックラボ、Keiko Sumino-Leblanc＝TNCライフスタイル・リサーチャー）

017

木造耐火構造

木造建築が燃えても一定時間、持ちこたえられるようにする

技術成熟度……高

2030期待度……10.2

火災によって木造建築が燃えても一定時間、建物を倒壊させずに持ちこたえられる性能を確保する技術。

建物の高さに応じて1時間、2時間、3時間の耐火性能が建築基準法で求められている。これらの性能を確保するため、大手ゼネコンを中心に技術開発が活発になっている。

建築基準法ではこれまで、最上階から数えて階数4以下が1時間、階数5～14が2時間、階数15以上が3時間の耐火性能を求めていた。高層になるほど、長時間の火災に耐える必要がある。

国土交通省は中高層ビルに木造を採用しやすくするため、法制度の見直しを進めている。その一環として建築基準法施行令を改正して、60分刻みだった耐火性能を30分刻みに変更。23年4月に施行した。

最上階から数えて階数5～9を90分、階数15～19を150分の耐火性能で設計可能とする。

大手ゼネコンや大手ハウスメーカーを中心に、独自の技術で大臣認定を取得する動きが加速しそうだ。

木造耐火構造を実現する代表的な方法として「被覆型」がある。木構造支持部材となる木材を石こうボードなどの耐火被覆材で覆って、火が付かないようにする。耐火被覆材を厚くすれ

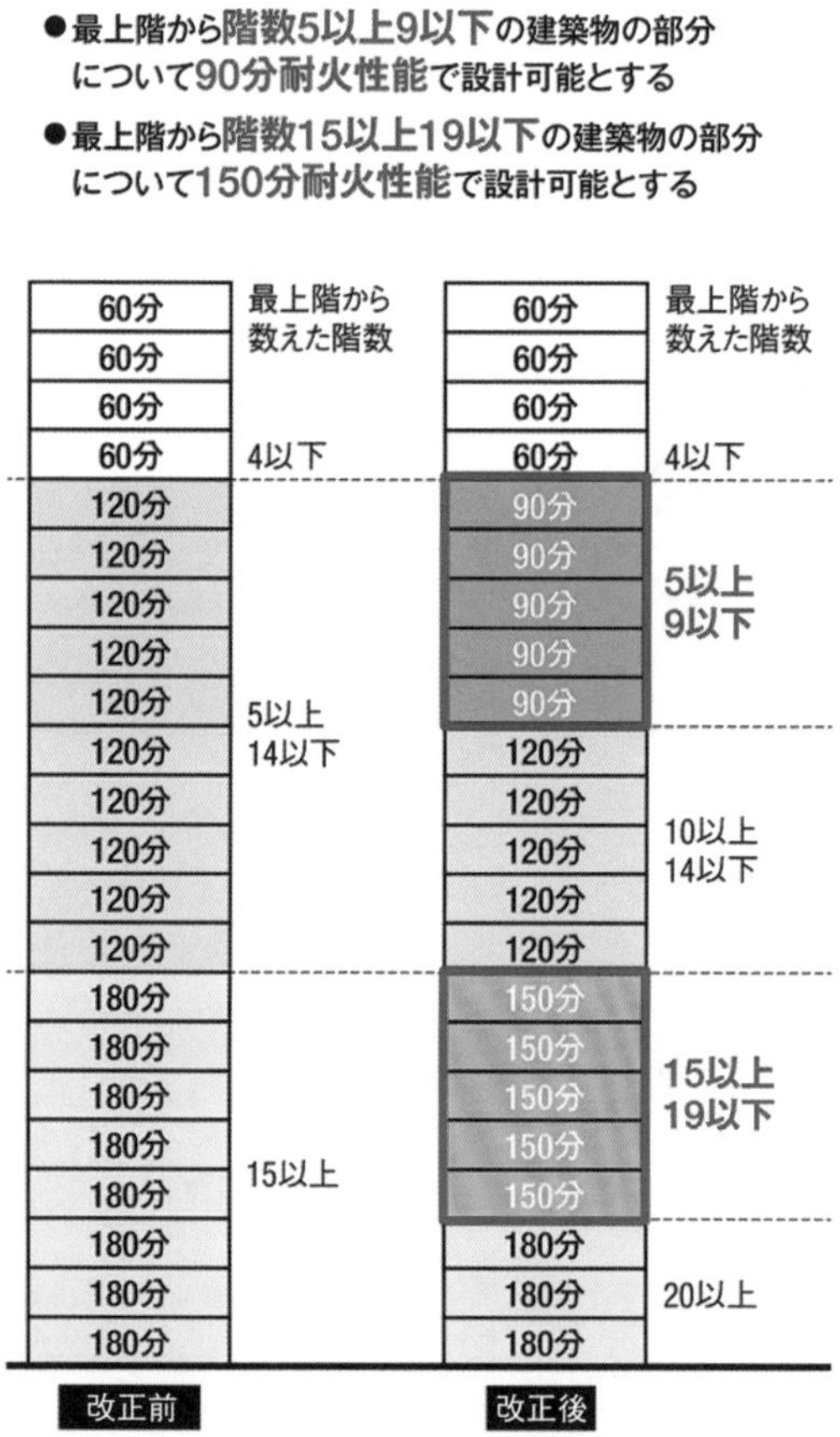

図　建築基準法が定める耐火性能の変更

国土交通省は建築基準法施行令を改正し、60分刻みだった耐火性能を30分刻みに変更した（出所：日経クロステック）

	方策1（被覆型）	方策2（燃え止まり型）
概要	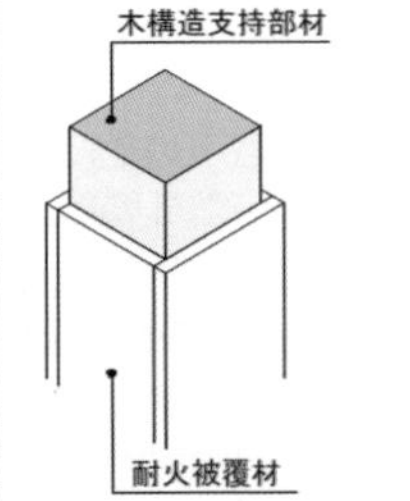	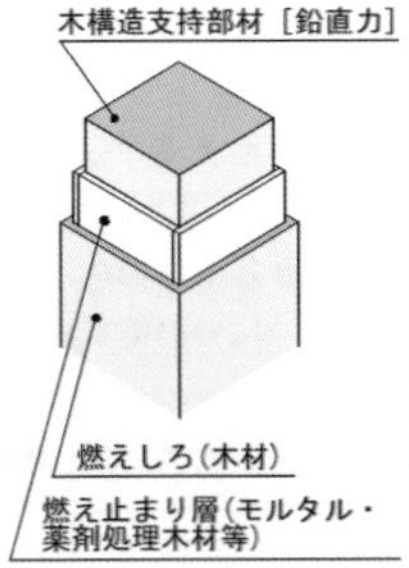
構造	木造	木造
特徴	木構造部を耐火被覆し燃焼・炭化しないようにする	加熱中は燃えしろが燃焼し、加熱終了後、燃え止まり層で燃焼を停止させる
樹種	制限なし	スギ、カラマツ等
部位	外壁・間仕切壁・柱 床・はり・階段・屋根	柱・はり

図　純木造による木造耐火構造の代表的方法
（出所：安井 昇）

ば、内部の木材の温度上昇を抑えることができるので、長時間の耐火性能を確保できる。ただし、耐火被覆材で覆ってしまうと、木の表情が見えなくなる。

そこで木の表情を生かした方法として開発されたのが「燃え止まり型」である。木構造支持部材となる木材の周りに、石こうボードなどで燃え止まり層を設け、その周りにさらに燃えしろとなる仕上げの木材を組み合わせる。

表面の木材に火が付いても、燃え止まり層で火災の進行を止める。燃え止まり層の内側の木材は燃えないので、必要な耐力を確保できる。ただし、被覆型に比べてコストが高くなり、部材の断面寸法が大きくなりがちである。

大林組は2022年4月、「Port Plus大林組横浜研修所」の供用を開始した。地下1階・地上11階建て、最高高さ約44m。地上部分の構造は「純木造」である。国内の純木造ビルとしては、仙台市に立つ地上7階建てのビルを抜き、最も高い建物となった。

図　大林組が建設した「Port Plus大林組横浜研修所」
地下1階・地上11階建て、最高高さ約44m。地上部分の構造は「純木造」。
（撮影：吉田 誠）

柱と梁《はり》には、大林組が国土交通大臣認定を取得した耐火木造技術「オメガウッド（耐火）」を用いた。荷重を支持する木材の周囲に、強化石こうボードによる燃え止まり層、その外側を木製の燃えしろ層で仕上げている。さらに、建物の一部には3時間耐火性能を確保した技術を採用した。

また、竹中工務店は耐火集成木材「燃エンウッド」で3時間耐火性能の大臣認定を2022年11月に取得した。

清水建設や鹿島、大成建設などは2時間耐火性能の大臣認定を取得している。大手ハウスメーカーでは、住友林業が「木ぐるみCT」シリーズで3時間耐火性能の大臣認定を取得している。

（桑原 豊＝日経クロステック・日経アーキテクチュア）

018

太陽光発電舗装

人や車が通っても壊れない太陽光パネルを道路に設置する

技術成熟度……中

2030期待度……37.4

太陽光パネルを路面に接着、あるいは舗装へ埋め込むことで「発電する道路」を実現する。道路舗装会社大手は民間企業の駐車場など私有地への導入に着手している。人や車が何回通っても破損しない耐久性を持つ太陽光パネルの実現に向けて、大型車の走行に対応できる耐久性の検証も進めている。

太陽光パネルの新たな設置場所として、広大な発電面積が見込める道路に注目が集まっている。現行の道路法では太陽光パネルなど発電装置を公道の路面に設置できないが、国土交通省は2023年3月、法制度の改定も視野に入れつつ、太陽光発電舗装の設置に向けた技術の公募を始めた。

国交省によると、全国の国道と高速道路で、照明など道路管理に必要な電力は1年当たり約3060GWh（ギガワット時、2013年度時点）。ところが、道路周辺に設置した再生可能エネルギー発電施設による年間発電量はその1％にも満たない。

太陽光パネルを敷設した路面
中西金属工業（大阪市）の駐車場に2020年10月に設置。
（撮影：David Michaud-Gokan KK）

総延長約１２８万㎞にも及ぶ公道に太陽光パネルを設置できるようになれば、新たな大規模発電施設が誕生し、道路管理の消費電力を賄える可能性がある。

道路舗装会社大手の東亜道路工業は道路建設会社大手の仏コラスと手を組み、路面に貼った太陽光パネルの上を大型車で走行する実証実験を進めている。

「車が走るだけの道路はもったいない。設置のハードルが低い場所で太陽光パネルの導入実績を積み重ねる。道路法が改定され次第、車道に適用できるよう準備しておく」。東亜道路工業の松村高志常務執行役員はこう意気込む。

同社とコラスの日本法人コラス・ジャパンは太陽光で発電する舗装システム「ワットウェイ・パック」を２０２２年６月から共同で販売している。同製品を構成する太陽光パネルは、結晶シリコン型の太陽電池と、それを覆う透明な特殊樹脂

図　太陽光パネルで発電して照明に活用

埋設した太陽光パネルで昼間に発電した電気を蓄電池に充電する。
（写真：日本道路）

から成る。舗装を剥がさずに路面の上から接着剤で貼り付ける。路面との段差が大きくならないように、厚さは6㎜と薄い。

コラス・ジャパンの長沼薫代表取締役は「高温多湿な日本では、フランスで使っている接着剤だとうまく貼れず、日本メーカーの接着剤を使った」と話す。接着部の経年変化について今後も検証していくという。

東亜道路工業は歩道や公園で太陽光パネルを先行して導入する。一方のコラスは過去に、日本で太陽光発電舗装を導入した実績を持つ。東亜道路工業と協力することでさらなるシェアの拡大を狙う。

路面に接着するだけが太陽光パネルの設置方法ではない。日本道路は建材や太陽電池などの製造・販売を手掛けるF-WAVE（エフウエイブ）と共同で、舗装へ埋め込むタイプの太陽光パネルを開発している。

フィルム状の太陽電池を硬質プラスチックで挟む構造で厚さは20㎜。まずは路肩や駐車場の通路への設置を想定し、2023年度末の販売を目指す。

発電能力や耐久性を確認するために2022年8月、日本道路の東京機械センター（茨城県つくば市）の敷地内に太陽光パネルを設置した。大型車が頻繁に出入りする場所だが、破損や発電量の低下は生じていない。

施工にあたってはまず、舗装を剥がし、コンクリートを打設する。その後、樹脂モルタルを塗り、太陽光パネルを接着する。貼り付けるタイプより施工の手間がかかるものの、パネルが剥がれる心配は少ない。

フィルム状の太陽電池は現在主流の結晶シリコン型より発電効率が低く、実績もまだ多くない。結晶シリコン型は生産技術が確立されており、大量生産によるコスト低下も見込める。それでもフィルム状の太陽電池を採用したのは耐久性を重視したからだ。日本道路 技術研究所の弓木宏之課長は「柔軟性が高く、大型車などの走行時のたわみ変形に追従できる」と説明する。

接着型や埋め込み型にかかわらず、太陽光パネルの耐久性の検証が進むが、導入コストの引き下げが課題になる。太陽光パネルの耐久性を高めたり、道路で特殊な工事を実施したりする必要があるので、屋根に設置するよりコストが数倍かかるとされる。

環境配慮の機運が高まる中、割高でも導入する民間企業などが増えてくれば、生産規模が拡大してコスト低減につながるかもしれない。

（奥山 晃平＝日経クロステック・日経コンストラクション）

019

透明太陽光発電用パネル

壁面や天窓などガラスを設置できる場所に取り付けられる

技術成熟度……高

2030期待度……42.5

一般的な窓ガラスと同程度の透明度を持ちながら、紫外線と赤外線をエネルギー源にして発電できるパネル。窓や外壁などの外装材と一体化したBIPV（建材一体型太陽光発電設備）に使え、壁や窓を〝発電所〟にできる。

脱炭素社会の実現に向けて再生エネルギーが注目を集めるなか、太陽光パネルの普及率が高まっているが、延べ面積に対して屋上が狭い高層建築物などでは太陽光発電設備を置く場所を十分に確保できず、ZEB（ネット・ゼロ・エネルギー・ビル）を実現しにくかった。

ENEOSホールディングスは透明な太陽光発電窓パネル「UE Power」の発電性能を評価する実証実験を高輪ゲートウェイ駅構内で2023年5月8日～7月14日に実施した。UE Powerは可視光を透過するため、一般的な窓ガラスと同程度の透明度を持つ。遮熱性と断熱性にも優れ、建物の省エネ効果が期待できる。

ENEOSが出資している米ユビキタスエナジーと日本板硝子がUE Powerを共同開

図　太陽光発電窓パネル「UE Power」のサンプル
可視光を透過するため、一般的な窓ガラスと同程度の透明度を持つ。
（写真：ENEOSホールディングス）

発した。ＪＲ東日本が実験フィールドの提供、ＹＫＫＡＰが窓パネルのサッシフレームの設計・製作で協力した。実証実験でパネルの有効性を確認した後、ビルなどへの展開を見据え、発電システムの構築などを進める。

また、大成建設はカネカと共同で建材一体型の太陽光発電システムT-Green Multi Solarを開発した。透過性のないタイプと透過性を確保したタイプがある。２０２３年４月にグランドオープンした大成建設横浜支店ビル、大成建設が設計・施工を手掛けた開成高校の新校舎に採用した。

政府が掲げた２０５０年カーボンニュートラルに向けて、自社施設の二酸化炭素（CO^2）排出量の削減に力を入れる企業が急増し、ＺＥＢへの関心が高まっている。ＺＥＢを実現するには高断熱化や空調・照明の省エネルギー化を図ったうえで、太陽光発電などによる〝創エネ〟が欠かせない。しかし、都市部の中高層ビルでは太陽光パネルの設置場所の確保が難しかった。

（石橋 拓馬＝日経クロステック・日経ものづくり）

020

オフグリッド住宅

送電網（グリッド）がいらない（オフ）住宅で どこにでも設置できる

技術成熟度……高
2030期待度……29.5

太陽光から電気を、雨水から水を自給するため、送電網や水道などインフラのない場所でも設置できる移住モジュール。

オフグリッドは送電網（グリッド）につながっていない（オフ）状態を指す言葉だが、既存のインフラから独立して資源を自給するという意味でも使われる。

2015年に創業のアース（ARTH）はオフグリッド型居住モジュールWEAZERを開発している。外観は直方体で、20フィートコンテナ（高さと奥行きが約2・5メートル、横幅が約6メートル）ほどのユニット6台で構成される。鉄骨造の躯体上部に太陽光発電パネルを備える。内部は「居住」「発電・蓄電」「浄水・貯水」のスペースに仕切られる。

居住のスペースは60～70㎡（ベースモデル）だが、壁の一面に強化ガラスがはめ込まれ、開放感がある。照明、空調、調理設備などを備える。これらの電力は太陽光のみでまかない、二酸化炭素（CO_2）は排出しない。飲み水やシャワーには雨水をろ過・滅菌し、東京都の衛生基準

図　静岡県沼津市に開設した、体験のための宿泊施設WEAZER西伊豆の外観
（出所：ARTH）

をクリアする水を使う。トイレなどから出る排水は特殊なろ過装置で浄化するので、環境に害を及ぼさない。

工場で製造したユニットを現地に置くだけで住める。災害などで停電や断水が起きた際の緊急避難施設としての需要も見込まれる。

設置場所の1時間ごとの気温、湿度、日射量、降水量を過去20年分投入すると、エネルギーや水の自給に必要なスペックを算出するプログラムを開発した。データの解析結果に加え、購入希望者の求める居住面積や外構（水盤やプールなど）を指定すると、プログラムが蓄電池や貯水タンクの容量、太陽光パネルの枚数などを調整する。

価格はベースモデルが1基1億円から。耐用年数は通常の1階建て鉄骨造りと同じ39年。

自治体や行政、医療機関からも災害対策や緊急時の備えを想定した引き合いがある。例えば経済産業省はＯＤＡ（政府開発援助）による途上国支援への活用を見込んでいる。

反響に対して生産が追いつかず、２０２３年の提供は最大10基程度にとどまる。２０２４年以降、生産体制を増強し、販売数を１００基単位に拡大させる考えだ。

（金子 芳恵＝フリーランス）

021

ＩｏＴ防犯

窓などにセンサーを付け、不正に開かれた場合、住人に連絡する

技術成熟度……高

2030期待度……12.4

ＩｏＴ（モノのインターネット）やＡＩ（人工知能）などを活用した、新たな防犯対策が出てきている。宅配強盗のような新手の犯罪に対応したり、手軽に建物のセキュリティーを高めたりできる。

マンガの主人公の名前を使ったリーダーが引き起こしたとされる広域強盗事件が社会を騒然とさせた。「アポ電強盗」や「宅配強盗」などの新たな犯罪に対応し、生命や財産を守るために、住宅・建築の防犯対策をアップデートする時が来ている。

積水ハウスは防犯性能を備えつつ快適性や利便性にも配慮した「快適防犯」をコンセプトに掲げ、これに沿った窓や鍵を独自に開発し、自社の手掛ける戸建て住宅に搭載している。

新たな取り組みとして、ホームセキュリティー機能を盛り込んだスマートフォンアプリ「プラットフォームハウスタッチ」を２０２１年８月に開発、普及に力を入れてきた。

このアプリを使うと窓の遠隔監視ができる。あらかじめ窓にマグネットセンサーなどを設置

しておき、センサーを警戒状態にしたときに窓が開くと、不正開放の知らせを住人のスマホに送る。

家の間取り図とアプリを連動させているので、どこの部屋の窓が不正な開放状態なのかが、間取り図上に分かりやすく表示される。アプリには、センサーを付けた窓の施錠状態と開閉状態を確認できる機能もある。玄関ドアの戸締まりを確認し、鍵を閉め忘れていたことに気付いたら、遠隔から施錠できる。

アプリが扱う個人情報の漏洩を防ぐために、サーバー側の対策を一般社団法人重要生活機器連携セキュリティ協議会（CCDS）が作成した基準に適合させ、認証を得ている。

旭化成ホームズが自社の手掛ける新築住宅の選択メニューとして2021年11月から提供を開始した「スマートクロック・

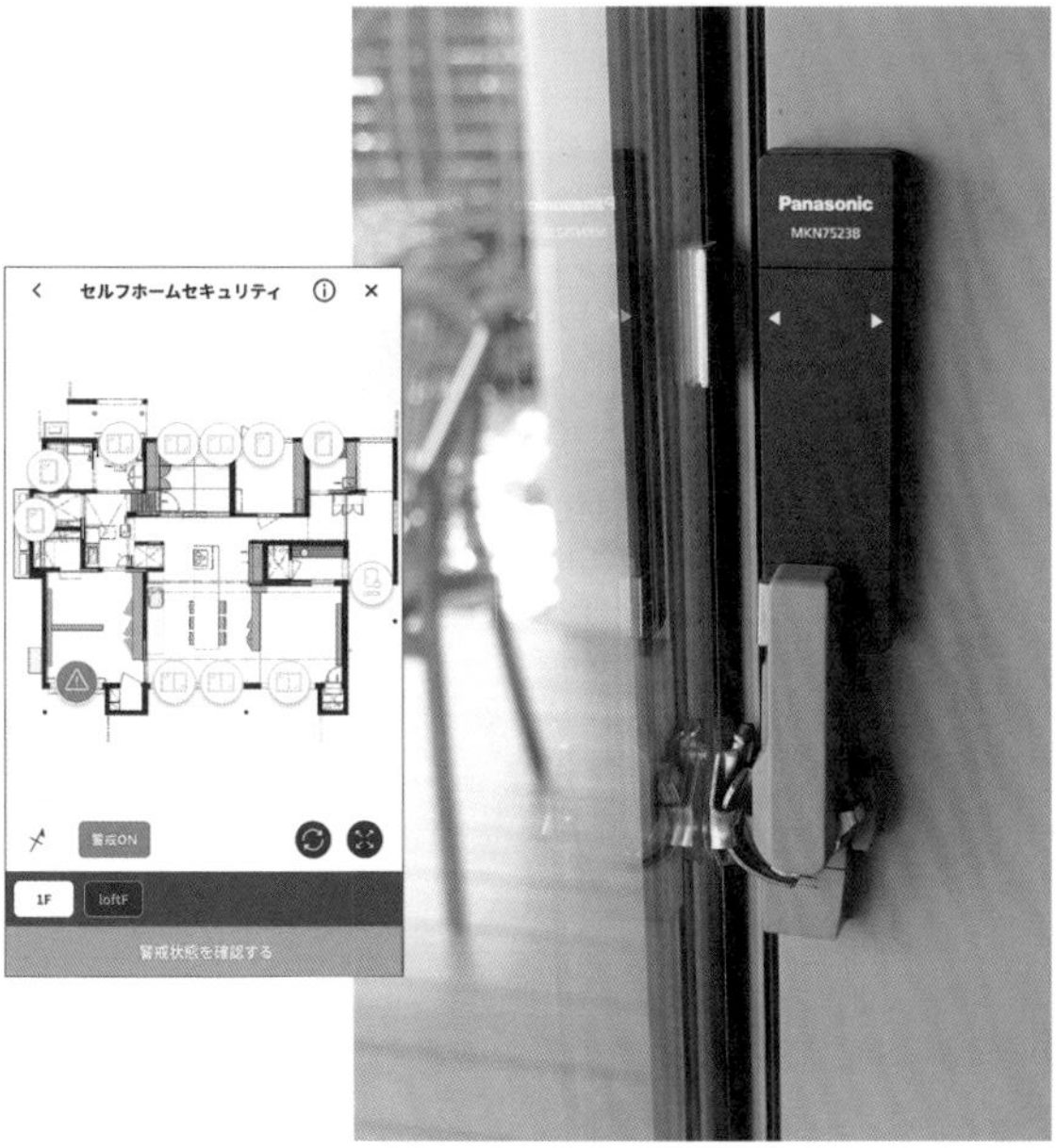

図　間取り図上に不正開放箇所を表示

窓のクレセントにマグネットセンサーを設置した様子（右）。警戒中に窓が開くとセンサーが不正開放と認識する。スマートフォンを使って、どの窓が不正開放状態かを間取り図上に表示する（左）

（出所：右は日経クロステック、左は積水ハウス）

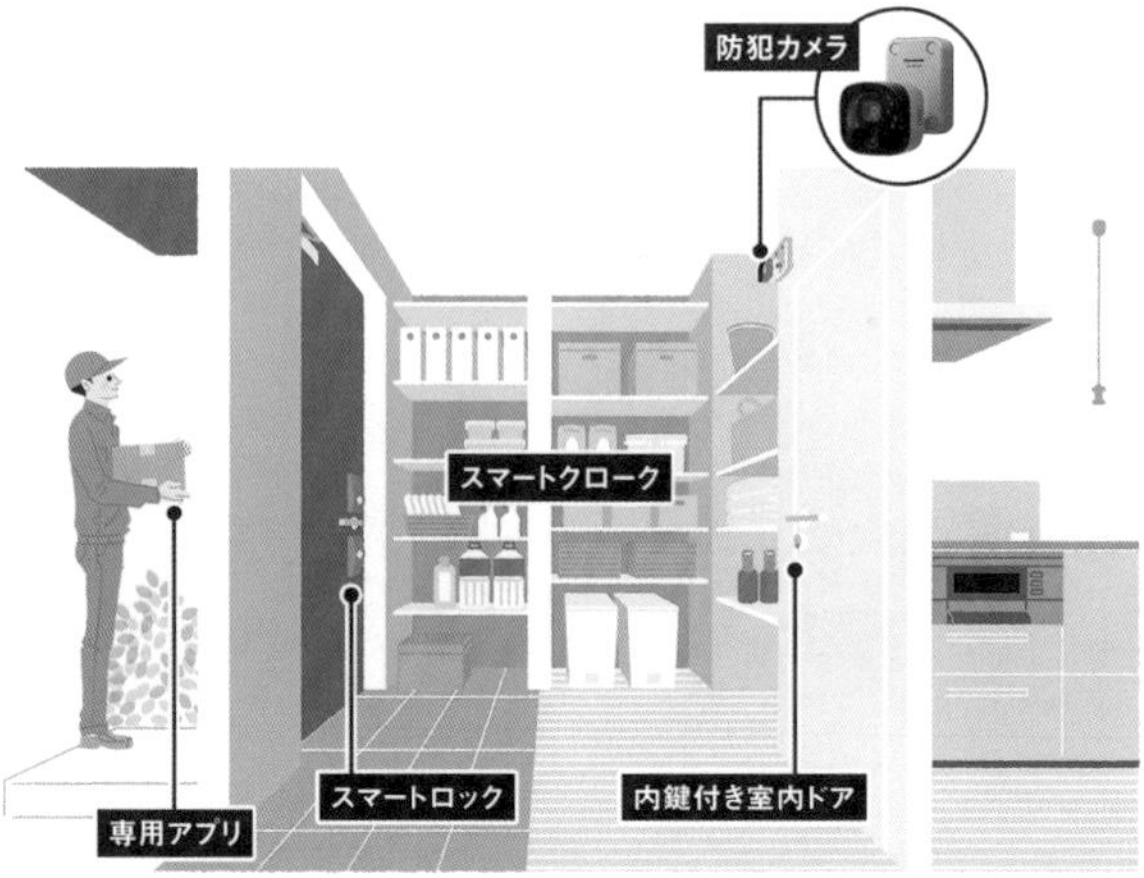

図　防犯カメラでクローク内を監視
スマートクローク・ゲートウェイの中は防犯カメラで監視する。クロークから室内への不正侵入を防ぐため、居室に通じる室内ドアに内鍵を付ける。
（出所：旭化成ホームズ）

ゲートウェイ」は、宅配強盗と置き配の課題に対する新たな提案である。

スマートクローク・ゲートウェイは宅配ボックスを大きくした「宅配部屋」であり、外部につながる1階に配置し、隣の居室とは内鍵付き室内ドアと壁で間仕切る。勝手口ドアはパスワードなどで施解錠できるスマートロック（電子錠）付きとし、クローク内には防犯カメラを備える。

旭化成ホームズは資本提携先のプリファードロボティクスと共同で、自律移動ＡＩロボットを使って宅配荷物を受け取り、配達員を監視する技術を開発している。２０２３年1月の米テクノロジー見本市に出展、配達員がクロークに届けた荷物を自律移動ＡＩロボットが受け取り、居室内の適切な場所に運んでみせた。

宅配ボックス大手のナスタはインターホンに着目した。「Nasta Interphone（ナスタインターホン）」は戸建て住宅の玄関先を24時間監視する防犯カメラと宅配事業者専用の呼び出しボタンを搭載する。同社は全国の家電量販店で販売を始めている。

図　戸建て用の宅配ボックス
防犯カメラを備えるナスタインターホンはスマートフォンから専用アプリで操作する。新宅配ボックスを発表するナスタの笹川順平代表取締役兼CEO（左）と大和ハウス工業の大友浩嗣取締役常務執行役員（右）。
（出所：ナスタ）

搭載した防犯カメラは、玄関先の様子を絶えず撮影・録画する。インターホンに内蔵したセンサーが反応すると、その前後数十秒間を含む映像を、登録したスマートフォンに転送する。在宅中・不在時を問わず、不審人物がいないか確認できる。

通常の呼び出しボタンとは別に、宅配事業者専用のボタンを設け、配達員への自動対応機能もつけた。ボタンを押すと、居住者があらかじめ登録しておいたメッセージを自動で流し、置き配などを指示できる。メッセージは自動音声で流し、居住者の属性が特定されることを防ぐ。

ナスタは大和ハウス工業と共同で、戸建て住宅用の宅配ボックスの開発にも取り組んでいる。既存の宅配ボックス製品にナスタインターホンを搭載した「Ｎｅｘｔ-Ｄｂｏｘ＋Ｓ（ネクスト・ディーボックス プラスエス）」を開発し、２０２３年４月から大和ハウス工業の分譲住宅を対象に導入を進める方針だ。

（木村 駿、荒川 尚美、小山 航＝日経クロステック・日経アーキテクチュア）

022

接触・微破壊式ドローン

搭載したドリルでコンクリート壁面に穴を開けられる

技術成熟度……中

2030期待度……6.3

コンクリートの壁面に削孔できるドローン。西武建設と建築研究所、東京理科大学が共同で開発を進めている。

2022年3月の実験では、ドローンに搭載した直径約8㎜のドリルをコンクリート壁面に押し当て、約50㎜の深さの穴を開けられることを確認した。

西武建設と建築研究所、東京理科大学は、鉄筋コンクリート構造物における塩害や中性化の調査などでの活用を念頭に開発を進めている。

削孔するにはまず、コントローラーでドローンを操縦し、上空に飛ばす。次に、ドローンに取り付けておいたワイヤを地上で引っ張り、機体を壁側に寄せる。その後、ドローンの上部に搭載したドリルをコントローラーで操作し、壁面に向かって押し出しながら削孔する。

ワイヤを用いてドローンを壁側に押しつけることで、削孔時に機体に生じる壁からの反力に抵抗する。さらに、ドリルを押し出す際や回転させる際に、ドローン自体が回転してしまうの

図　西武建設と建築研究所、東京理科大学が開発した「接触・微破壊式ドローン」
（撮影：日経クロステック）

図　ドリルを搭載した「接触・微破壊式ドローン」がコンクリートの壁面に穴を開ける様子
（出所：建築研究所、東京理科大学、西武建設）

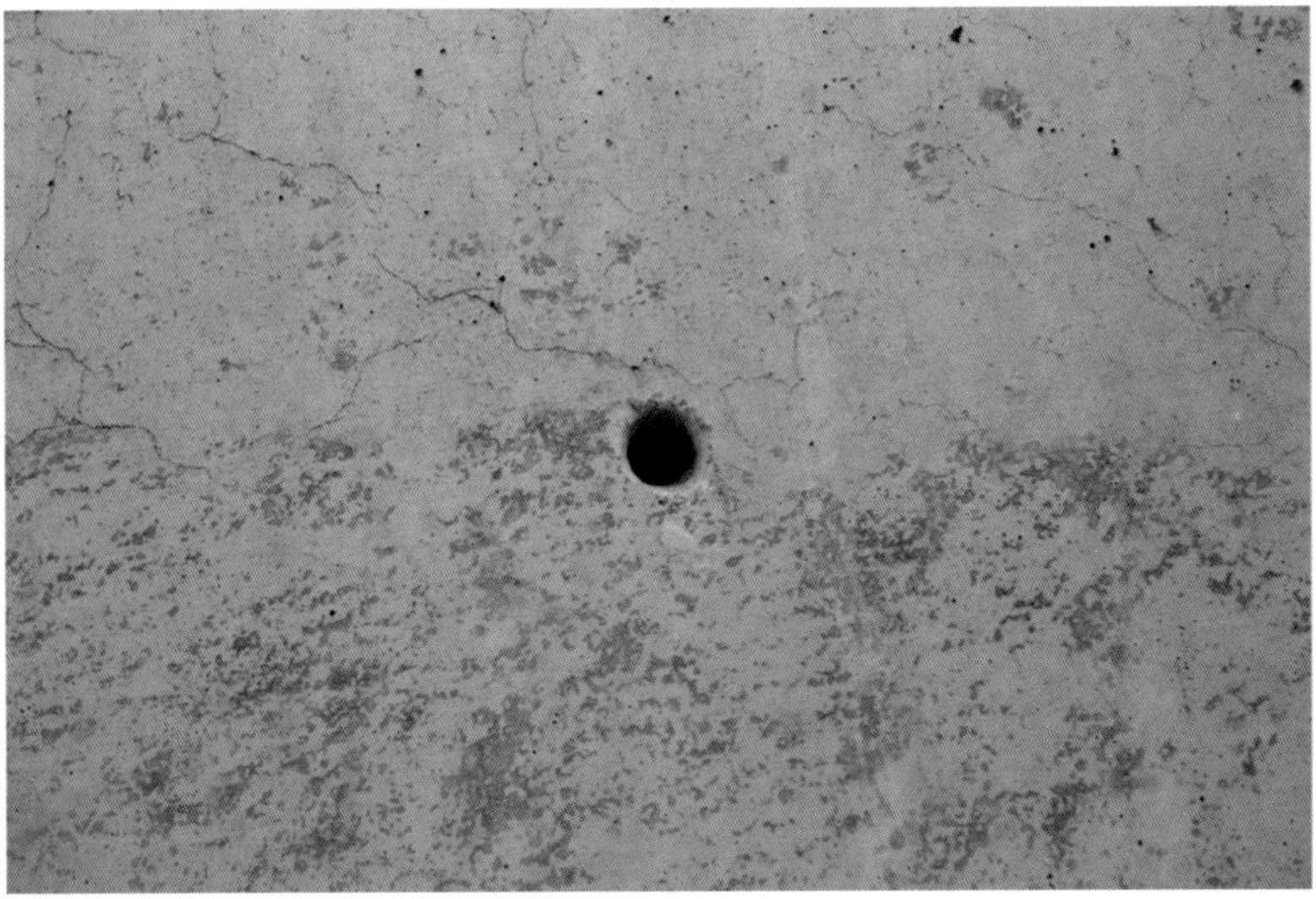

図　「接触・微破壊式ドローン」で開けた穴
（出所：建築研究所、東京理科大学、西武建設）

を防ぐ。

ワイヤは2本あり、その取り付け方に特徴がある。一方はコンクリート壁面の左上部と機体の左側、コンクリート壁面の左下部を、もう一方は同様に右側を通すことで、バランスよくドローンを係留する。壁面上部やドローンにはワイヤを通すための滑車を設けた。

ドローンのプロペラを動かすモーターやドリルの押し出し、ドリル自体のスイッチへの電力は有線で供給している。そのため、2022年3月の段階では飛行可能な高さの限度は、電力を供給するケーブルの長さに相当する約10mにとどまっていた。

西武建設は「建築物の微破壊検査に使えるドローンは過去に例がない。ワ

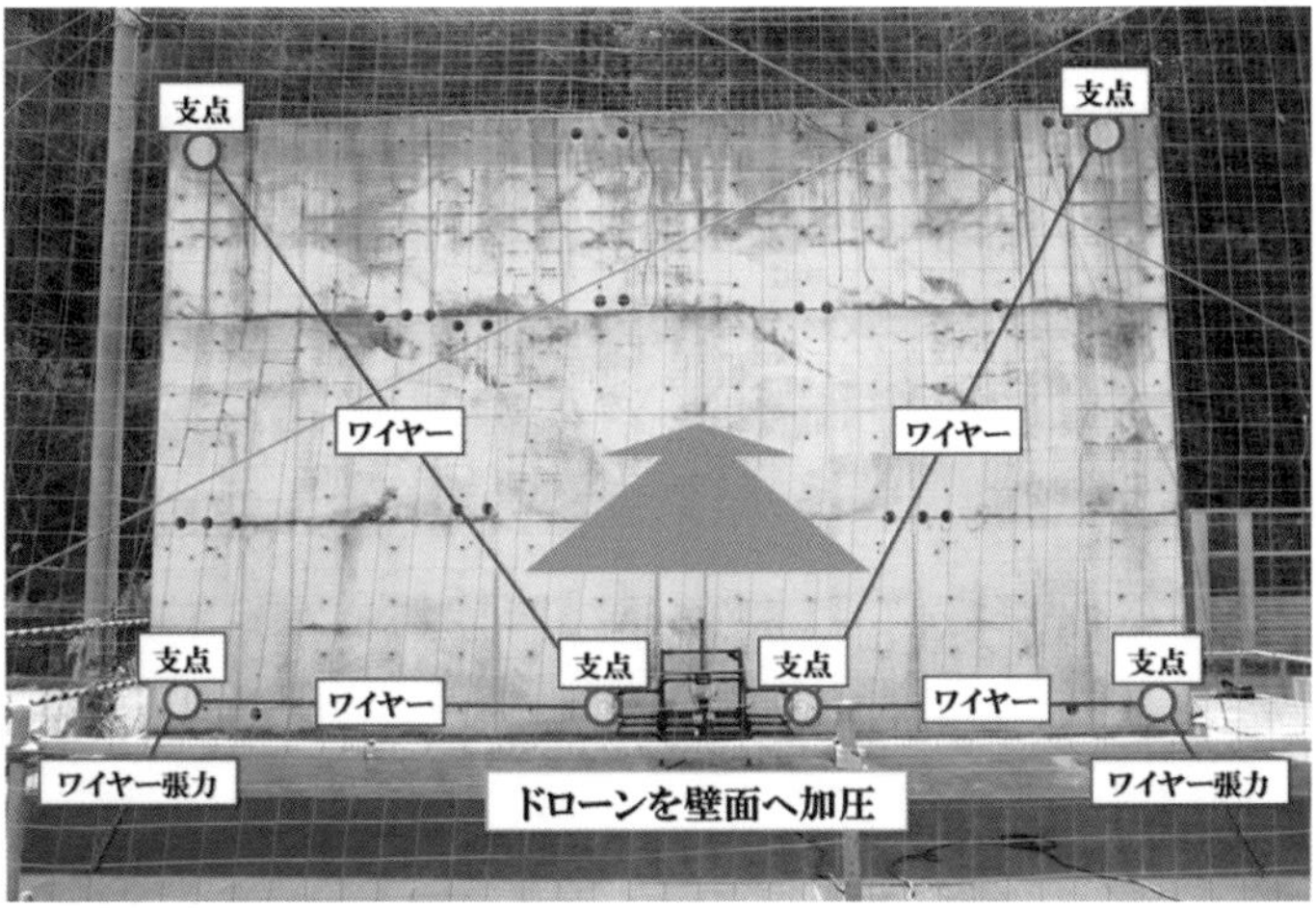

図　「接触・微破壊式ドローン」を壁側に押しつける仕組み
（出所：建築研究所、東京理科大学、西武建設）

イヤによる機体の係留方法やドローンの姿勢制御、適用できる高さの拡張、ドローンの小型化など、実用化に向けて改良を進めたい」としている。

同社はこれまでに、ドローンによる外壁点検を安全に行える「ラインドローンシステム」を開発・販売している。建物の屋上に設置したブラケットと地上に設置した離着陸台の2点間をつなぐポリエチレン製の糸で、ドローンを係留する仕組みである。このほか、建物外壁にコンクリート表面含浸材を吹き付けるドローンの開発も進めている。

（森岡 麗＝日経クロステック・日経コンピュータ）

023

生コンクリート数量管理

生コンの打設数量を算出、無駄を減らす

技術成熟度……高

2030期待度……3.1

生コンクリートの打設数量を算出する効率や精度を高めるアプリケーションを使い、製造過程で大量の二酸化炭素（CO_2）を排出するコンクリートを建設現場で余らせないようにする。

これまで現場の技術者は工事の段取りや書類作業に追われ、生コンの数量管理を徹底できず、建設現場で生コンを余らせてしまうことがあった。余った生コンは出荷元の生コン工場に戻され、産業廃棄物として処理されていた。

ＳＤＧｓ（持続可能な開発目標）への意識の高まりなどを受け、残コン・戻りコンを削減しようとする取り組みが進んでいる。２０２２年には、一般社団法人「生コン・残コンソリューション技術研究会（ＲＲＣＳ）」が、２０２５年国際博覧会（大阪・関西万博）の建設工事で発生する残コン・戻りコンをゼロにするプロジェクトを始めた。

建設現場での導入が見込まれるのは、スマートフォンやタブレットなどを使って、生コンの

打設数量を算出するアプリケーションだ。特別な機材を購入する必要がなく、導入コストが低い。

　エンジニアの人材派遣や教育事業を行うトライアローが2023年の一般販売を目指して開発を進めるアプリは、撮影した写真から未打設部分の体積を算出する。端末の画面上で打ち残し範囲をタップし、打設深さを設定するだけでよく、1枚の写真に納まる範囲ならば1分ほどで計測できる。

1枚の写真から未打設範囲の体積を算出
トライアローが開発を進めるアプリのイメージ。
（出所：トライアロー）

　システム開発などを手掛けるエム・ソフトが2021年4月から販売しているアプリ「ピタコン」も打設数量をほぼ自動で計算できる。同社が大林組と共同で開発した。

　レーザー光を使って対象物までの距離を測るLiDAR（光検出と測距）を搭載したスマートフォンを用いると、打ち残し範囲の1辺の長さが10m以下の場合、誤差を3％以内に抑えられ、残コンの発生を削減できる。

「計測や計算のミスがなくなるうえ、計測に必要な人員を2人から1人に減らせるので生産性向上の効果もある」と大林組生産技術本部技術第1部の谷田部勝博副部長は話す。1回の計算に要する時間は従来のおよそ半分に抑えられる。

（夏目 貴之＝日経クロステック・日経コンストラクション、奥山 晃平＝日経クロステック・日経コンストラクション）

024

コモングラウンド

センサーデータとビル内の空間情報を集め、多用途に使う

技術成熟度……中

2030期待度……11.7

あらゆるセンサーからのリアルタイムデータとビル内などの3次元の空間情報を1カ所に集め、さまざまな用途で利用できるようにすること。

この構想は東京大学生産技術研究所の豊田啓介特任教授が提唱し、日立製作所や竹中工務店などが参画する「コモングラウンド・リビングラボ」が研究開発に取り組んでいる。

ゲームエンジンを基盤とし、さまざまな次世代技術領域で共通に使える新たな世界の創出を目指す。

これまで開発されてきたシステムはいずれも用途ごとに閉じている。例えば、ＡＲ（拡張現実）のシステムではヒトの目に違和感なく仮想物体を表示するため、周辺の物体位置や床面などをセンシングするが、このセンシングデータはＡＲアプリケーションだけに使われる。

ロボットも移動するために障害物を検知するが、このデータもロボットの移動にだけ使われる。空間の情報も同じである。例えば、ＢＩＭ（ビルディング・インフォメーション・モデリング）

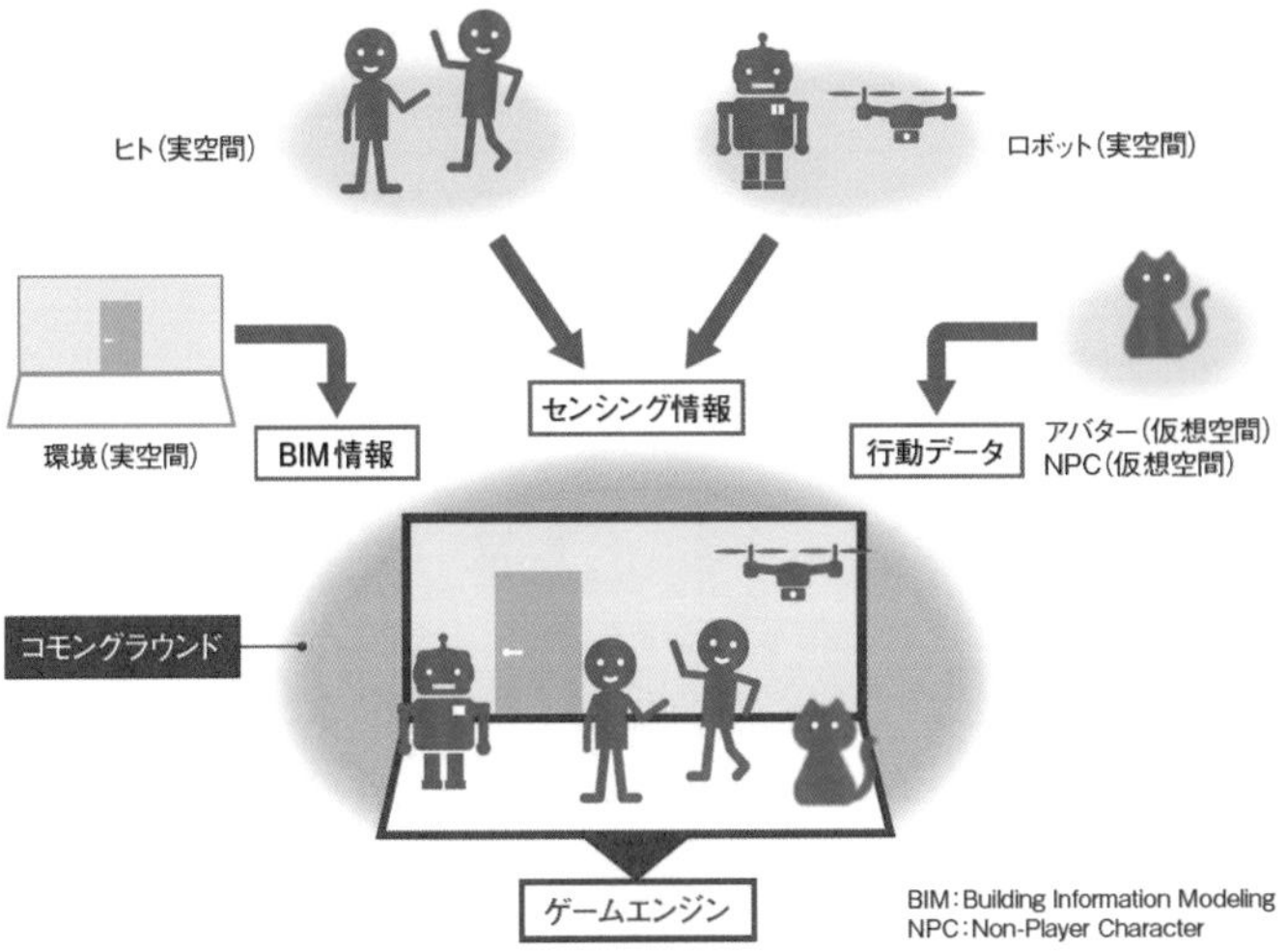

図　ヒトやロボット、AR/VRアバターなどが共に使える「コモングラウンド」
（出所：取材を基に日経クロステックが作製）

などの環境データは建設会社が保有する。

コモングラウンドは、これらのデータを集約して誰でも使えるようにし、実用的なアプリケーションの創出につなげる構想である。

日立製作所の実験場では、実験場の３Ｄモデルとそこにいるヒトの位置を大型スクリーンに映し出せる。実世界のモノの位置と画面上の位置は緻密に対応している。実世界で人物が動けば、３Ｄ空間を示す画面上でも動く。椅子のようなモノやロボットなどの移動体も同様である。

ヒトが部屋に入ってくると、出入り口付近の天井に設置されたセンサーが認識する。部屋の四隅にあるＴｏＦ（Time of Flight）センサーでヒトの位置を、画像認識による姿勢推定でヒトの動きを、それぞれ認識できる。モノの位置のリアルタイムセンシングは、ＲＦタグを貼ることで可能にしている。天井のステレオカメラがタグを画像認識する。

部屋のあちこちに置かれたカメラ画像はコモン

図　日立製作所の「コモングラウンド」実験場
（撮影：日経クロステック）

グラウンドのシステムに取り込まれるので、例えば部屋の中にいるロボットが部屋の内部の状況をリアルタイムで把握し、行動する、といったことができる。

　コモングラウンドは、建築空間の３ＤモデルであるＢＩＭのような既存空間データに、リアルタイムデータを組み合わせ、ゲームエンジンやＡＩを使って表現する。日立製作所の例では、ＢＩＭデータを使って部屋を再現し、カメラやＴｏＦセンサーを組み合わせて実世界のヒト・モノの位置を反映させた。

　ゲームエンジンは多人数が同時に行動するような状況でも効率的な計算処理ができる。加えて、ヒトの数秒先の行動を予測できる。一部のオンラインゲームで実装されている、プレーヤーの数秒先の行動を予測する機能を使う。ヒトやモノの数秒先の動きを予測できれば、通信時間の遅れ（ラグ）を補え、通信性能が十分でない環境でもリアルタイム性を担保できる。これまでのデジタルツインは、通信・処理性能からリアルタイム更新が難しい現状があった。

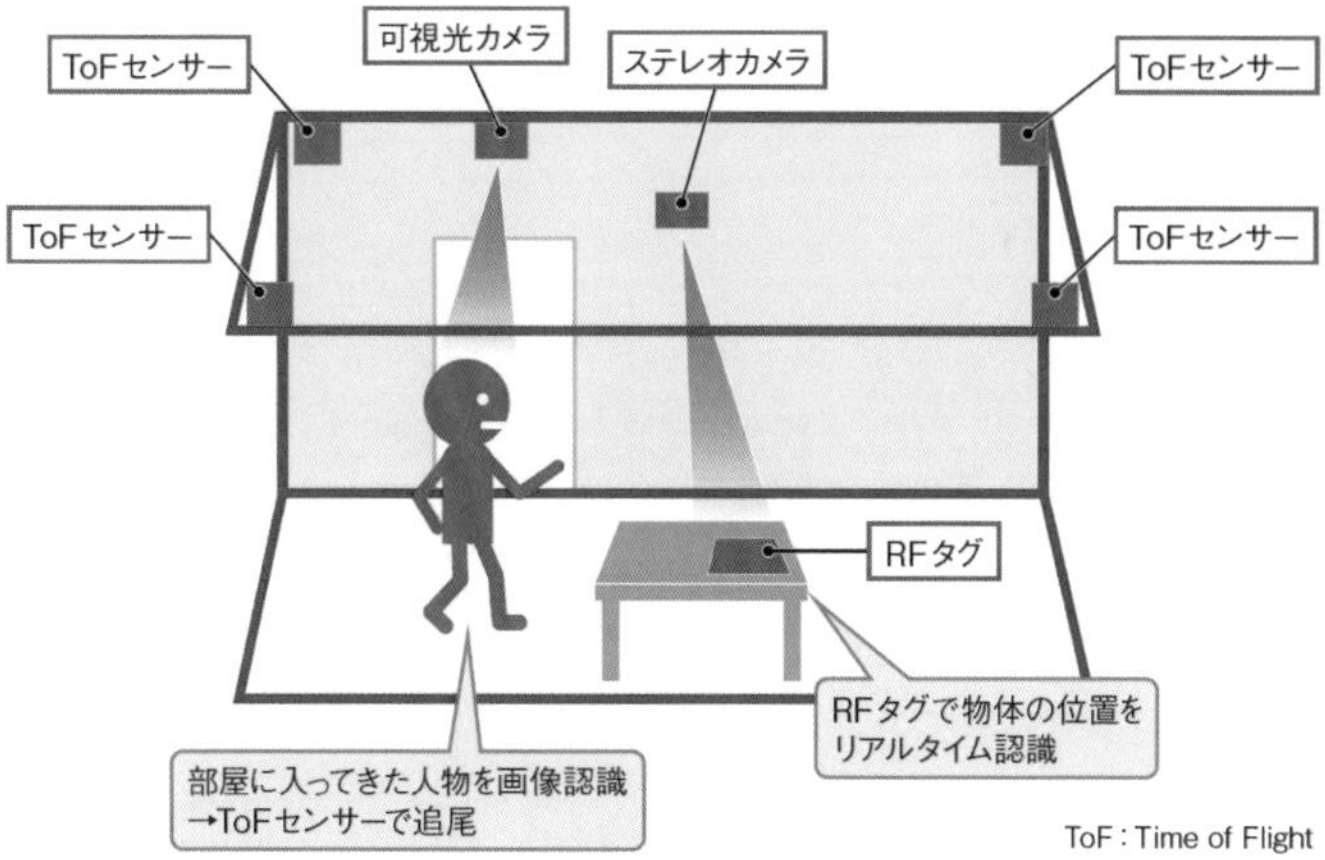

図　空間に複数のセンサーを設置した日立製作所の実験場
（出所：取材を基に日経クロステックが作製）

コモングラウンド・リビングラボが目指すのは、オープンプラットフォームとして「誰でもアクセス可能で、どの企業のセンサー仕様にも対応する」コモングラウンドの実装である。

利点として、ロボットや仮想空間を含めた全体制御ができる点が挙げられる。空間にセンサーを配置するだけでよく、高性能なセンサーを搭載するロボットが不要になる。

導入先の想定は、ロボット開発・建設業・製造業・教育分野・エンターテインメント分野などさまざまだ。ロボットの運用フィールドや遠隔地とのリアルなコミュニケーションといった活用に加えて、従来のデジタルツインのような業務効率化に向けたシミュレーションにも対応する。

竹中工務店は建設業界以外の企業であってもアプリケーションを開発しやすい点を強調する。「コモングラウンドではゲーム業界など他の業種に関わる人でも分かるようなデータのやりとりがなされる」（同社）からだ。

（久保田 龍之介＝日経クロステック・日経エレクトロニクス）

025

垂直測位

人が今いる位置の高さを測定する

技術成熟度……高

2030期待度……3.1

垂直（高さ）方向での正確な位置情報の取得を狙うシステム。スマートフォンなどの機器に搭載した気圧センサーなどを利用することで誤差２～３ｍで高さを推定する。ＧＰＳ（全地球測位システム）などの既存システムと組み合わせれば、対象の詳細な位置を把握できる。緊急通報に際して、通報者の位置情報を垂直方向・水平方向から割り出す、といった利用が考えられる。

メットコムは２０２２年11月、高さの情報を提供する垂直測位サービスＰｉｎｎａｃｌｅ（ピナクル）のデモンストレーションを披露した。人を示すオレンジ色の丸印が3次元ＣＧの東京タワーをゆっくりと上昇する。東京タワーのエレベーターに乗って垂直に移動している様子をリアルタイムに表示した。メットコムには、米ネクストナビ、京セラコミュニケーションシステム、ソニーネットワークコミュニケーションズ、セコムなどが出資している。

メットコムはあらかじめ設置した複数の気圧計から位置情報と気圧データを収集する。建物

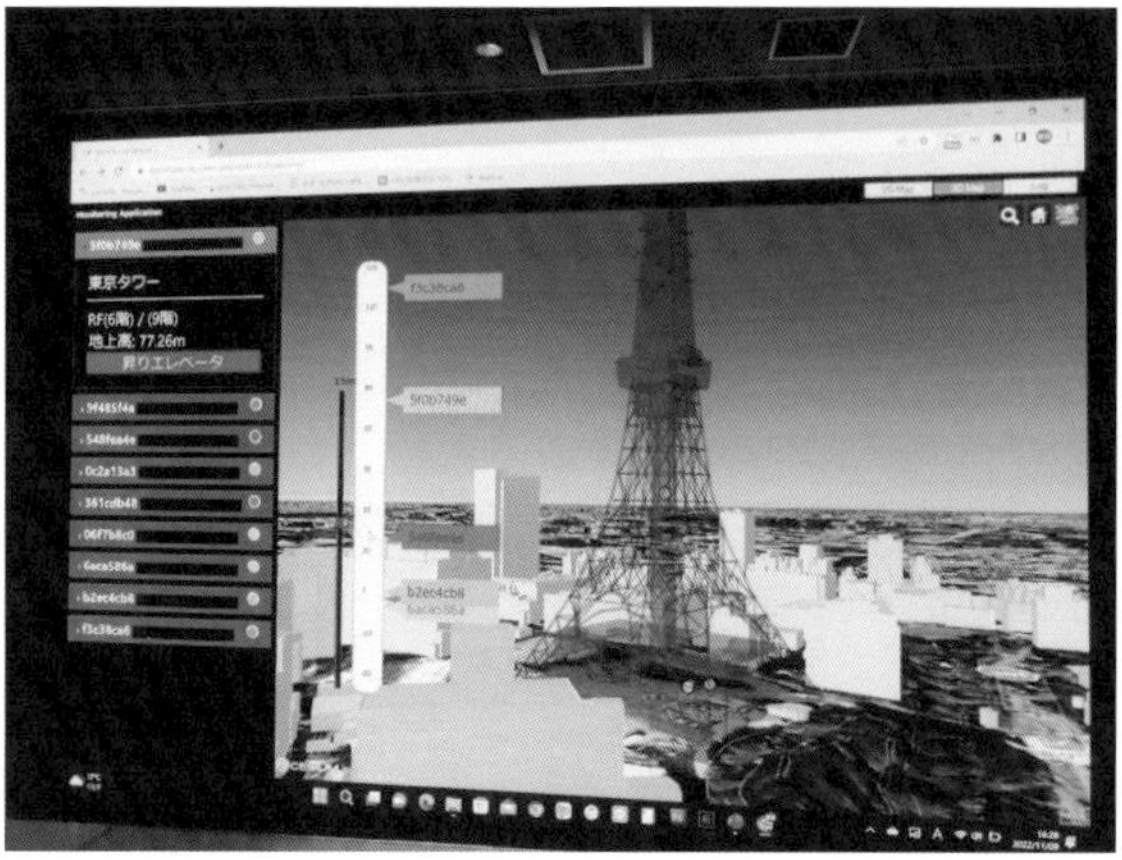

図　東京タワーで披露された垂直測位サービスPinnacleのデモ
中央部にあるオレンジ色の丸印が垂直方向に移動していく。
（撮影：日経クロステック）

の中にいる人が持つスマートフォンから位置情報と気圧データを送信すると、最寄りの気圧計で測定した気圧データと比較して高さを推定する。このやり方で気候の変化などによる測定誤差を２～３ｍほどに抑制できる。

メットコムの荒木勤ＣＦＯ（最高財務責任者）は「都市にいる人々はほぼ屋内で生活する。だがＧＰＳは屋内にいる人の位置情報取得が不得意。新たな垂直測位システムを構築する必要がある」と語る。

この取り組みで先進的なのが米国だ。米連邦通信委員会（ＦＣＣ）は２０２２年４月、緊急通報時に垂直方向を含めた位置情報を通知するように義務付けた。屋内で救急処置を求める人が通報した場合、救急隊員がより早く駆けつけられるようになり、多くの人命を救助できる可能性が高まる。

（野々村洸＝日経クロステック）

026

建設3Dプリンター

3次元の壁や型枠を現場で造形

技術成熟度……高

2030期待度……26.1

特殊なモルタルをノズルから吐出して積層し、構造物を造形する。スタートアップからコンクリートメーカー、大手建設会社など様々な企業が実践に用いようと試行錯誤をしながら技術力を高めている。これまでは屋内での造形が中心だったが、プリンターを建設現場に持ち込む「オンサイトプリンティング」が始まっている。

大林組は２０２３年４月、技術研究所の敷地内に３Ｄプリンターを用いて施工した建築「３ｄｐｏｄ」を公開した。３ｄｐｏｄは３Ｄプリンターで造形した建築物では初めて、建築基準法20条（構造耐力）に関する大臣認定を取得した。

３ｄｐｏｄは延べ面積27・09㎡、最高高さ４・０４ｍの３Ｄプリンター実証棟である。大林組は３ｄｐｏｄの壁や床など全ての構造部材を特殊なモルタルで造形した。同社が開発した超高強度繊維補強コンクリート「スリムクリート」を充填し、耐震性を確保している。

建物の内部には空調や照明、給排水といった設備があり、実際にこの中で人が滞在できる造

図　モルタルの壁はオンサイトプリンティング
（出所：大林組）

図　大林組が技術研究所内に建設した3Dプリンター建築
（撮影：日経クロステック）

図　3Dプリンター建築の内観
（撮影：日経クロステック）

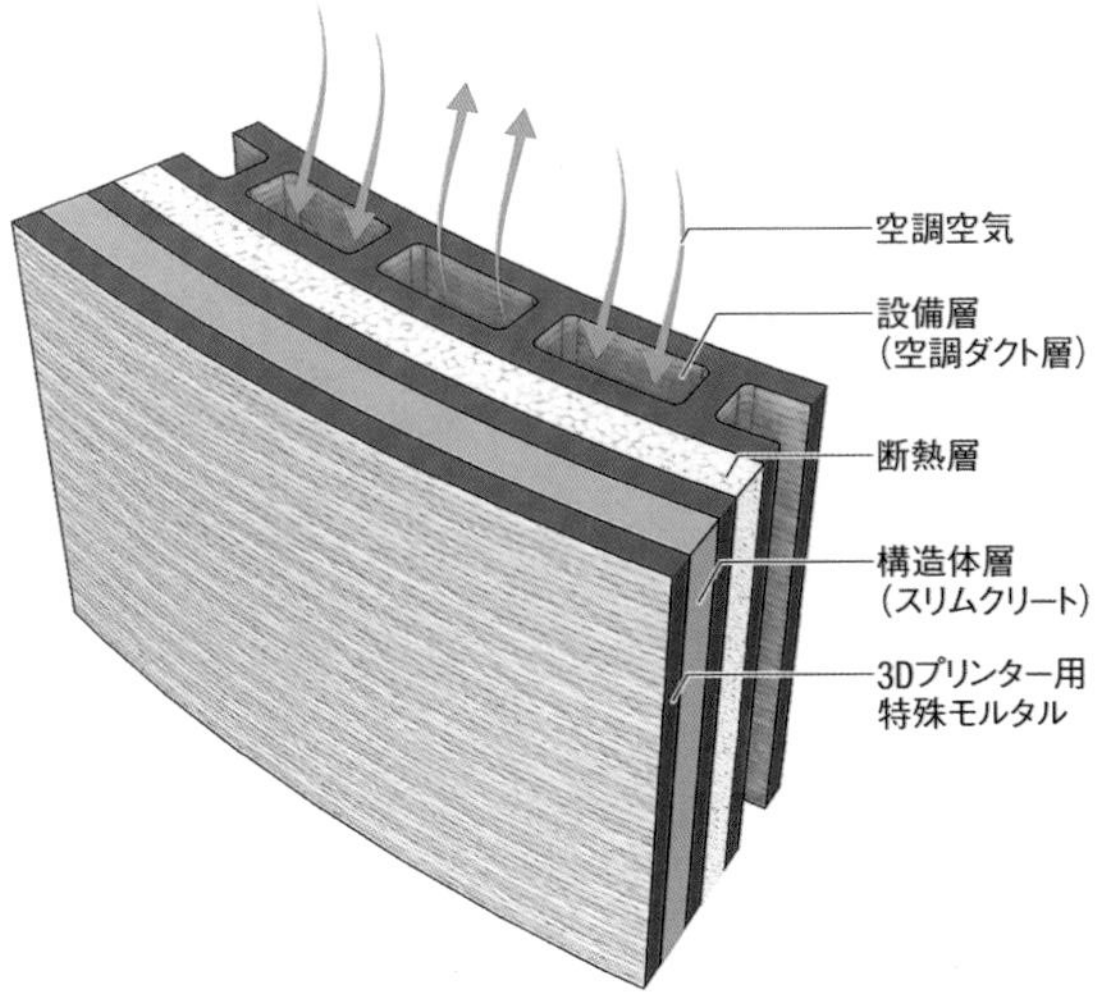

図　複層構造の壁で居住性能を確保

大林組が施工した3Dプリンター建築の壁の断面イメージ。3Dプリンターで印刷したモルタル部分の厚さはそれぞれ30mm。構造体層の厚さは60mm、断熱層と設備層の厚さは約50mm
（出所：大林組）

りになっている。建物西側の外部階段を使って屋上に上がれる。

「耐震構造を実現したり、居住性能を確保したりすることで、３Ｄプリンターによる建設の可能性を工作物から建築物へと展開できた。今回は平屋建てとしたが、同じ方法で２～３階建ての建物を建設することも可能だ」（大林組設計本部設計ソリューション部の木村達治課長）。同社は２０１９年に国内最大規模のシェル型ベンチを３Ｄプリンターで製作していたが、建築物は今回が初めての挑戦だった。

　建物の形状はプリント範囲内で、最小限の材料を使用し、最大限の空間を確保できるようにデザインした。壁は最大３層の中空層を設けて印刷。室外側から構造体層、断熱層、設備層（ケーブル保護層、ダクト層）とし、壁全体の厚さはおよそ２８０㎜に抑えた。

　壁や天井はデンカが開発した３Ｄプリンター用の特殊モルタル「デンカプリンタル」を用いて印刷した。大林組技術本部技術研究所生産技術研究部の石関嘉一上席研究員は、「モルタルにはナイロン繊維を混ぜている。ノズルから吐出した直後のモルタルが崩れないようにするとともに、積層したモルタル同士の付着性を高める効果がある」と説明する。

構造体層にスリムクリートを充填することで、構造として成立させた。スリムクリートは特殊粉体材料と超高強度鋼繊維を用いた常温硬化型のコンクリート材料で、薄型の部材を製作できる。構造体層の厚さは60㎜。

建物全体の施工手順はこうだ。まず在来工法で基礎のコンクリートを打設する。次に３Ｄプリンターを現地に据え付け、じかに造形する「オンサイトプリンティング」でモルタルの壁を印刷し、中にスリムクリートを打設する。プリンターのアームの可動域に限界があるため、1階部分は上下2層に分割して施工し、スリムクリート打ち継ぎ目のみ鉄筋で緊結した。

1階の天井となる床版は14枚のパーツを技術研究所内の屋内施設で事前に印刷、それらを現場で敷き並べ、スリムクリートを打設することによって屋上階の床を構成した。天井を施工した後、３Ｄプリンターを屋上階に運搬。高さ約１・２ｍのパラペット部分を印刷し、スリムクリートを充填した。

天井になる床版には曲線が絡まり合った網目状の突起（リブ）を付け、床版に生じる力をリブで分散するようにした。ＦＥＡ（有限要素解析）を用いて床版に生じる力の流れを可視化し、リブの形状とした。複雑な形状を造形できる３Ｄプリンターの強みを生かした。

（星野 拓美＝日経クロステック・日経アーキテクチュア）

027

BIM（ビルディング・インフォメーション・モデリング）

コンピューター上の３次元モデルで仕上げなどの属性データを管理

技術成熟度……高

2030期待度……9.3

コンピューター上で仮想の建物モデルを構築して設計や施工、管理などに活用する仕組み。国土交通省は２０２５年にＢＩＭ（ビルディング・インフォメーション・モデリング）データによる建築確認申請を試行する。建築基準法に適合しているかどうかの確認に当たって、これまでは紙の図書の提出が大半を占めていた。

ＢＩＭの社会実装を加速するために国交省は80億円の国費を投じる補助事業を始めた。時間外労働の上限規制が２０２４年４月から始まる建設業界では、生産性の向上や省人化などが喫緊の課題になっており、ＢＩＭの活用が解決策として期待されている。

２０２２年11月に開催された建築ＢＩＭ環境整備部会で、国交省住宅局建築指導課の宿本尚吾課長は「5年以内にＢＩＭによる建築確認を部分的に開始する」と宣言し、「建築ＢＩＭの将来像と工程表」の改訂に向けたタスク案を示した。

「建築ＢＩＭの将来像と工程表」は２０１９年に発行されており、これに基づきＢＩＭの標準

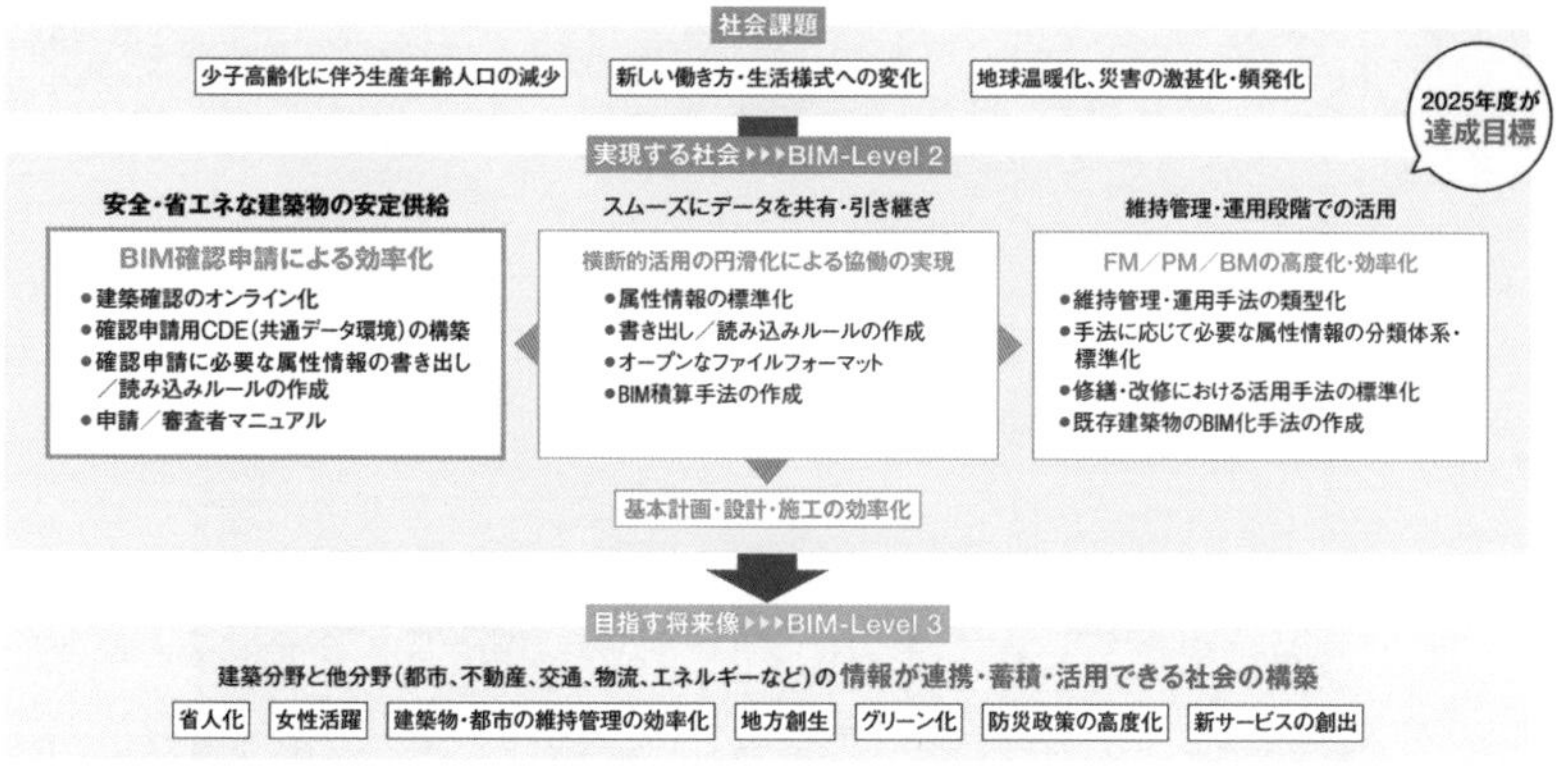

図　将来像の実現に向けたタスク案

建築BIMの将来像と工程表の改訂に向けたタスク案。国土交通省が2022年11月に開催した建築BIM環境整備部会で示した。
（出所：国土交通省）

的な活用方法を示すガイドラインの作成や、モデル事業などが進められてきたが、ＢＩＭ確認申請の開始目標時期までは示していなかった。現行法はＢＩＭデータによる確認申請を認めておらず、ＢＩＭデータがあっても事前協議にだけ使用し、本申請にはＢＩＭデータから作成した図書を提出する必要があった。

目標達成に向けて国交省は中小の設計事務所や建設会社にＢＩＭの浸透を図るために「建築ＢＩＭ加速化事業」を創設した。一定規模以上の建築プロジェクトを進める際、複数の事業者が連携してＢＩＭデータを作成する場合、ＢＩＭソフトウエアの購入費などを国が支援する。

補助内容は、ＢＩＭソフトウエア利用費やＣＤＥ（共通データ環境）の構築費、ＢＩＭコーディネーターやＢＩＭマネジャーなどの人件費、ＢＩＭモデラーへの委託費、など。２０２３年１月から、プロジェクトの代表を務める事業者の登録受け付けを開始している。

国の施策と並行して、民間の取り組みも活発になってきている。

図　BIMデータを省エネ計算に活用する

one buildingの金田真聡代表取締役。同社は金田氏と桑島隼也代表取締役が2021年6月に設立した。1次エネルギー消費量や二酸化炭素排出量、年間光熱費の削減効果などを算定する受託サービスも手掛ける。
（撮影：日経クロステック）

建設関連システムの開発を手掛けるスタートアップ、ワンビルティング（one building）は２０２２年11月、「BIM sustaina for Energy」と呼ぶクラウドサービスを始めた。ＢＩＭモデルから開口部などの仕様をファイルに書き出し、クラウドにアップロードするだけで省エネ計算を実行できる。

まずＢＩＭソフト上で省エネ計算に必要な属性情報を入力する。ＢＩＭソフトのＡｒｃｈｉｃａｄ（アーキキャド）やＲｅｖｉｔ（レビット）に対応した入力ソフトが用意されるので、開口部の仕様などをリストから選ぶだけで入力できる。入力が終わったら、データをファイルに書き出し、ワンビルディングのクラウドサービスにアップロードする。後は設備設計者が別途入力した設備情報をアップするだけで計算書ができあがる。

梓設計が２０２１年に設立した梓総合研究所は２０２３年5月、ＭＲ（複合現実）技術を持つホロラボ、東京大学生産技術研究所と共同で、ＢＩＭを活用した施設管理プラットフォーム「ＡＩＲ-Ｐｌａｔｅ（エ

図　構想から約1年で形に

AIR-Plateを説明する梓総合研究所の墓田京平取締役。AIR-Plateは梓総合研究所とホロラボ、東京大学生産技術研究所の野城智也教授、村井一特任研究員と共同で開発した。（撮影：日経クロステック）

アプレート）」を開発した。

エアプレートは、ＢＩＭを「ＢＭ（ビルディング・モデル）」と「Ｉ（インフォメーション）」に分解して別々のソフトで管理することで、データを軽くしたり、扱いやすい形にしたりする。それぞれのソフトを連携させて、データを再統合することで、ＢＩＭを維持管理に適した形に変える仕組みだ。

エアプレートを活用すれば、エクセルやワードといったテキストベースのデータで施設情報をアップデートするだけで、建物モデルを変更できる。ＢＩＭソフトを直接操作する必要がないため、専門的な技術やＢＩＭの知識がない施設管理者でも操作できる。

梓総合研究所は実証実験の結果などを踏まえて改良を重ね、２０２３年内にサービスの正式提供を目指す。梓総合研究所の墓田京平取締役は「ＡＩ（人工知能）とエアプレートを連携させ、ＰＤＦ形式の資料を読み込ませるだけでデータベースの情報を更新できるようにしていく」と意気込む。

（木村　駿＝日経クロステック・日経アーキテクチュア、坂本　曜平＝日経クロステック・日経コンストラクション）

028

宇宙建設

段ボール製テントで宇宙基地を模し、宇宙生活の方法を検証する

技術成熟度……低

2030期待度……15.5

段ボール製のテントを活用して、宇宙での生活や地上からのサポート方法を検証する取り組みがある。

壮大な夢物語だった宇宙開発が現実味を帯びてきたことに応える。米国が主導し、日本も参加する「アルテミス計画」の第1弾として打ち上げた無人の宇宙船が２０２２年12月11日（日本時間12日）、月を周回する試験飛行を終えて地球に帰還した。２０２５年以降に有人で月面着陸を目指している。

東洋製缶グループホールディングス（ＧＨＤ）と極地建築家の村上祐資氏が代表を務める特定非営利活動法人フィールドアシスタントは共同で２０２３年1月、宇宙空間の生活をシミュレーションする段ボール製の検証ユニットを開発したと発表した。

複数の段ボール製テントを組み合わせて、基地を模した閉鎖的な居住空間をつくり、宇宙での生活や地上からのサポートの方法を検証する。

図　建屋内に2つのテントを設置

東洋製缶グループのサテライトオフィスに設置した検証ユニット。テントは4畳半程度（約15m^2）の面積で平面は円形。居住用の白いテントを通路用パーツでつなぎ、検証ユニットを構成している。

（撮影：日経クロステック）

ユニットを構成するテントは、村上氏と東洋製缶グループの日本トーカンパッケージが共同で2021年に開発した「DAN DAN DOME」。今回新たに開発した通路用のパーツで2棟のテントをつなぎ、検証ユニットとした。一方のテントは主にワークスペースや食堂用で、もう一方は居間のような空間とした。4人編成のチームで、簡単な作業を含むメニューをこなし、発生する課題を洗い出す。

検証ユニット内の生活を観察する管制室も、別室に設けた。観察しながら、時折指示を与えるなどコミュニケーションもとる。管制室の様子を観察するのも検証の目的の1つだ。村上氏は「管制室に着目した検証は世界でも事例が少ない。宇宙と地上との関係で起きる問題点を見つける機会としたい」とする。

（小山 航＝日経クロステック・日経アーキテクチュア）

第4章

電機&エネルギー

電力を有効利用できる
半導体や電池に期待

029

次世代パワー半導体

電力損失を小さくできる次世代素子

技術成熟度……中

2030期待度……30.0

ウルトラワイドバンドギャップ（ＵＷＢＧ）半導体とも呼ばれる。材料として、酸化ガリウム（Ga_2O_3）、ダイヤモンド、窒化アルミニウムガリウム（ＡｌＧａＮ）、ルチル型二酸化ゲルマニウム（r-GeO_2）、立方晶窒化ホウ素（c-ＢＮ）などがある。

すでにパワー半導体として使われているシリコンカーバイド（ＳｉＣ、炭化ケイ素）やガリウムナイトライド（ＧａＮ、窒化ガリウム）より優れた材料特性を持つ。

大電流・高耐圧に優れるＳｉＣパワー半導体は、電気自動車や鉄道、太陽光発電用のインバーターなどで採用が広がっている。高周波特性に優れ、機器の小型化に向くＧａＮパワー半導体は小型電源やＬｉＤＡＲ（レーザー光による測距技術）などに使われ始めた。いずれも２０３０年代には現行のシリコンと共に、パワー半導体の主役になると目される。

さらにＳｉＣやＧａＮを使うパワー半導体の次を狙う、材料の研究が始まっている。最も早く進んでいるのが酸化ガリウムパワー半導体で、京大発ベンチャーＦＬＯＳＦＩＡ、タムラ製

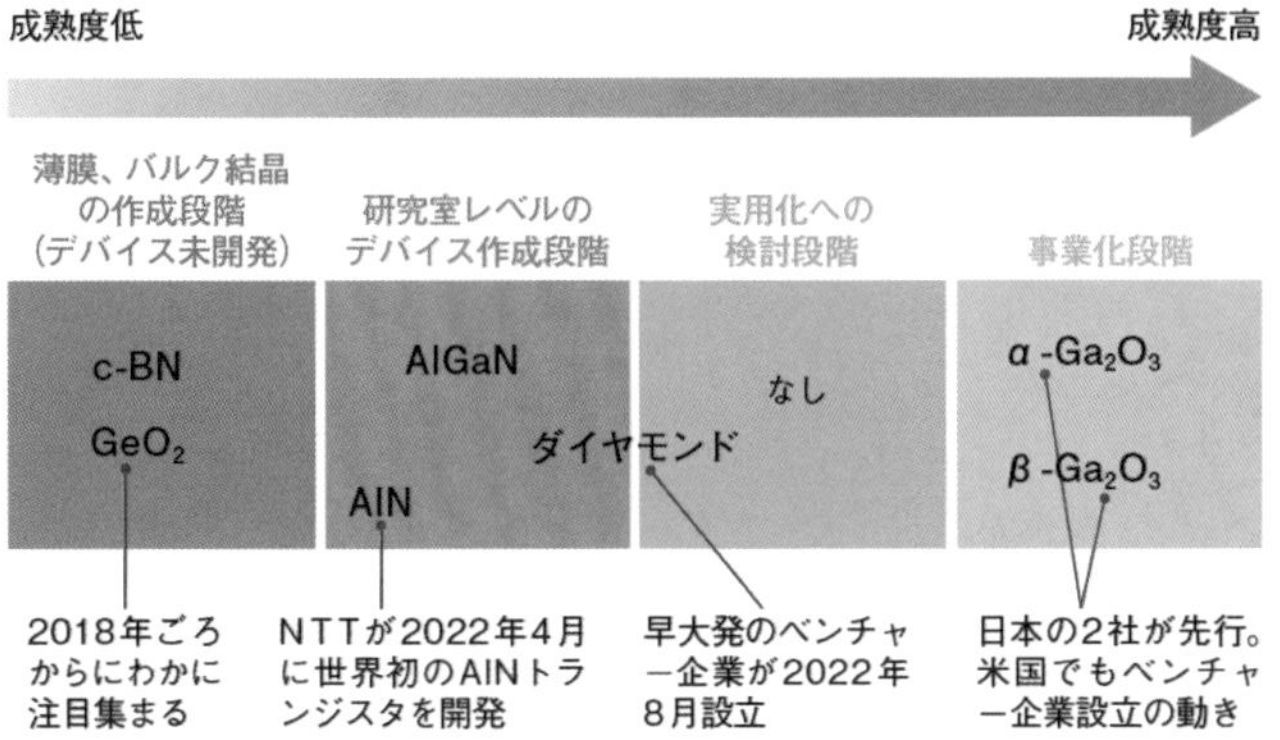

図　次世代パワー半導体の事業化・研究開発ステージ
酸化ガリウムが他の材料を一歩リードしているが、様々な材料があるため右に行くほど有望とは言い切れない。
（出所：日経クロステック）

作所からカーブアウトしたノベルクリスタルテクノロジーの2社がそれぞれ、素子の開発に成功し、高耐圧ダイオードで量産・実用化に入ろうとしている。

酸化ガリウムパワー半導体のパワーデバイス性能（バリガ性能特性）はSiCの数倍とされる。原理的にはSiCパワー半導体より安価に作れる製造プロセスが使える。SiCと比較して電力損失が約3分の1、価格はチップレベルで約2分の1から3分の1になる可能性がある。

酸化ガリウムパワー半導体の研究開発が本格化したのは2000年以降のこと。そこから基礎研究・デバイス開発・実装というステップを順調にこなして実用化寸前まで来た。2030年にはSiCパワー半導体の本丸ともいえる電気自動車のモーター駆動インバーターへの採用を目指す。そうなればGaNパワー半導体の市場規模を一気に抜くという予測も出ている。

（土屋 丈太＝日本経済新聞社）

030

ペロブスカイト太陽電池

低コストで製造、折り曲げられる

技術成熟度……高

2030期待度……17.1

次世代の太陽電池の候補の一つで、高効率の発電が可能であり、印刷技術をベースとする塗布法で製造できる。

桐蔭横浜大学の宮坂力特任教授らが開発した日本発の技術であり、パナソニックホールディングスなどのメーカーも開発を進めている。

パナソニックホールディングスは２０２３年１月のテクノロジー見本市で、ペロブスカイト太陽電池を展示した。

同社はＣＥＳ２０２３で、２０２２年に発表した新たな環境コンセプト「Ｐａｎａｓｏｎｉｃ ＧＲＥＥＮ ＩＭＰＡＣＴ」を改めてアピールし、ブース展示では環境対策技術を中心に据えた。国内報道陣向けのラウンドテーブル（質疑応答会）に臨んだ同社小川立夫執行役員グループＣＴＯ（最高技術責任者）によれば、ペロブスカイト太陽電池の最大の特徴は印刷技術による塗布で造れる点にある。大面積のフィルム状にもできる。

図　CES 2023プレスカンファレンスの様子

中央が小川立夫パナソニックホールディングス執行役員グループCTO。「Panasonic GREEN IMPACT」などについて説明した。
（撮影：日経クロステック）

このため、ペロブスカイト太陽電池は垂直な壁面や重量物を保持できない面などに自由な形状で付けられる。従来のシリコン系太陽電池の場合、設置できる場所は建物の屋上や地面などに限定されていた。

最もインパクトが大きいのは「建材への応用」と小川グループCTOは説明する。例えば、断熱ガラスの内層にペロブスカイト太陽電池を入れた製品をかなり安く造れるという。

従来からシリコン系太陽電池のパネルを貼って発電する製品があるが、コストがかさんでいた。

（内田 泰＝日経クロステック・日経エレクトロニクス）

031

量子センサー

原子や分子の挙動を観測し、微弱な信号や生体内の活動を調べる

技術成熟度……高

2030期待度……19.7

量子力学の原理を利用してさまざまな物理量を高精度に計測できるセンサー。原子や分子レベルの小さな物体の挙動を観測することで、現状のセンサーでは計測できなかった微弱な信号や生体内の活動などを調べられる。

量子センサーの研究開発を巡っては、大学などの研究機関だけでなく民間企業の参入も広がり、自動車業界などに向けた量子センサーの販売も始まりつつある。

量子センサーによるセンシングでは物質中のスピンや原子気体を利用する。それらは周囲の環境に影響を受けやすく、その挙動を観測することで高精度なセンシングが可能になる。スピンを演算に用いる量子コンピューターではこの不安定さが正確な演算の妨げになっていたが、量子センシングではその性質を逆手にとることで優れた機能を実現できる。

大阪大学量子情報・量子生命研究センター准教授の根来誠氏らの研究グループは、量子センシング技術を応用した高感度な磁気共鳴画像装置（ＭＲＩ）の開発に取り組んでいる。分子構

図 コールドクアンタの量子センサーコア

コールドクアンタ（ColdQuanta）は自動車業界などに量子センサー技術を販売しようとしている

（出所：ColdQuanta）

造を解析する核磁気共鳴（ＮＭＲ）の信号を増強させる独自の技術により、室温下で対象物を高感度に計測できるようにするもの。マウスの体内の代謝を調べることでがん細胞の活動を調べたり、タンパク質の結合状態から薬剤スクリーニングに利用したりといった応用を目指している。

海外では既に量子センサーの商用化が進んでいる。量子コンピューターの開発を手掛けるスタートアップの米コールドクアンタは量子技術の中で「冷却原子方式」と呼ばれる量子コンピューターと量子センサーを開発している。２０２２年11月には住友商事と代理店パートナーシップ契約を締結し、日本市場で販売活動を始めた。

（佐藤 雅哉＝日経クロステック）

032

チップレット

大規模回路を小規模な回路に分割し、要求仕様に合わせて組み合わせる

技術成熟度……高

2030期待度……4.6

製造技術の世代や用途が異なるチップをブロックのように組み合わせて、1つのチップのように扱うための技術を指す。

チップレット集積を巡り、半導体製造に新たに「中工程」と呼ばれる概念が生まれつつあり、日本の半導体産業が再び飛躍するきっかけになるかもしれない。

半導体の製造が大きく変わろうとしている。微細化によるムーアの法則が限界を迎える中で、微細化以外の技術が注目されつつある。その1つが異なる小さなチップ（チップレット）を集積する「チップレット集積」である。

東京工業大学を中心に、アルバックや太陽インキ製造（埼玉県嵐山町）などが参加する「チップレット集積プラットフォーム・コンソーシアム」の研究チームは２０２３年5月30日～6月2日に米オーランドで開催された半導体パッケージ技術の国際学会「ＥＣＴＣ」の技術プログラム セッション1で、チップレット集積で肝となる、チップ同士の接続方法について発表した。

コンソーシアムの取りまとめ役である栗田洋一郎東工大特任教授は「今回発表した技術によってチップレットを集積していくアプローチと、ＭｅｔａＩＣ（メタIC）の概念を提唱したところ、チップレットの本質を非常によく表していると評価された」と手応えを語る。

チップレット集積の実現に向けて、半導体製造における前工程と後工程の区別が曖昧になる部分が出てきており、そうした中間的な領域を「中工程」と呼ぶ。中工程には後工程の技術も活用されるので、後工程向けの製造装置や材料に強い日本に海外の半導体大手が目を付け、続々と日本での投資や拠点開設を進めている。

図　チップレット集積構造のコンセプト実証サンプル
日本の「チップレット集積プラットフォーム・コンソーシアム」が手掛けている。
（出所：東京工業大学）

ＥＣＴＣでコンソーシアムが発表した技術も中工程に関するものだ。ＥＣＴＣは半導体の後工程に関して世界的に最も権威のある国際学会の1つ。そのメインイベントである技術プログラムのセッション1で、日本勢の発表が関心を集めた。

セッション1には、台湾の積体電路製造（ＴＳＭＣ）や韓国のサムスン電子、米インテルといったファウンドリー（製造受託）大手や、製造装置大手の米アプライドマテリアルズなど、業界の重鎮企業が名を連ねている。

（松元則雄＝日経クロステック）

033

空間再現ディスプレー

裸眼でＶＲ（仮想現実）が見られる装置

技術成熟度……中

2030期待度……18.9

専用のメガネをかけなくても3次元の立体画像を楽しめる装置。裸眼立体視ディスプレーともいう。

見る人の視点（顔の位置）によって、角度や向きが異なる被写体の映像を切り替えて出力し、立体的に見えるようにする。いくつかの技術を組み合わせることで大画面を表示できつつある。

映像の切り替え方や映像の表示装置によって複数の方式がある。画面の前の１人だけが立体視できるタイプと、多人数が１台のディスプレーの前で同時に立体視できるタイプがある。

ソニーグループは２０２３年５月に画面サイズ27型の「ＥＬＦ-ＳＲ２」を発売した。クリエーターなどに向けた製品で、ディスプレーを見る１人だけが映像を立体視できる。

ディスプレーに内蔵したカメラで前にいる利用者の顔を捉え、独自の視線検出技術によって瞳の動きを数ミリ秒単位で検出する。検出した視線の方向に応じてリアルタイムに３次元映像

図　ソニーが2023年5月に発売した27型の裸眼立体視ディスプレー「ELF-SR2」
2023年1月の米テクノロジー見本市で公開したプロトタイプ。
（写真：日経クロステック）

を生成して表示する。複数人で同時に立体視はできないが、1人で見る限りはどの角度からでも高精細な3次元映像が見られる。

情報通信研究機構（NICT）はホログラフィックフィルムと複数台の小型プロジェクターを用いて裸眼で立体視ができる技術を開発している。表示領域にNICTが保有するホログラムプリント技術（HOPTEC）で作成したホログラフィックフィルムを使用する。

これを透明なアクリル板に貼り、32台の小型プロジェクターから各方向の視点の映像をそれぞれ投影すると見る位置によっ

図　情報通信研究機構（NICT）が開発した裸眼立体視が可能な透明ディスプレー装置

凸版印刷の計測装置「ライトステージ」を使って、顔の3次元データを計測、高精細な3D映像を作成し、表示させている。

（撮影：日経クロステック）

図　NHK技研の光線再生型3次元映像システム

3D映像を表示した様子。

（撮影：日経クロステック）

て映像が変化し、立体視が可能になる。１台あたり約２度分の少しずつ異なった映像を投影し、合計32視点の立体視を実現する。

各プロジェクターから異なる映像を出力できるため、立体的に見せるだけではなく、方向によって見せる映像そのものを変えることもできる。例えば、同じ意味のテキストを複数の言語で表示して、国が異なる複数の外国人観光客への案内説明を１度に済ませるといった利用法が考えられる。

ＮＨＫ放送技術研究所は「光線再生型３次元映像システム」を開発中だ。専用のカメラシステムで撮影した多視点映像を、複数台のプロジェクターで投影し、レンズアレーや光学素子を用いて３次元スクリーン上に結像させ、立体視を可能にする。

表示装置には８Ｋプロジェクター２台と４Ｋプロジェクター４台の計６台のプロジェクターを用いる。各プロジェクターは画素を斜め方向に半画素ずらした映像を時分割に投影し、多視点映像の解像度を高める。加えて光線の方向をずらす光学素子を通して奥行きの再現範囲を広げる。

（内田 泰＝日経クロステック・日経エレクトロニクス）

034

XR HMD（拡張現実ヘッドマウントディスプレー）

頭部に付けると映像と現実を重ね合わせて見られる

技術成熟度……高

2030期待度……28.8

現実空間に仮想空間を重ねるXR（拡張現実）を体験できる、頭部装着型のディスプレー装置。2024年初頭に登場する米アップル「Apple Vision Pro」、2023年秋発売の米メタ「Meta Quest 3」は共に、仮想空間で遊ぶためのVR（仮想現実）デバイスから、日常でも装着し続け、現実空間とデジタル空間を融合するデバイスへ進化しつつある。

アップルが2023年6月に開いた開発者会議で発表したVision Pro（ビジョンプロ）は、内蔵するカメラで撮影した現実世界に、パソコンのディスプレーなどを投影し、現実世界にそれらが浮かんでいるかのように見せる。アップルは「空間コンピューター」と称している。

片目あたり4K以上の解像度を持つ超高精細のマイクロ有機ELディスプレーを搭載。パソコンと接続すると、まるで目の前にディスプレーがあるかのように精細に表示され、違和感なく操作できる。視線やジェスチャー、声、本体に設けたボタンなどで操作し、従来のVR

図　米メタが2023年秋に発売する「Meta Quest 3」

外部カラーカメラを2個搭載してXRに対応する。

（出所：米メタ）

図　アップルが2024年初頭に発売する「Apple Vision Pro」

外部ディスプレーに利用者の目を表示し、周囲の人の違和感を減らす機能を搭載する。

（出所：米アップル）

ＨＭＤが必須としていたハンドコントローラーは使わない。

内部のカメラで目の動きを認識し、装着した状態で正面に組み込んだディスプレーに利用者の目を表示する機能「ＥｙｅＳｉｇｈｔ（アイサイト）」を搭載する。ＨＭＤをつけたままでも周囲の人があまり違和感を持たないようにする工夫という。

同じ6月にメタが発表した「Ｍｅｔａ Ｑｕｅｓｔ ３（メタクエスト3）」は４メガピクセルの外部カラーカメラ２個と深度センサーを搭載し、ＸＲに対応する。メタは２０２２年に発売したシリーズの上位版「Ｍｅｔａ Ｑｕｅｓｔ Ｐｒｏ（メタクエストプロ）」でもカラー対応のカメラを複数搭載するなど、ＸＲへの注力を始めていた。

２０２３年1月の米テクノロジー見本市や2月にスペインで開催されたモバイル通信展示会「ＭＷＣ バルセロナ２０２３」で、中国や日本のメーカーが展示していたプロトタイプにおいても、外部カメラや透過グラスを使ったＸＲ指向のＨＭＤが目立っていた。

（島津翔＝シリコンバレー支局）

035

立体音響

音源に位置情報を加え、臨場感ある音場を実現する

ライブ会場や集会のその場にいるかのような体験ができる音響技術。演奏場所、歌っている場所などから音が出ているように設定して配信でき、アーティストの演奏に囲まれている体験が得られる。音楽、ゲーム、映像、さらにモビリティ（車内空間）といった、様々な領域で使われていく。

技術成熟度……高

2030期待度……4.8

ソニーは２０２３年3月から5月末まで、宇多田ヒカルのライブ音源を再配信した。1月19日にリアルタイム配信されたもので、360 Reality Audioと呼ぶソニーの立体音響技術を使った。視聴にはスマートフォンの専用アプリ360 Reality Audio Liveと通常のヘッドホンを使う。同じスタジオにいて聴いているような〝生っぽい音〟が楽しめる。アーティストやサウンドエンジニアが意図した音づくりができ、それを視聴者に届けられる。ソニーは音楽関係者と連携し、360 Reality Audioリアルタイム配信の事業化を目指す。360 Reality Audioを使った録音済み音源の配信については、欧米で２０１９年から、日本で２０２１年からしてきた実績がある。

図 CRI・ミドルウェアの立体音響スタジオ
（出所：CRI・ミドルウェア）

さらに2023年1月の米テクノロジー見本市で、ソニー・ホンダモビリティのEV（電気自動車）の「アフィーラ」と360 Reality Audioを組み合わせたデモンストレーションを実施した。

音声や映像分野でミドルウエアを開発するCRI・ミドルウェアは2022年8月、メタバース空間で会話ができるCRI TeleXusの正式提供を始めた。前後左右など様々な方角から話しかけられている感覚を再現できる。

2023年1月には、韓国ロッテグループのカリバースと次世代メタバースの実現に向けた共同研究をする、と発表した。ロッテグループが推進する次世代メタバース事業で利用者の没入感を高める音声・映像の技術を共同研究する。

メタバース空間の会話ではそこにいるかのような臨場感や実在感が重要になる。リアルタイム立体音響処理を取り入れた多人数ボイスチャットを開発中で、同時に複数人が話すようなシーンでも聞き分けできるようにする。

CRI・ミドルウェアは映画でも使われる米ドルビーのDolby ATMOSを使い、頭の後側や頭上からも音が聞こえるような空間の広がりが感じられる、立体音響の音源制作も手掛ける。この技術をゲームやモビリティ事業に応用する。

（吾妻 拓＝トレンドメディアユニット）

036

核融合

重水素などを融合、高エネルギーを出す。
実用は２０３０年代という見方がある

技術成熟度……中

2030期待度……43.3

核融合炉は原子核同士を反応させ、そこから飛び出した粒子が保有するエネルギーを回収する装置である。核融合炉の開発速度が世界各国で増している。

１ｇの燃料で石油8トン分に相当する膨大なエネルギーを得られるとされ、実現すれば世界が抱えるエネルギー問題を解決できる可能性がある。

核融合発電の商用化に向けて各国政府主導の研究プロジェクトが進んでいるほか、近年は核融合発電関連のスタートアップの起業が相次いでいる。基礎研究の進展で商用化が視野に入ってきたことで、企業の参入や開発がさらに加速しそうだ。

核融合は「地上の太陽」とも形容される次世代のエネルギー技術。発電への応用は２０５０年以降になると見られていたが、企業の参入が増えたことで実現時期が「２０３０年代後半から２０４０年代に早まるのでは」との期待が高まっている。

核融合反応は重水素と三重水素を高温・高圧下で融合させることで起こせる。重水素は海水

企業	調達額
コモンウェルス・フュージョン・システムズ(米)	20億米ドル以上
ヘリオン・エナジー(米)	20億米ドル
TAEテクノロジーズ(米)	10億米ドル以上
ゼネラル・フュージョン(カナダ)	3億米ドル以上
トカマク・エナジー(英)	2.5億米ドル

表　核融合スタートアップの資金調達の例
(出所:各社の発表を基に日経クロステックが作成)

に豊富に含まれており、回収する技術も確立している。一方、三重水素は天然にはほとんど存在しないものの、海水に含まれているリチウムに核融合反応で生じる中性子を照射することで生成できる。石油や天然ガスと異なり、資源の偏りが少ないことから、理想的な次世代エネルギーと目されている。

核分裂の連鎖反応を利用する原子力発電と比べて、核融合は燃料の投入を止めれば反応も止まるので比較的制御しやすい。燃料の三重水素と核融合炉は放射線リスクがあるものの、原子力発電に使う核燃料に比べて危険性は低い。半減期（放射性物質の量が半分になるまでの時間）も短いので、原子力発電のような高レベル放射性廃棄物を出さない。

核融合に取り組むスタートアップが増えている。業界団体のフュージョン・インダストリー・アソシエーション（ＦＩＡ）によれば、２０２２年までに30社以上が起業した。

例えば、米ＭＩＴ（マサチューセッツ工科大学）発のコモンウェルス・フュージョン・システムズは２０２１年までに約20億米ドル（約２６００億円）を調達した。米マイクロソフト創業者のビル・ゲイツ氏や米アマゾン・ドット・コム創業者のジェ

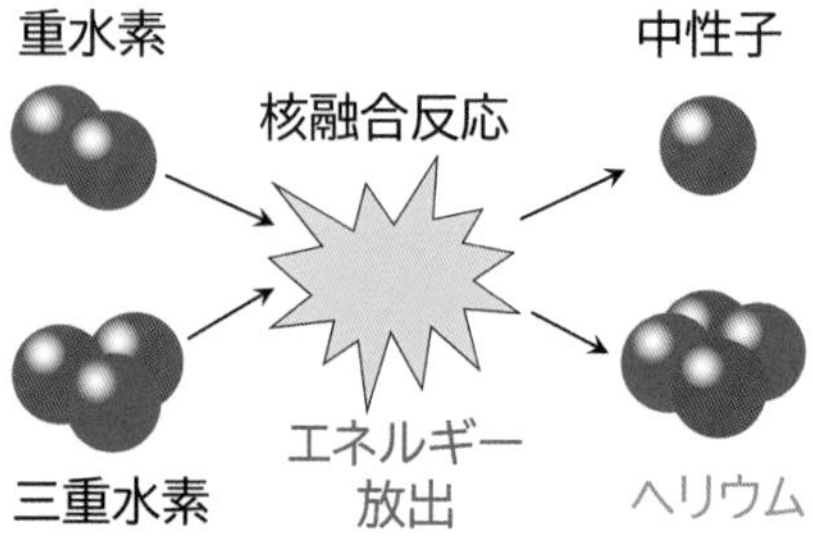

図　核融合反応の仕組み
水素の同位体（中性子数が異なるもの）である重水素（デューテリウム）や三重水素（トリチウム）を使う。
（出所：日経クロステック）

フ・ベゾス氏などがこうしたスタートアップに出資している。

調達した資金を生かしてスタートアップが自前の核融合炉を開発する動きも出ている。原型炉を先行して建設し、2030年代にも核融合発電の定常運転を実現するという野心的な目標を掲げるスタートアップもある。

核融合発電を実現する技術面の課題は、セ氏数億度にもなる高温状態のプラズマを安定的に生成・保持すること。実現する方法として「磁場閉じ込め方式」と「レーザー方式（慣性閉じ込め方式）」が研究されている。

磁場閉じ込め方式は磁気の力を利用して高温のプラズマを閉じ込めて保持し、炉が熱で壊れないようにする。ドーナツ状のプラズマを形成する「トカマク型」と、らせん状のプラズマを形成する「ヘリカル型」がある。世界の核融合発電の研究ではトカマク型の研究が広く採用されている。日本や米国、欧州、中国、韓国、ロシア、インドなどが参画する大型国際プロジェクトはその代表で、世界最大となる核融合実験炉「ITER（イーター）」の建設がフランスで進んでいる。

一方、レーザー方式は球状燃料に多数のレーザーを同時に照射

名称	ITER （イーター）	原型炉 JA DEMO	NIF
方式	磁場閉じ込め	磁場閉じ込め	レーザー
参加組織	日本・欧州・米国・ロシア・韓国・中国・インド	日本国内の大学や企業から成る特別チーム	米ローレンス・リバモア国立研究所（LLNL）
位置付け	技術的実証 （発電せず）	発電に向けた 技術・経済的実証	技術的実証
計画	2025年に運転を開始。2035年に核融合の運転を開始予定	2035年ごろに工学的な設計を完了し、建設開始予定	実証実験進行中。商用化は2040年代以降か

図　世界の主な核融合発電プロジェクト
（出所：各プロジェクトの情報を基に日経クロステックが作成）

して加熱・圧縮し、瞬間的に核融合反応を起こす。反応が起こる核融合炉自体は小さく、燃料の投入量に応じて出力を調整できるので小回りが利く。大阪大学のレーザー科学研究所、米ローレンス・リバモア国立研究所の国立点火施設などが先行している。

ITERプロジェクトでは2025年ごろにプラズマを安定的に生成する研究に取りかかる。核融合反応を起こす本格運転は2035年ごろになる予定だ。各国政府はそのITERの知見を受けて発電に応用できる「原型炉」の開発に取りかかる。米国や英国は2040年代までに原型炉を建設する計画である。レーザー方式も商用化には「あと20～30年はかかる」（ローレンス・リバモア国立研究所）見込みである。

（佐藤 雅哉＝日経クロステック・NIKKEI Tech Foresight）

037

高温ガス炉

セラミック材料を使い、１０００℃程度の熱を取り出せる原子炉

技術成熟度……低

2030期待度……5.9

高温ガス炉（High Temperature Gas Reactor、ＨＴＧＲ）は７５０℃から９００℃程度の高い温度を取り出せる次世代原子炉である。原子力発電所で一般に使われてきた大型軽水炉では、冷却材の出口温度が３００℃程度だった。

この超高温の熱を利用すれば、二酸化炭素（CO_2）を排出せずに水素を製造できるため、製鉄などの産業分野での活用が期待されている。

日本を含む世界各国で開発が進んでおり、中国が実証炉による発電で先行している。近年では、高温ガス炉の商業化を目指すベンチャー企業も現れた。

高温ガス炉は軽水炉と同じ熱中性子炉の一種とされるが、原子炉の構成要素に違いがある。高温ガス炉は減速材に黒鉛材を、冷却材にヘリウム（Ｈｅ）ガスをそれぞれ使う。軽水炉は減速材と冷却材を兼ねて軽水（普通の水）を使う。

核燃料の方式にも違いがある。高温ガス炉の燃料には、小球体のウラン燃料にセラミック被

図　高温ガス炉（ブロック型）**の例**
日本原子力研究開発機構の高温工学試験研究炉（HTTR）。900℃以上の高温を取り出せる。（出所：日本原子力研究開発機構）

覆を施した、直径約1㎜の被覆燃料粒子を用いる。仮に事故が発生して燃料が高温にさらされたとしても、セラミックの耐熱温度以下であれば、壊れることなく放射性物質を閉じ込められる。一方、軽水炉の場合は、沸騰水型軽水炉（BWR）も加圧水型軽水炉（PWR）も、高さ約10㎜の円筒形の燃料ペレットを、細長い金属製の燃料棒（燃料被覆管）に入れて使う。

高温ガス炉の方式にはブロック型とペブルベッド型がある。どちらも前述した被覆燃料粒子を用いる点は同じだが利用方法に違いがある。

ブロック型として、国内では日本原子力研究開発機構（JAEA）が1998年に「高温工学試験研究炉」

図　高温ガス炉を活用した水素製造のイメージ
経済産業省資源エネルギー庁は2030年代に、高温ガス炉の実証炉の運転開始を目指す。三菱重工業が中心となり、研究開発・設計・建設を手掛ける。
（出所：三菱重工業）

（ＨＴＴＲ、熱出力30ＭＷ）の運転を始めている。被覆燃料粒子を多数含む円筒形の燃料コンパクトを製作し、黒鉛ブロック内に設置する。

ペブルベッド型は被覆燃料粒子を直径約６㎝の黒鉛球に閉じ込め、この黒鉛球を原子炉の上から落下移動させながら運転する。原子炉の運転を止めずに燃料を供給したり排出したりできる。原子力新興企業の米Ｘ-エナジーが開発中のＸｅ-１００や、中国で２０２１年12月に発電を開始したＨＴＲ-ＰＭなどがペブルベッド型に分類される。

高温利用の可能性や安全性の高さなど、さまざまな利点を持つ高温ガス炉だが、軽水炉と比べて不利とされる面もある。まず大型化が難しい。高温ガス炉は、軽水炉と同じ出力を得ようとする場合に炉心の体積が大きくなりがちで、発電コストは軽水炉よりも上昇するとの見方がある。さらに、高温が取り出せるといっても、その高温を生かしてカーボンフリー水素を大量かつ安価に製造する技術の実用化はこれからだ。

政府が示した原子力産業の工程表によると、まずはＨＴＴＲを利用して２０３０年までにカーボンフリー水素の関連技術の開発を進める。その後、２０４０年ごろまでに高温ガス炉の実証炉を建設して運転開始につなげる。ＪＡＥＡは２０２２年４月、三菱重工業と共同でＨＴＴＲを使った水素製造の実証事業を開始すると発表している。

高温ガス炉の商業化を目指すベンチャー企業も現れた。２０２２年４月に事業を開始したブロッサムエナジーは高温ガス炉のファブレスメーカーで、小型の高温ガス炉8基をクラスター化した発電システムの開発を目指している。２０３５年に国内1号機の運転を開始するのが同社の当面の目標だ。

（斉藤 壮司＝日経クロステック・日経ものづくり）

038

空気と太陽光でアンモニア合成

水素を使わず常温常圧で生産できる可能性を持つ

技術成熟度……低

2030期待度……21.0

太陽光エネルギーを使って空気と水から常温常圧でアンモニアを生成する。実用化すると、家屋などの屋根に設置した反応装置で太陽光をアンモニアに変換して貯蔵できるようになる。アンモニアは燃やしても二酸化炭素を発生せず、容易に水素を取り出せるため、カーボニュートラル時代のエネルギーキャリア（エネルギーを蓄える物質）として注目されている。

東京大学大学院と九州大学、大同大学の研究グループが、太陽光エネルギーを使って空気と水から常温常圧でアンモニアを生成する反応に道を拓く技術を開発した。

最終的に目指すのは、窒素分子をモリブデン分子触媒で分解して窒素原子とし、そこに水を太陽光エネルギーで分解して得られた水素原子を加えてアンモニア化合物を生成することである。

研究グループの一翼を担う東京大学の西林仁昭教授（大学院工学系研究科応用化学専攻）らのチームは、マメ科植物の根に常在する根粒菌が空中の窒素を固定してアンモニアを生成する機能を

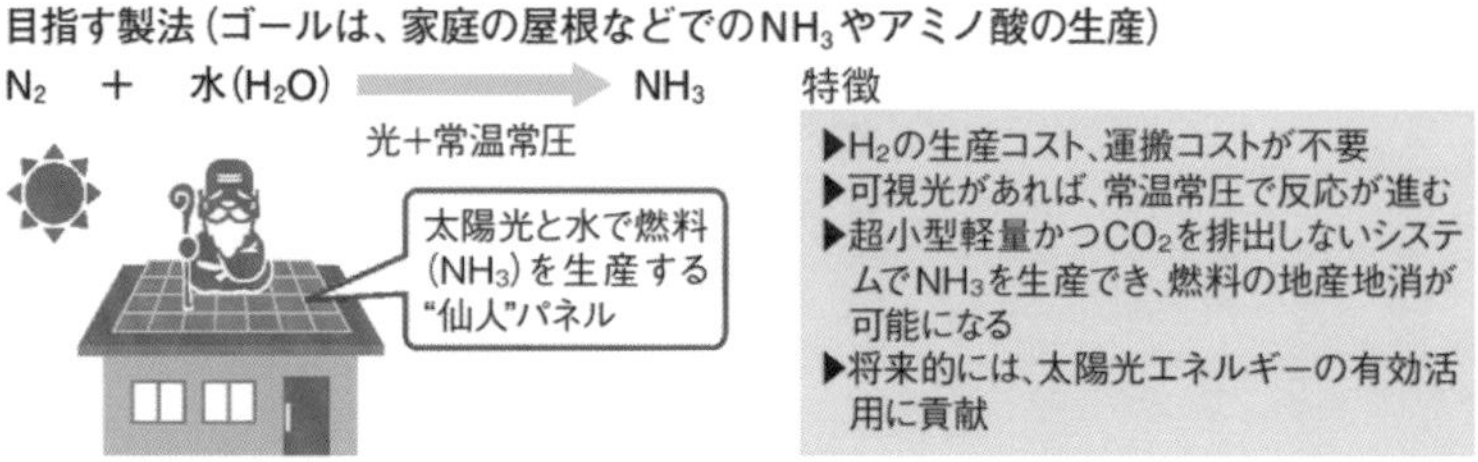

図　新手法が目指す「屋根上アンモニア製造パネル」
太陽光と水と空気から常温常圧でアンモニア(NH_3)を生成できるため、住宅の屋根などに載せた小型の装置で太陽光エネルギーをアンモニアに変換できる。
（出所：日経クロステック）

ヒントに、モリブデン分子触媒を開発した。

2019年に窒素と水から常温常圧でアンモニアを生成する実験に成功し、当初は生成反応11回分と短かった分子触媒の寿命を6万回の生成に耐えるまで改良してきた。

ただし、この反応では水素イオンの供給源として水ではなくジヒドロアクリジンを使っているが、西林教授によると触媒の改良などでジヒドロアクリジンを水に置き換えることは可能と分かっているという。

この新しいアンモニア生成手法は、水素を生成する必要がなく、反応の全過程で二酸化炭素を発生しないうえに、反応が常温常圧で行えるため、実用化時に装置の大幅な小型化が見込め、住宅の屋根に載せられる可能性がある。

アンモニアは化学肥料や爆薬の材料として工業生産されているが、空気中の窒素と水素を高温高圧で反応させる方法をとっており、大規模な装置が必要だった。また、原料の水素を天然ガスや石炭から得たメタンを改質して生成しており、その過程で大量の二酸化炭素を排出してしまう。

（野澤 哲生＝日経クロステック・日経エレクトロニクス）

039

人工光合成

二酸化炭素や水から水素や炭化水素を生成

技術成熟度……低

2030期待度……40.2

二酸化炭素や水を原料に太陽光エネルギーを利用し、水素やメタノール、ギ酸などのエネルギーキャリア（エネルギーを蓄える物質）や樹脂材料などを生成する技術。

二酸化炭素を空気中から取り込んで別の物質に変換するため、カーボンニュートラルの実現に向けた技術として期待されている。エネルギー源、材料、生成物の組み合わせが植物の光合成に似ているのでこの名で呼ばれるが、生成プロセス自体は光合成とは全く異なる。

大阪公立大学の天尾豊氏らの研究チームは、濃度が数～20％と火力発電所などの排ガス程度に低い二酸化炭素ガスと、油性インクを処理した廃棄アセトンを原料にして、生分解性プラスチック原料となる3-ヒドロキシ酪酸の合成に成功した。

太陽光と同等の可視光を1日照射することで、アセトンの約70％を3-ヒドロキシ酪酸に変換した。3-ヒドロキシ酪酸は生分解性プラスチックであるポリヒドロキシ酪酸の原料となる。

現在研究段階にある二酸化炭素を資源とする人工光合成技術の多くは、高純度の二酸化炭素を用いている。しかし火力発電所などの排ガスに含まれる低濃度の二酸化炭素を利用する技術の開発が、実用化への近道となる。

ＧＳアライアンス（兵庫県川西市）は人工光合成で燃料や化学物質の中間体原料であるギ酸の合成と、二酸化炭素の削減を同時に実現する新手法を開発した。

ギ酸は脂肪族炭化水素との合成によってさまざまな化学品の原料になるほか、液体のため水素に比べて貯蔵が容易なエネルギーキャリアとしても期待されている。金属有機構造体（ＭＯＦ）と量子ドットを複合化させた触媒を、不織布に塗布・固定した「人工光合成シート」を作製した。この触媒で二酸化炭素を吸着・回収し、太陽光で還元することによってギ酸を得る。反応後、容器からギ酸を含む水を取り出して容器に水を追加すれば、反応が再開する。

図 MOF-量子ドット複合体で作製した人工光合成シート
（出所：GSアライアンス）

安価な不織布に触媒を固定することで、工数の削減と連続的なギ酸抽出を可能にした。今後は、触媒固定化の工夫や合成効率の向上に取り組む。

人工光合成の実用化に向けた課題としてエネルギー変換効率を10％程度まで高めることがある。日本で一般的な光触媒で水を水素に還元する手法の変換効率は数％以下と低い。

（小久保 重信＝ニューズフロント、松田 千穂＝ライター）

040

陸上養殖

海の魚などの水産物を陸上の水槽で養殖

技術成熟度……中

2030期待度……18.1

陸上の貯水槽などで魚介類を養殖すること。
さらに太陽光発電施設などと組み合わせ、再生可能エネルギーで養殖施設のポンプなどを動かす取り組みもある。

九州の北西約80㎞の玄界灘に浮かぶ壱岐は南北約17㎞、東西15㎞、南北に長い亀の形をしている。壱岐の島内に２０２２年夏、再生可能エネルギーと水素製造を組み合わせたシステムの実証施設が完成している。壱岐市が東京大学先端科学技術研究センターなどと連携して取り組んでいる「ＲＥ水素システム」である。

ＲＥ水素システムでは、陸上養殖場の隣に太陽光発電システムを設置し、電力を養殖施設で消費するとともに、余剰電力で水を電気分解して水素と酸素を製造、タンクに貯めておく。夜間や曇天など太陽光発電が出力しない時間帯にタンクに貯めた水素と燃料電池を使って発電し、養殖場に供給する。

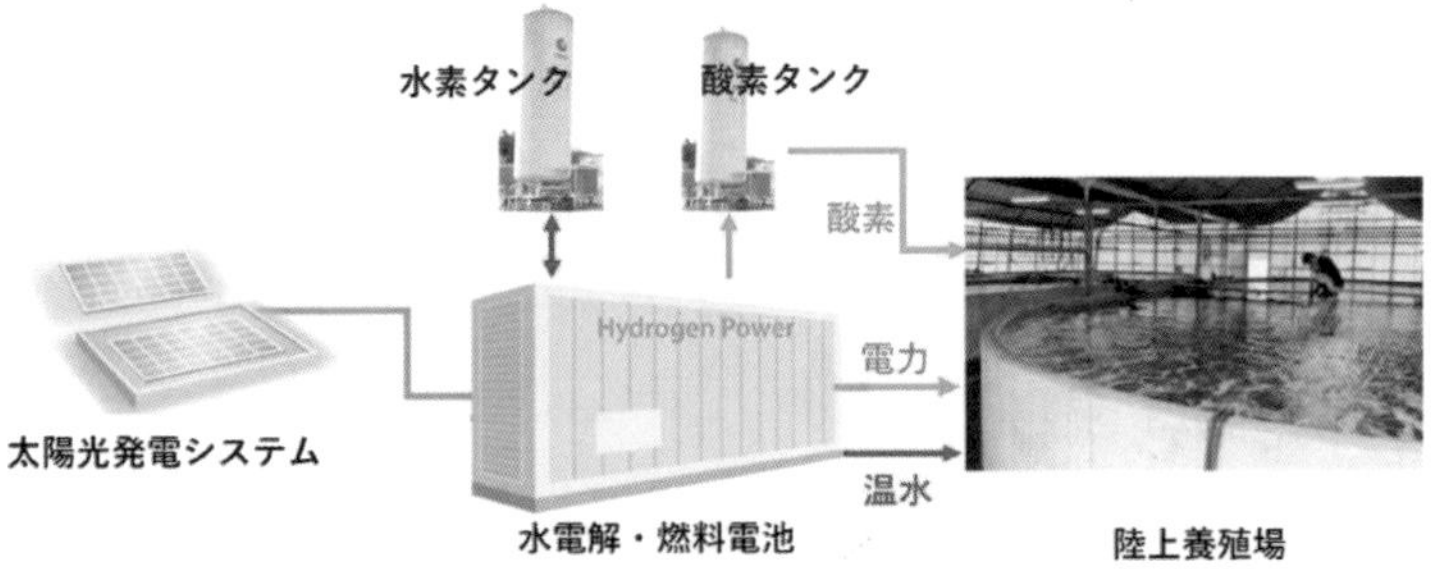

図　RE水素システムの仕組み
（出所：壱岐市）

酸素のほうは養殖場の水槽への曝気（水に酸素を送り込む）に利用する。これによって水槽での養殖の効率が高まる。水電解装置と燃料電池の排熱も水槽の温度調整に使う。

RE水素システムを構成する設備は、太陽光発電システム（出力168kW）、固体高分子型水電解装置（エノア製・60kW）と水素タンクと酸素タンク、燃料電池システム（豊田自動織機製・16kW）、リチウムイオン蓄電池システム（東芝製・60kW／20kWh）など。これらを直流のまま電力変換器（DC・DCコンバータ）を介して接続する。パワーコンディショナーで交流に変換されるのは、水槽のポンプ動力に供給する構内系統だけになる。

壱岐を中心に建設業や再生可能エネルギー事業などを営む、なかはらが持つ陸上養殖場には16の水槽があり、成魚と稚魚を合わせて約5万匹が養殖されており、そのうちの約2割の施設（約10kWのポンプ動力）にRE水素システムが給電している。晴天であれば太陽光で100kW以上を出力できる。

なかはらの陸上養殖場ではRE水素システムで製造する

図　陸上養殖場に隣接した168kWの太陽光発電設備
（出所：日経BP クリーンテックラボ）

酸素で曝気分をほぼすべてまかなえるようになったという。こうして生産したトラフグをなかはらは「ＲＥフグ」のブランドで出荷している。

ＲＥ水素システムの実証にあたっては、温度や湿度、日照などを計るセンサーに加え、空の雲画像を撮影するカメラも設置し、リアルタイムの気象データを収集、日射を予測し、急な日照変化に備えて運用を制御している。この工夫で蓄電池の容量を減らしてもシステムを安定運用できるノウハウを蓄積しているという。

壱岐がＲＥ水素システムに取り組むのは、電源構成に占める再生可能エネルギー比率を２０３０年に24％、２０５０年に１００％にする目標を掲げているからだ。これを実現するために、太陽光や洋上風力による発電と余剰電力を使った水素製造を打ち出している。

壱岐には高い山がないため雲の滞留が少なく、日照時間や日射量は宮崎県に匹敵する上、風況

図　陸上養殖の水槽で曝気（水に酸素を送り込む）している様子
（出所：日経BP クリーテックラボ）

にも恵まれ、太陽光発電と風力発電の双方に向いている。すでに、なかはらがメガソーラー（大規模太陽光発電所）や大型風力発電所を建設、運営するなど、島内には8MWの太陽光発電所と2MWの風力発電所が稼働している。ただし、島内には比較的、分散して住宅が立地しており、陸上にこれ以上の大型風車を立てると騒音対策が問題になるため、洋上風力発電に期待することになる。

もう一つの問題は余剰電力の使い道である。現時点では、壱岐と九州本土を結ぶ海底ケーブルがないため、本土に送ることはできず、出力抑制を余儀なくされてしまう。余剰電気を水素製造や陸上養殖に使えれば、再生可能エネルギーをもっと導入できることになる。

（金子憲治＝日経BP総合研究所 クリーンテックラボ）

041

ソフトロボット

生物のようにしなやかに動き、点検などに利用

技術成熟度……中

2030期待度……17.5

名称通り、柔らかいロボットを指す。従来のロボットと比べて柔軟な動きができる。ヒトとぶつかっても傷つけにくい。ヒトとロボットの共生時代に向けた技術として開発が進んでいる。

ブリヂストンとアセントロボティクスは２０２３年２月１日、資本業務提携を締結したと発表した。ブリヂストンのタイヤで培ったノウハウを生かしたロボットハンドに、アセントロボティクスのＡＩ（人工知能）画像認識技術を組み合わせる。早ければ２０２４年度の小規模事業化を目指す。

ブリヂストンが開発したロボットハンドは、軟体生物の触手のような見た目をしており、形状の異なるさまざまな対象物をつかめる。ゴム材料がつかむ対象物の個体差を吸収するため、アクチュエーターやセンサーが高精度でなくても対象物に合わせた適切な力加減でモノをつかめるという。物流倉庫や品出しの用途を想定している。

図　アセントロボティクスの久夛良木健CEO（左）、ブリヂストン ソフトロボティクス ベンチャーズの音山哲一CEO（右）
音山氏が手に持つのがロボットハンド。
（出所：日経クロステック）

「アセントへの出資額は5億円。ブリヂストンがモビリティー分野以外の企業に出資するのは初めて」とブリヂストン ソフトロボティクス ベンチャーズの音山哲一氏CEO（最高経営責任者）兼探索事業開発第1部門長は語る。ソフトロボティクス ベンチャーズはブリヂストンが社内ベンチャーとして2023年1月につくった企業である。

「未来は絶対これだと思っていた。なぜ製品が出てこないのか不思議だった」。アセントロボティクスの久夛良木健代表取締役兼CEOはソフトロボットをこう評する。久夛良木氏はソニーグループでプレイステーションの開発を指揮した経歴を持つ。1年半前に音山氏に出会い、プロダクトデザインなどの面からアドバイスをしてきた。「これからの少量多品種の時代にソフトロボットの需要はある」と自信を見せる。

（久保田 龍之介＝日経クロステック・日経エレクトロニクス）

042

ハイパースペクトル画像撮影

人の目では知覚できない
連続的な色の変化を検知できる

技術成熟度……中

2030期待度……4.8

光の色情報（波長）を肉眼やカラーカメラ（ＲＧＢカメラ）よりも細かく取得する技術。得た画像データをコンピューターで解析すると、人の目では分からない材質や表面状態の違いを判別でき、非破壊検査などに使える。

ハイパースペクトル画像撮影によって、例えば食品の製造工場で、外観検査では見つけられない、鮮度の確認や異物混入の検出、特定の化学物質や水分の含有量チェック、食品パックの密閉確認といったことが可能になる。

パナソニックは２０２３年1月、ハイパースペクトル画像カメラの感度を従来の10倍に高める技術を開発したと発表した。これまで撮影が困難であった室内照明下（５５０ルクス）程度の明るさでもハイパースペクトル画像を撮影できる。

波長ごとに反射率を制御できる「分散ブラッグ反射器（ＤＢＲ）」を使った特殊フィルターを新規に開発し、これを通して撮像素子が得た情報をＧＰＵ（画像処理半導体）で演算処理し、波

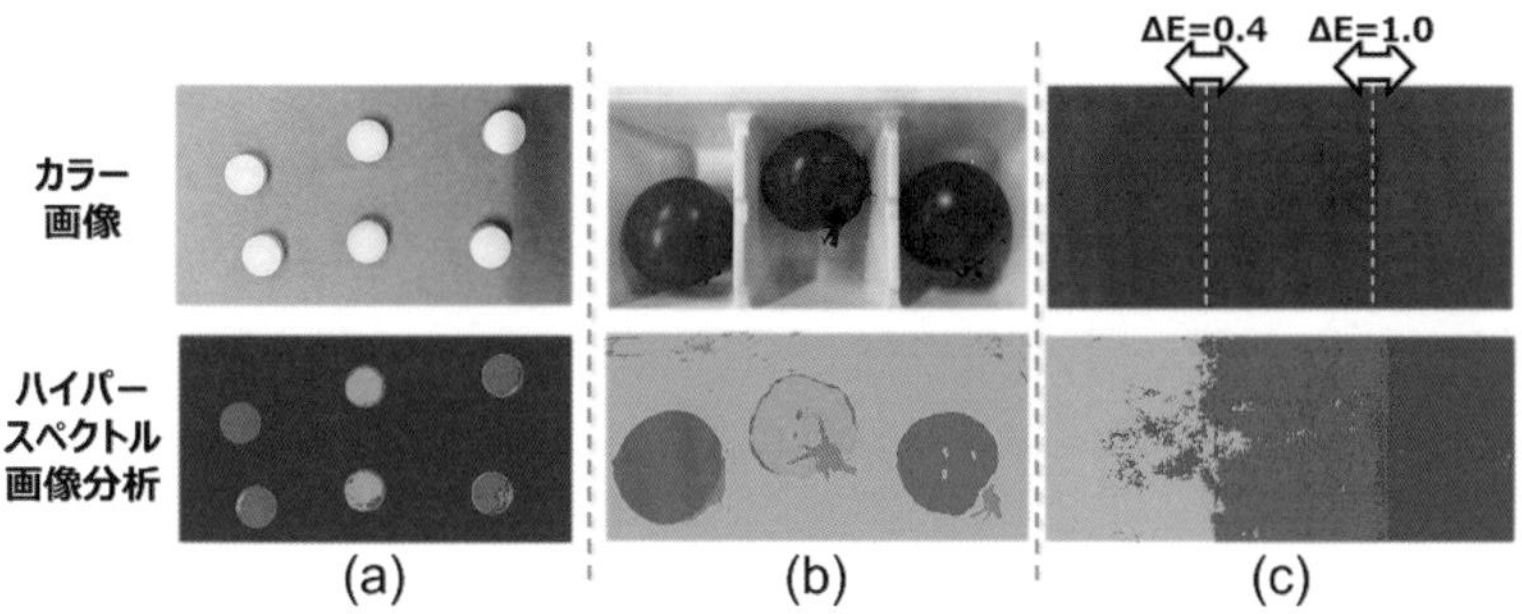

図　ハイパースペクトルの応用例
人の目では判断が難しい錠剤の判別（a）、トマトの糖度推定（b）、塗装ムラの検知（c）に使える。
（出所：パナソニック）

長分離と元データを復元する。４５０～６５０ｎｍの可視光領域に対応し、この範囲で20波長の情報を取得できる。

新方式は感度が高いため30ｆｐｓ（フレーム／秒）以上のフレームレートで動画撮影できる。可視光領域に対応しているが分散ブラッグ反射器の設計次第で赤外線へ対応させられる。

ＮＴＴは２０２２年10月、一般的なデジタルカメラでハイパースペクトル画像を取得する技術を開発したと発表した。表面に数百ｎｍサイズの光を透過する構造体が並ぶメタレンズを作製した。これをデジタルカメラに装着して撮影すると、カラー画像でありながら物体の形状・波長情報が圧縮された画像を得られる。この圧縮画像からＡＩでスペクトル画像を推定し、高速・高精度で画像を再構成する。

ＮＴＴはＨＤ解像度・30ｆｐｓの条件下で、波長バンド数45のハイパースペクトル画像を撮影できること、動画の撮影が可能なこと、をそれぞれ確認している。

（青谷 悠平＝日経クロステック、松田 千穂＝ライター）

043

球状歯車

XYZの3方向に自由に回転できるモーターなどを作れる

技術成熟度……中

2030期待度……5.7

球体の全面に凹凸の「歯」をびっしり並べ、かみ合わせた2つの小歯車から動力を得て、どの方向にも無制限に回せる歯車機構。山形大学と東北大学の研究チームが開発した。単一機構で回転3自由度が得られるため、小型軽量のアクチュエーターへの応用が期待される。

兼松と組んで実用化に向けた開発を進めており、2025年までに量産体制の構築を目指す。

球状歯車は回転3自由度を持つアクチュエーター「球面モーター」の心臓部として期待されており、例えばロボットアームの関節機構やドローンが搭載するカメラの首振り機構などへの応用が見込まれる。回転3自由度を得る機構はこれまでにもあったが、球状歯車はそれらに比べて構造が単純であり、小型軽量にできる。慣性力が小さく高速化や位置制御に有利、歯車なので動力伝達ロスが小さい。

鞍《あん》状歯車と呼ぶ特殊な小歯車2つと組み合わせて駆動する。鞍状歯車は軸に沿って回るピッ

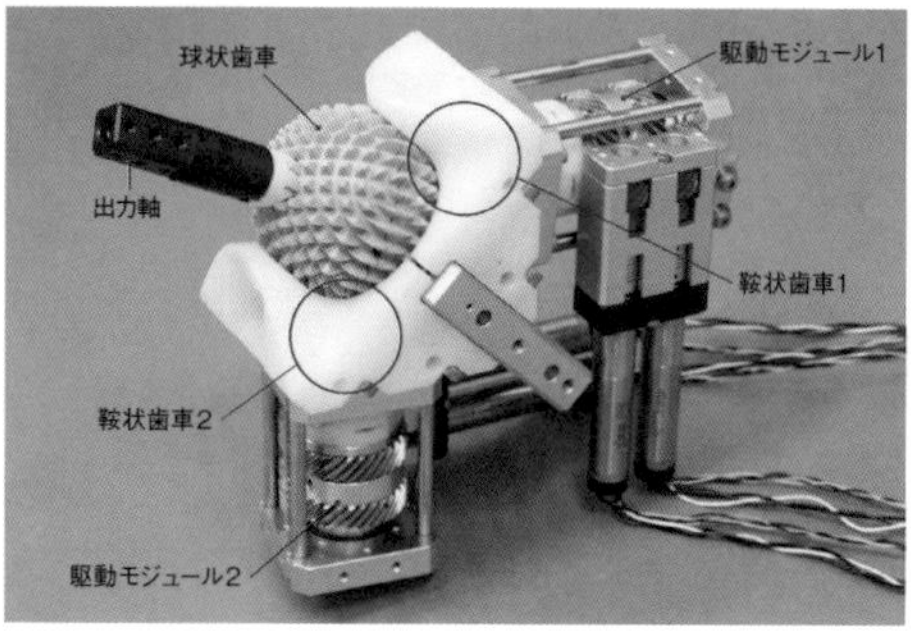

図　球状歯車を2つの鞍状歯車で駆動する「球面モーター」

軸方向とねじり方向の2種類の回転ができる鞍状歯車と呼ぶ特殊な小歯車2つを組み合わせて自由自在に動せる。

（出所：多田隈理一郎氏）

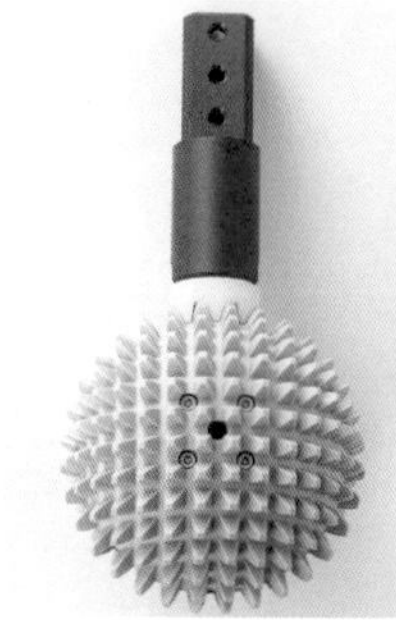

図　山形大学と東北大学の研究チームが開発した「球状歯車」

球体の全面に凹凸の「歯」がびっしり並び、回転3自由度のどの方向にも無制限に回せる。

（出所：日経クロステック、撮影：スタジオキャスパー）

チ回転と歯車自体をねじるように回すロール回転の2種類の動きができる。鞍状歯車が軸方向に1回転すると球状歯車が半回転するギア比になっており、2つの鞍状歯車の2種類の動きで球状歯車を自由自在に動かせる。

現在はアルミニウム合金を5軸マシニングセンターで削って製造する手法をとっており、金属製の試作品も存在する。当初の試作品はエンジニアリングプラスチック製で安価に製造できたが、ロボットアームなど負荷の高い用途で強度や耐久性が不足する危険があった。

開発したのは山形大学大学院理工学研究科の多田隈理一郎教授、東北大学タフ・サイバーフィジカルAI研究センターの多田隈建二郎准教授、同センターの阿部一樹特任助教のグループである。阿部特任助教が山形大学の学部4年生だった2017年に提案、同グループが以前開発した回転2自由度の球状歯車を発展させ、「10年がかり」（多田隈理一郎教授）で開発した。

（久保田 龍之介＝日経クロステック・日経エレクトロニクス）

044

樹脂のケミカルリサイクル

テールランプなどに使われる アクリル樹脂の廃品を化学分解し原料に戻す

技術成熟度……中

2030期待度……10.7

使用済みの樹脂などを化学的に分解して原料に戻すこと。総合化学メーカーが取り組み始めている。ケミカルリサイクルによる再生は、化石資源を原料として新品のバージン材を製造するのと比べ、温暖化ガスの排出量を抑えられることから、各社はカーボンニュートラル（温暖化ガスの排出量実質ゼロ）への対応策の一つとして位置付けている。

三菱ケミカルグループは、廃棄される自動車部品から回収したアクリル樹脂をケミカルリサイクルし、新品と同等の原料として自動車メーカーなどに販売する事業に乗り出した。

住友化学も、同じく使用済みのアクリル樹脂のケミカルリサイクルに取り組んでおり、実証設備を開設した。

三菱ケミカルグループは２０２４年度内にも、国内でアクリル樹脂のリサイクル設備を稼働させる計画だ。アクリル樹脂は車のテールランプなどに使われており、これらの廃品をケミカルリサイクルする。これまで廃棄されたテールランプは焼却し、燃料として利用するのが主で、

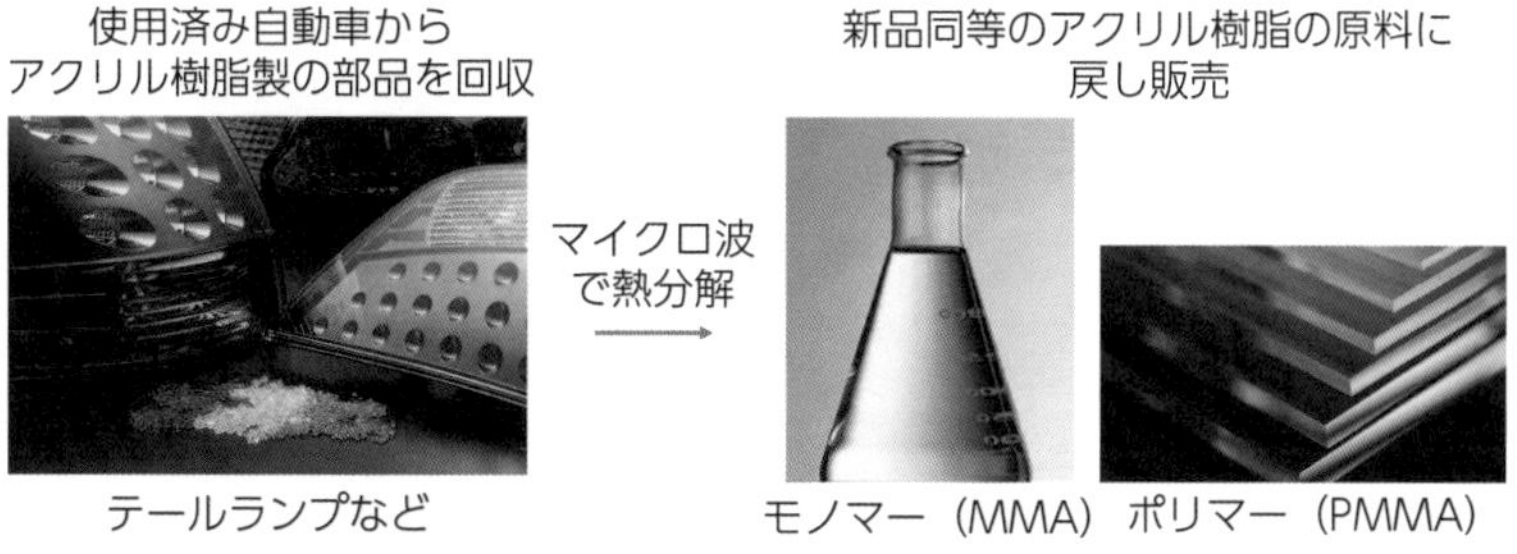

図　車のテールランプなどに使われるアクリル樹脂を原料に戻す

三菱ケミカルグループは自動車の樹脂部品を回収し、分子レベルに分解するケミカルリサイクルの取り組みを進める。

（出所：三菱ケミカルグループの資料を基に日経クロステックが作成）

アクリル樹脂のケミカルリサイクルは進んでいなかった。

　アクリル樹脂の再生品のニーズは自動車メーカーを中心に高まっている。ケミカルリサイクルをするために新品の製造と比べてコストがかかるものの、特に欧州ではリサイクルや脱炭素といった環境に配慮した材料への要望が強い。

　廃棄物処理の点でも、リサイクルの需要が高まっている。アクリル樹脂は車部品以外に飛沫防止用パネルにも使われている。新型コロナウイルス禍が一服し、飲食店などから大量廃棄の動きがあり、廃棄物を扱う事業者からリサイクルの相談が増加しているという。

　三菱ケミカルグループはアクリル樹脂をケミカルリサイクルするに当たり、マイクロ波加熱の技術を持つマイクロ波化学と研究開発を進め、マイクロ波を使って熱分解する方式を確立した。使用済みのアクリル樹脂にマイクロ波を当て、分子を振動させて熱分解し、原料のモノマーに戻す。釜に樹脂を入れ間接的にバーナーで加熱し分解する方式も検討したが、マイクロ波を使うほうが純度が高い原料を得られたという。

熱分解には電気を使うため、再生品の製造工程における二酸化炭素（CO_2）排出量を、新品の製造よりも約70％削減できる。２０２１年からはホンダなどと組み、この方式で使用済みのテールランプをケミカルリサイクルし、同一製品を製造する実験を進めており、「透明性をはじめ新品と同水準の性能を保つことが確認できた」（三菱ケミカルグループ）。

図　住友化学が新設したケミカルリサイクル実証設備
使用済みのアクリル樹脂などをケミカルリサイクルする設備を、愛媛工場内に建設した。
（出所：住友化学）

住友化学も、アクリル樹脂のケミカルリサイクルに取り組んでおり、実証設備を愛媛工場（愛媛県新居浜市）に新設した。２０２３年春からケミカルリサイクルしたサンプル品の提供を開始している。

同社は日本製鋼所と組み、熱分解によって原料となるＭＭＡ（メチルメタクリレート）モノマーに再生する技術を開発した。二軸混練押出機を使って、アクリル樹脂を加熱により溶融し、混練して押し出すことで、高効率で再生する。再生したＭＭＡモノマーは、化石資源を原料とした新品と同等の品質で、製品ライフサイクル全体の温暖化ガス排出量を60％以上削減できる見込みだ。

住友化学はこのほかに丸善石油化学（東京・中央）と共同で、ポリエチレンやポリプロピレンといったポリオレフィン系プラスチックについても、ケミカルリサイクルの取り組みを進めている。２０３０年までに、原料を高効率で直接製造する技術の確立を目指す。

（長場 景子＝日経クロステック・日経ものづくり）

第5章

モビリティー（移動）

再生可能エネルギーの利用に挑戦

045

水素エンジン車

水素を燃料とする内燃機関車

技術成熟度……中

2030期待度……30.1

ガソリンの代わりに水素を使うエンジンで走る車。従来のエンジン技術をほぼそのまま転用しつつ「カーボンニュートラル」を実現できる点で注目されており、特に自動車会社が熱心に取り組んでいる。

水素エンジンは燃料を従来のガソリンや軽油から水素に置き換えた内燃機関（レシプロエンジン）である。企業や家庭から出る二酸化炭素（CO_2）などの温暖化ガスを減らし、森林による吸収分などと相殺して実質的な排出量をゼロにするカーボンニュートラルの実現に向けた動きが世界的に加速する中、エンジンの生き残り策として自動車メーカーなどが取り組む。

欧州連合（ＥＵ）が２０３５年以降のエンジン車の新車販売をすべて禁じる方針を撤回し、カーボンニュートラルを実現できる合成燃料（ｅ-ｆｕｅｌ）や水素を利用するエンジン車の市販継続を容認したことも追い風になっている。

水素エンジンは既存のレシプロエンジンの技術や生産設備を生かせる。水素から直接動力を

図　トヨタの水素エンジンレース車「GR Corolla H_2 Concept」
国内外の耐久レースなどに参戦して「水素エンジンの市販化」に向けた課題を洗い出している。最新モデルは燃料の水素を液化して搭載する方式に切り替えた。
（撮影：日経クロステック）

取り出せ、新たな燃料開発が不要なことから実用化に近い。水素は今すぐ燃料として使え、調達する技術も確立している。

回収した二酸化炭素と水素からグリーン電力で生成する合成燃料がエンジン延命の本命として注目されているが、まだ開発の途上にある。水素から電気を取り出す燃料電池に対しては水素の燃焼で直接動力を取り出せるシンプルさで水素エンジンは勝る。

ただし課題もある。常温ではガス状態の水素を収める燃料タンクをどう用意するか。高温燃焼や異常燃焼、部品を劣化させる水素脆化への対策が求められる。窒素酸化物（NO_x）の排出量の多さへ対応も必要だ。

水素エンジン車

技術の概要

- 水素を燃料とする内燃機関車
- 原理的に、走行時に二酸化炭素（CO_2）を排出しない

活用イメージ

- カーボンニュートラルを実現するパワートレーン
- 乗用車だけではなく、大型商用車や建機などにも適用可能

主なプレーヤー

- トヨタ自動車
- ドイツBosch
- 米BorgWarner
- リケン　など

普及に向けた課題

- 耐久性の確保
- システムの小型化
- 水素インフラの拡充

「水素エンジン車」の概要
（出所：日経クロステック）

水素エンジンの実用化に熱心な企業にトヨタ自動車がある。２０２１年、カローラを改造して水素エンジンを搭載したレーシングカー「GR Corolla H_2 Concept（水素エンジンカローラ）」を開発、レースに参戦した。２０２２年には水素エンジン車を将来、市販する意向を正式に発表し、水素エンジンカローラのレース活動が課題の洗い出しを狙いとする開発の一環であると明かした。２０２３年５月には搭載燃料を液体水素に切り替えたモデルで24時間レースを完走。２０２６年から水素エンジン車の参戦を認めるルマン24時間耐久レースに向けたプロトタイプ「GR H_2 Racing Concept」も公開している。

マツダは２０２３年７月、エンジンで発電機を回して電気モーターで走るタイプのプラグインハイブリット車「ＭＸ-30」を欧州で発売した。このクルマ向けに11年ぶりに復活させたロータリーエンジンで将来の水素対応を視野に入れる。ロータリーエンジンはもともと水素と相性がよく、２００６年には世界初の水素ロータリーエンジン車をリースで販売した実績もある。

ヤマハ発動機など国内二輪４社は２０２３年５月、二輪向け水素エンジンの研究開発で協業

図　クボタが開発中の産業用水素エンジン
排気量3.8L、直列4気筒の過給機付きエンジン。
（撮影：日経クロステック）

すると発表した。水素エンジンに熱心なトヨタと水素のサプライチェーン（供給網）などに知見がある川崎重工業も研究組合に参加する体制で実用化を目指している。

国内ではこのほか、クボタや三菱重工業がポータブル発電機や自家発電装置向け水素エンジンの開発を明らかにしている。欧州では独ボッシュが熱心に取り組んでいるほか、２０２３年４月に開催された欧州最大の産業展示会「ハノーバーメッセ２０２３」でも水素エンジン関連の展示が目立った。

（久米　秀尚＝日経クロステック・日経Ａｕｔｏｍｏｔｉｖｅ）

046

ハイブリッド専用エンジン

多くの車種に積める汎用性と振動の低減を狙う

技術成熟度……高

2030期待度……4.3

内燃機関と電気モーターを組み合わせたハイブリッド専用エンジン（Dedicated Hybrid Engine、DHE）の開発が活発である。

ホンダと日産自動車は２０２２年に発表した新型ハイブリッド車（HEV）で、新開発のDHEを実用化した。

中国の自動車メーカーには、プラグインハイブリッド車（PHEV）向けのDHEを開発する動きがある。

いずれも世界各地域の環境規制やHEVの需要増加などに対応する狙いがある。高効率化の競争も熱を帯びており、先行する日本勢を中国勢が猛追している。

ホンダの新DHEは排気量２・０ℓで直列４気筒の直噴エンジンである。同社のシリーズパラレル方式のハイブリッド機構「e：HEV」に使う。基本的に中・低速ではエンジンを発電用として使い、得られた電力でモーターを駆動して走る。

図　ホンダの「シビックe:HEV」
新たに開発したDHEを初搭載した。
（写真：日経Automotive）

日産の新エンジンは排気量1・4ℓで直列3気筒の自然吸気（NA）エンジンである。同社のシリーズハイブリッド機構「e-POWER」と組み合わせる。同機構ではエンジンは発電専用で、全車速においてモーターの駆動で走行する。

ホンダと日産のDHEには共通点が2つある。1つは多くの車種に搭載できる汎用性だ。ホンダは2022年7月に発売した中型車「シビックe:HEV」に新エンジンを初搭載した。「アコード」や「CR-V」などシビックの上位車種を中心に展開し、2023年4月に日本で発売した新型SUV（多目的スポーツ車）「ZR-V」のHEVにも搭載した。日本や北米、欧州向けの車種を中心に採用を広げ、生産台数を増やす計画だ。

日産は新エンジンを2023年4月に発売した新型ミニバン「セレナ」に初搭載した。先代セレナのe-POWER車は、排気量1・2ℓの直列3気筒エンジンを搭載していた。

図　日産の新型ミニバン「セレナ」

同社初のe-POWER専用エンジンを搭載する。排気量1.4Lで直列3気筒のNAエンジンである。

（撮影：日経Automotive）

新エンジンで排気量を拡大したのは、小型車から8人乗りのミニバンまで1つのエンジンで対応するためである。先代セレナと同じエンジンを搭載する現行のe-POWER車は、小型車「ノート」と「ノートオーラ」「キックス」がある。日産は今後、こうした車種に新エンジンを載せていく考えだ。

ホンダと日産のDHEのもう1つの共通点は振動の低減である。ホンダのe:HEVと日産のe-POWERはともに、電池に蓄えた電力が少なくなるとエンジンをかけて発電するため、従来は運転者の意図しない場面でエンジン振動が発生し、違和感を与える場合があった。

ホンダは新エンジンに高強度材を使ったクランクシャフトを採用し、ねじり剛性を高めることで振動を抑えた。クランクシャフトが発生する振動は、2次バランサーを設置することで抑制した。2次バランサーがエンジン回転数の2

倍の速度で回転することで、クランクシャフトによる振動と逆位相の振動を発生させて、クランクシャフトによる振動を打ち消せる。

新エンジンでは各地域の排ガス規制に対応するため、燃料噴射方式を従来のポート噴射式から直噴式に変更している。直噴式は燃焼効率を高められ、排ガス性能の向上につながるが、ポート噴射式と比べエンジン振動が大きくなる欠点があった。

日産は振動の低減のため、新エンジンはスターターモーターを設置しない設計にして、エンジンと駆動用モーターを締結するボルトの配置を適正化し、剛性を高めた。

従来は、締結ボルトをスターターモーターの搭載位置を避けて配置せざるを得ず、剛性が低下し、振動や音が発生しやすくなっていた。他のエンジン車に採用するエンジンを流用していたため、スターターモーターを搭載する設計だったからだ（実際には不要なのでスターターを省いていた）。

併せて、振動低減のため、フライホイールとクランクシャフトの間に「フレキシブルプレート」と呼ぶプレートを新たにかませた。同プレートには、高回転時に発生するフライホイールの振動を吸収する効果がある。

日産は次世代e-POWER向けの発電専用エンジンも開発中で、２０２６年をメドに実用化する計画だ。熱効率は「45%を超えながら50%に近づけていく」（パワートレイン&EV技術開発本部を担当する平井俊弘専務執行役員）とする。

同社は２０２１年にe-POWER向けの発電専用エンジンで最高熱効率が50%に達すると

の見通しを発表している。中核を成すのが「ＳＴＡＲＣ」と呼ぶ独自の燃焼手法である。次世代e-POWER向けエンジンの熱効率はこの手法の技術要素を幾つか使って実現するという。

ＤＨＥの高効率化には、中国の浙江吉利控股集団（Ｇｅｅｌｙ）や比亜迪（ＢＹＤ）といった同国で台頭する自動車メーカーも取り組んでいる。両社が注力するのは、ＰＨＥＶ向けＤＨＥの開発である。

理由として、中国全体で新エネルギー車（ＮＥＶ）の市場が加速度的に拡大しているが、電気自動車（ＥＶ）だけでは利益を出しにくいことがあるようだ。ＰＨＥＶは搭載する電池容量がＥＶの4分の1程度であるため価格を安く抑えられ、航続距離の心配も少ない。

Ｇｅｅｌｙはドイツや日本、韓国などから経験豊富なエンジン技術者を多数ヘッドハンティングしている。２０２１年には親会社の中国・吉利グループが、仏ルノーとＨＥＶやＰＨＥＶを開発する合弁会社の設立に向け合意したと発表、これを機にＤＨＥ開発を加速させている。

Ｇｅｅｌｙは２０２２年11月、研究開発中のＤＨＥの希薄燃焼（リーンバーン）ガソリンで最大正味熱効率46％を達成したと公表している。さらに同じ11月に発表したＳＵＶタイプ

図　次世代e-POWER向けエンジンのイメージ

ロングストローク化し、新しい燃焼技術などを投入する。

（出所：日産自動車）

図　浙江吉利控股集団（Geely）の「星越L Hi・P」
正味最高熱効率43.3%を達成したDHEを搭載する。
（出所：Geely）

のPHEV「星越L Hi・P」が搭載するエンジン「DHE15」では、機械圧縮比13：1でミラーサイクルを採用し、正味最大熱効率43・3%を実現した。将来はさらに熱効率を向上していくという。

BYDもPHEVに特化したDHEの開発リソースを強化している。Geelyと同様、欧州や日本から技術者をヘッドハンティングしている。同社は元々エンジン車も生産していたが2022年3月に打ち切り、PHEVとEVに絞った経営戦略に転換した。ただし、エンジンを捨てておらず、独自のプラグインハイブリッド技術「DM-i」を第4世代まで進化させ「エンジン車と同等の安価なPHEVを完成させた」（BYD）という。

DHEの開発について、GeelyやBYDがキャッチアップから独自の優れた技術開発へレベルアップしてくるのに、それほど時間はかからないだろう。

（伏木幹太郎、久米秀尚＝日経クロステック・日経Automotive、古野志健男＝SOKEN）

047

合成燃料

再生可能エネルギー由来の水素と二酸化炭素からつくった燃料

技術成熟度……中

2030期待度……32.7

合成燃料（e-fuel）は水素（H_2）と二酸化炭素（CO_2）を合成して製造する人工的な燃料である。既存の内燃機関や燃料インフラを活用しつつ、カーボンニュートラルを実現する手段として期待が高まっている。

経済産業省は２０２３年５月、合成燃料を商用化する時期の目標を２０３０年代前半に前倒しする方針を示した。これまでは２０４０年と設定していた。変更のきっかけになったのは、欧州が合成燃料を使う内燃機関車を認める方針に変えたことである。

欧州委員会（ＥＣ）は２０２３年３月、合成燃料を使う条件付きで２０３５年以降も内燃機関を搭載する新車の販売を認めた。これまでは「２０３５年以降の欧州連合（ＥＵ）内における全ての新車販売を原則CO_2排出ゼロ車とする」との方向で内燃機関の廃止に向けて議論を進めてきたが、ドイツ勢などの反発を受け方針を変更した。

内燃機関車の延命手段として注目を集める合成燃料だが、適用先は乗用車だけではない。むしろ、大型商用車や航空機、船舶、建機などの用途の方が優先順位は高いとされる。こうした用途に共通するのが、電動化との相性が悪いという点だ。

大型トラックを電気自動車（ＥＶ）にする場合、航続距離と荷室容量を両立させるのが難しい。長い距離を走るには大容量の電池を搭載する必要があるが、荷室容量を圧迫して「荷物を運んでいるのか電池を運んでいるのか怪しくなる」（ある商用車メーカーの技術者）。航空機や船舶、建機なども電動化について同様の課題がある。

合成燃料(e-fuel)

技術の概要

- 二酸化炭素と水素を合成して造る人工的な燃料
- 既存の内燃機関や燃料インフラを活用できる
- 商用化に向けて、海外では大規模実証が始まった段階

活用イメージ

- カーボンニュートラルを実現するパワートレーン
- 乗用車だけでなく、大型商用車や航空機、船舶、建機など適用は広い

主なプレーヤー

- ポルシェやトヨタ自動車などの自動車メーカー
- シェルやBPなどの石油メジャー
- 国際民間航空機関(ICAO)や国際海事機関(IMO)

普及に向けた課題

- 300～700円／Lと高い製造コスト
- 様々な用途に配分できるだけの供給量

図　合成燃料（e-fuel）の概要
自動車メーカーや石油メジャーなどが実用化に向けて開発を進めている。
（出所：日経クロステック）

特に航空機業界は、カーボンニュートラル燃料をＳＡＦ（サステナブル航空燃料）と称して実用化に力を注ぐ。ＳＡＦの定義は「持続可能性のクライテリア（基準）を満たす、再生可能または廃棄物を原料とするジェット燃料」とされており、合成燃料の他に自然物から合成するバイオ燃料も有力候補である。

合成燃料の実用化に向けて、最大の課題となるのがコストだ。経産省は約３００～７００円／ℓと試算している。約７００円／ℓと試算したのは、原料調達から製造までの全

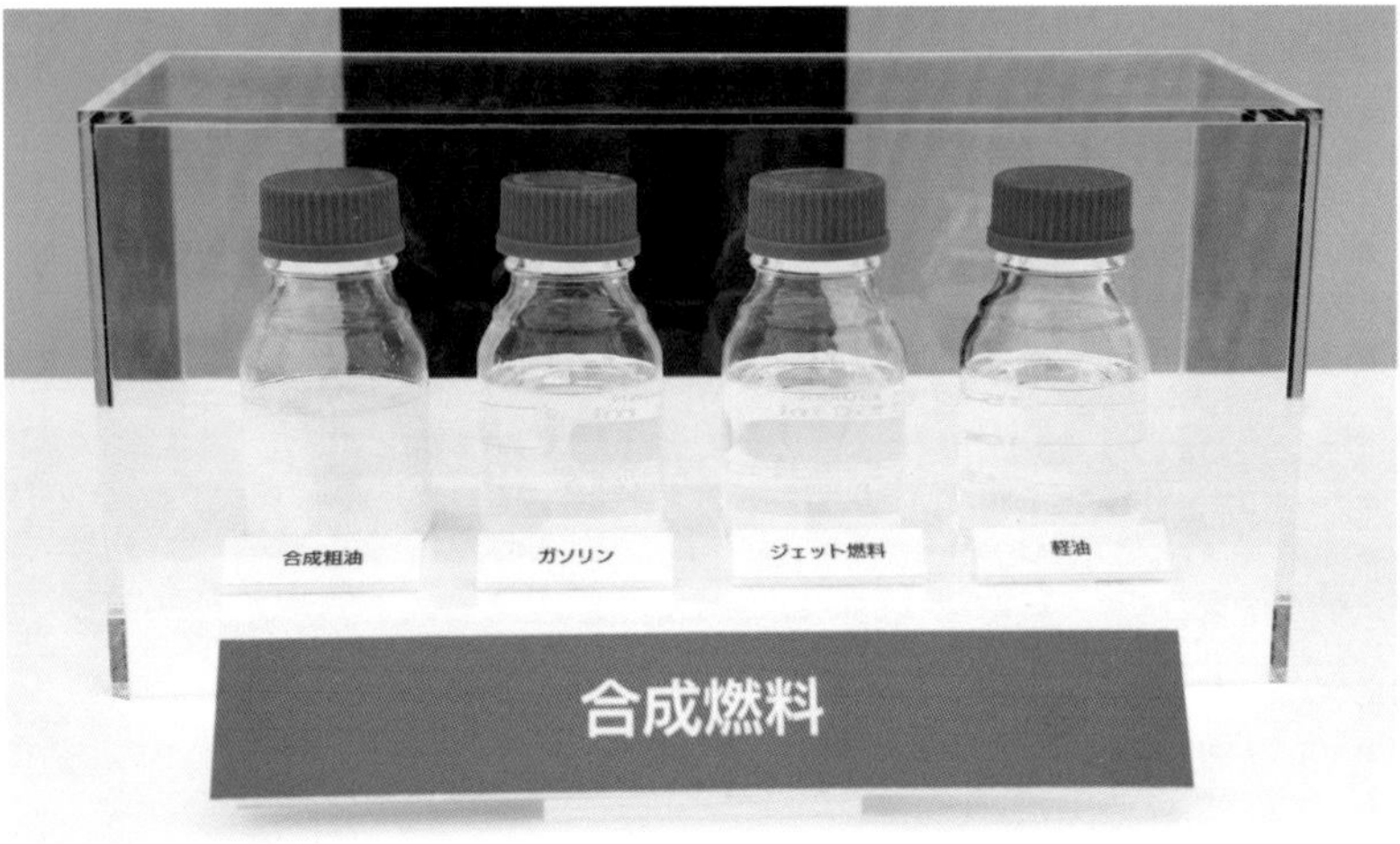

図　合成燃料（e-fuel）
（撮影：日経クロステック）

てを国内で実施する場合である。内訳は、水素が６３４円、二酸化炭素が32円、製造コストが33円。つまり、水素がコストの大半で、ここをどこまで低減できるかが合成燃料の普及のカギとなる。

合成燃料の原料として使う水素の製造方法としては、再生可能エネルギーによる電力を用いたグリーン水素を使うことが前提になっている。二酸化炭素は、ＤＡＣ（Direct Air Capture）により大気中から直接回収したものを用いることが前提だが、工場などから発生する二酸化炭素を回収・有効利用するＣＣＵ（Carbon dioxide Capture and Utilization）を認める動きもある。

合成燃料の生産量の拡大も大きな課題で、解決に向けて世界各地で大規模実証が始まっている。代表例が「ＨａｒｕＯｎｉ（ハルオニ）」プロジェクトである。独シーメンス・エナジーが主導し、独ポルシェやチリ電力大手ＡＭＥ（アンデス・マイニング・アンド・エナジー）、米石油大手エクソンモービルなどが参加

図　「ハルオニ」プロジェクトの工場
2022年12月に合成燃料の生産を始め、2026年には年間約55万kLの生産を計画している。（出所：ポルシェ）

する。

　生産プラントはチリ南部に建設した。年間２７０日ほど強い風が吹く地域で、風力タービンをフル稼働させるのに理想的な条件を備えている。２０２２年12月に合成燃料の生産を開始。２０２６年には年間約55万ｋℓの生産を計画している。生産した燃料はドイツなどに輸出する予定である。

　米国や中国でも実証実験が進むが「プレーヤーや実証は欧州に集中している」（動向に詳しいアナリスト）。水力や風力といった再生可能エネルギー由来の電力が豊富な北欧では、航空機向けの合成燃料を大量生産するプロジェクトがいくつも動いている。

　十分な生産量を確保できなければ、将来的には「合成燃料の奪い合いになる可能性がある」（同アナリスト）。自動車は高コストな燃料を受け入れづらく、液体燃料が必須な航空機や船舶といった用途から浸透が始まるシナリオが現実的との見方が強い。

（久米 秀尚＝日経クロステック・日経Ａｕｔｏｍｏｔｉｖｅ）

048

燃料電池システム

乗用車に加え、トラック、建機、定置電源にも搭載できる

技術成熟度……高

2030期待度……28.0

水素と酸素を反応させて電力を取り出す技術。水に電気を流して水素と酸素を取り出す「水の電気分解」と逆の化学反応を利用する。

クリーンな電源とされ、企業や家庭から出る二酸化炭素（CO^2）などの温暖化ガスを減らし、森林による吸収分などと相殺して実質的な排出量をゼロにする「カーボンニュートラル」実現の中核技術として注目されている。

燃料電池システムを搭載した燃料電池車（ＦＣＶ）を開発する自動車各社が、トラックやバスなどの商用車、鉄道車両などへの転用も視野に入れ、システムの外販と、他社との協業を積極的に進めている。

燃料電池には電池という言葉が入っているが水素など燃料から発電する装置である。構造上、二酸化炭素（CO^2）を発生しない。

非常電源やコージェネレーションといった据え置き型の装置では古くから実績があり、近年

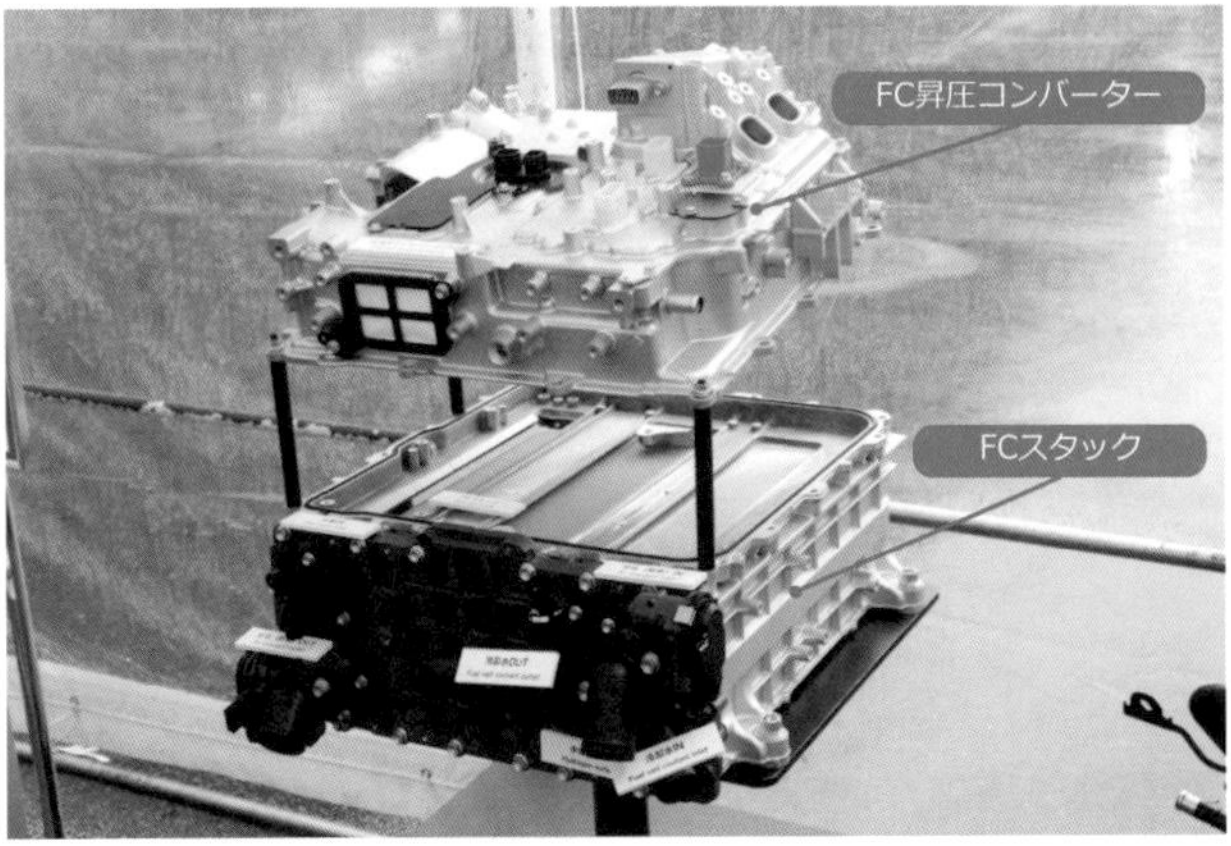

図　トヨタが新型MIRAI向けに開発したFCスタック

昇圧コンバーターと一体化しており、スタックで発電した電力を650Vに昇圧する。（出所：トヨタ自動車）

は燃料電池を電気自動車（ＥＶ）の電源とする燃料電池車（ＦＣＶ）の実用化が進んでいる。ＦＣＶは乗用車のほかトラック、バスなど商用車でも実用例がある。

　燃料電池システムを手掛ける各社は実用化段階を終え、さらなる普及に向けて商用車や定置利用など乗用車以外の用途開発に取り組んでいる。量産規模を高めてさらにコストを下げ、幅広い協業で普及を加速するとともに、インフラ整備などを促す狙いもある。

　トヨタ自動車は２０２０年に発売したＦＣＶ、２代目「ＭＩＲＡＩ（ミライ）」で、燃料電池のシステムコストを従来品から半減し、協業と外販事業に乗り出している。欧州ではダイムラートラックと協業、中国では、トヨタとシノハイテック、現地の自動車メーカー４社で合弁会社「連合燃料電池システム研究開発（北京）」設立した。２０３０年には

図　ホンダが米GMと共同開発した燃料電池システム
生産性改善によってシステムコストを従来の3分の1に低減した。
（撮影：日経クロステック）

年間10万基の燃料電池システムを供給できる体制を構築する。

鉄道車両向けの開発も進める。東日本旅客鉄道（JR東日本）、日立製作所の3社で連携し、燃料電池鉄道車両のFV-E991系「HYBARI」を開発、2022年から試験運行を始めている。

ホンダも米ゼネラル・モーターズと燃料電池システムを開発、従来品に比べてシステムコストを3分の1にした。2024年にSUV（多目的スポーツ車）ベースのFCVに搭載し、北米と日本で販売する。

商用車や建機、定置電源として利用できるパッケージとして開発しており、燃料電池システムを複数組み合わせることで、高出力なパワーユニットにで

図　燃料電池システムを搭載した鉄道車両のFV-E991系「HYBARI」
トヨタ自動車、東日本旅客鉄道（JR東日本）、日立製作所の3社が連携して開発する
（出所：トヨタ自動車）

きる。

中国・東風汽車と共同で、燃料電池システムを搭載した商用トラックの走行実証実験を２０２３年１月より湖北省で開始しており、国内でもいすゞ自動車と共同で、大型トラックのモニター車による実証実験を２０２３年度中に開始、２０２７年の市場投入を目指す。

西日本旅客鉄道（ＪＲ西日本）も燃料電池システムを搭載した鉄道車両の開発を表明、２０３０年代に導入し、現在、非電化区間で運用する約４５０両のディーゼル車両を段階的に置き換える。水素の供給や輸送を担う拠点として兵庫県姫路市に「総合水素ステーション」を整備する。ＪＲ貨物の姫路貨物駅の敷地内に設置する計画で、自治体や企業と連携して、燃料電池を使うバスやトラックにも水素を供給する。

（本多 倖基＝日経クロステック・日経Ａｕｔｏｍｏｔｉｖｅ、石橋 拓馬＝日経クロステック・日経ものづくり）

049

グリーン鋼材

製造工程の高炉から排出される二酸化炭素を減らした鋼材

技術成熟度……高
2030期待度……9.8

生産工程における二酸化炭素（CO_2）排出量を減らした鋼材である。カーボンニュートラルの実現に向けて、鉄鋼大手3社が量産体制の確立に向けた取り組みを加速させている。

製鉄プロセスの基幹設備である高炉では、鉄鉱石（酸化鉄）を焼き固めた焼結鉱とコークス（石炭を蒸し焼きにしたもの）を使う。これらを高炉の上部から投入し、下部から微粉炭（粉砕した石炭）と高温の空気（酸素）を吹き込み、焼結鉱を溶かしながらコークスで還元して溶銑（溶けた銑鉄）を作る。この製鉄工程で二酸化炭素が発生していた。

この問題に対処するグリーン鋼材の実用化で先行するのは神戸製鋼所である。日産自動車が新型ミニバン「セレナ」のボディー骨格に、神戸製鋼が供給する同鋼材を使う。日産はセレナからグリーン鋼材の適用を始め、他車種にも広げる計画だ。通常の鋼材に比べ価格は高いが、製造工程での二酸化炭素排出量の削減を重視した。

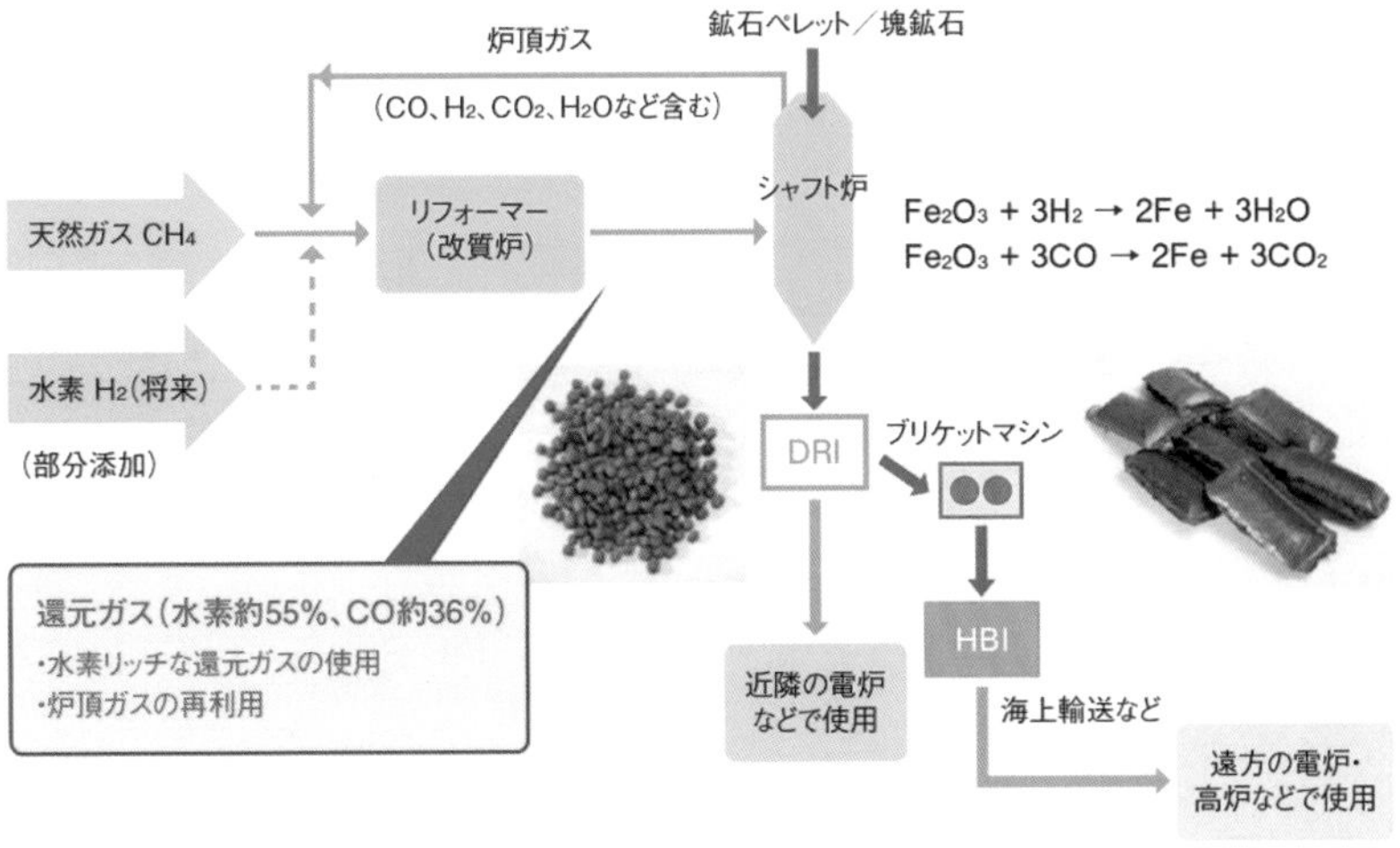

図　直接還元製鉄プロセスの仕組み
（出所：神戸製鋼の資料を基に日経クロステックが作成）

日本製鉄は２０２３年9月に自動車メーカーなどへのグリーン鋼材の供給を始める。高炉の代わりに電炉を使って製造するもので、初年度の供給可能量は30万ｔ規模を計画する。早ければ２０２３年度内にも最初の採用が決まるとみられる。

ＪＦＥスチールも２０２３年度上期にグリーン鋼材の供給を始める。初年度の供給量は20万ｔ程度を見込む。同社が生産する全ての鉄鋼製品が対象になる。

製造方法は大きく2つある。1つは高炉に投入するコークスの量を減らす方法。もう1つは高炉の代わりに電炉を使う方法である。神戸製鋼は前者の1つである「直接還元製鉄プロセス」でグリーン鋼材を造っている。

神戸製鋼の製造方法では、まずシャフト炉を用いて直接還元鉄（ＤＲＩ）を作る。次にＤＲＩを押し固めて「熱間成形還元鉄（ＨＢＩ）」を生産する。

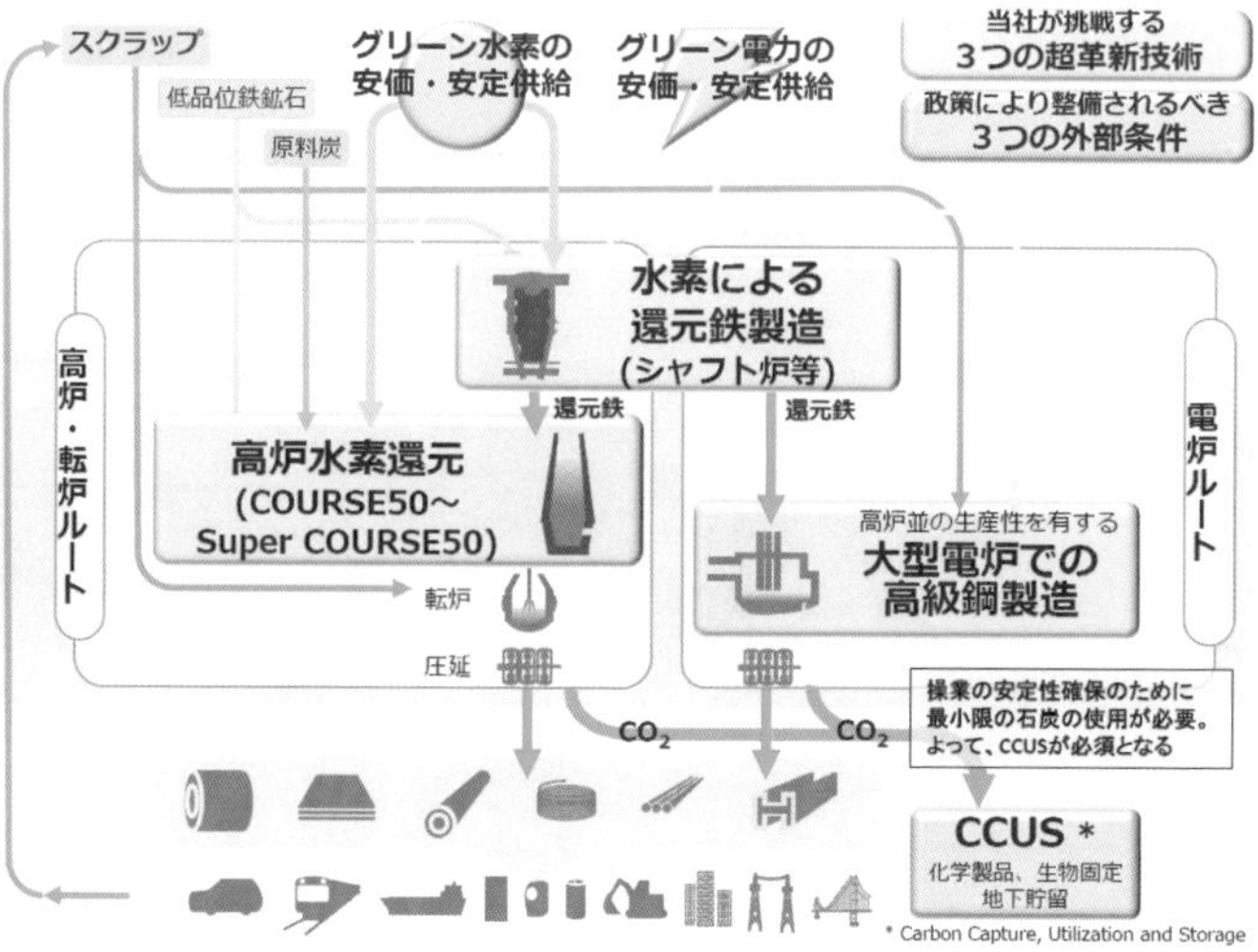

図　日本製鉄の3つの手法

大型電炉を用いた製造法に加えて、高炉水素還元と水素による還元鉄製造の実用化にも取り組む。
（出所：日本製鉄）

このＨＢＩを高炉に投入し、コークスと鉄鉱石の使用量を減らすことで、溶銑１ｔ当たりのCO_2発生量を20～30％減らせるという。

日本製鉄は同社の瀬戸内製鉄所広畑地区（兵庫県姫路市）にある稼働中の電炉を使う。同じ量の鋼材を作る際、電炉はCO_2排出量を高炉の約４分の１に減らせるという。同社は九州製鉄所八幡地区（北九州市）と瀬戸内製鉄所広畑地区で、２０３０年までに大型の電炉を新たに稼働させる検討を進める。

日本製鉄は２つの製造法のうち前者に含まれる「高炉水素還元」と「水素による還元鉄製造」の実用化にも取り組む。高炉水素還元については、２０２２年５月に東日本製鉄所君津地区（千葉県君津市）に設置した試験高炉への高温水素の吹き込み試験を開始した。同地区では２０２６年１月に稼働中の大型高炉を用いた実証試験を開始する。

水素による還元鉄製造については、波崎研究開発センター（茨城県神栖市）に小型のシャフト炉を設置し、低品位の鉄鉱石を水素で還元する試験を２０２５年度に開始する。２０２７年度には、大型炉を用いた実証実験を始める計画だ。

グリーン鋼材の普及に向けては、価格を下げる必要がある。大量生産による製造コストの低減が望まれるが、量産にはいくつか課題がある。

高炉を用いてコークスの使用量を減らす製造方法には、現行の高炉製鉄法と同水準の生産性が求められる。高炉水素還元では、高温の水素を大量に高炉内に投入する新たな吹き込み技術の開発が必要だ。

シャフト炉で作った直接還元鉄を高炉に投入する製造方法の場合、シャフト炉で焼結鉱を直接還元する際に天然ガス（メタン：CH_4が主成分）を使うため、一定量のCO_2が発生する。生産性は現行の高炉製鉄法の２分の１程度にとどまる。還元ガスに水素を使えばCO_2の発生を抑えられるが、大量の高温水素をシャフト炉に投入する量産技術は確立されていない。

電炉を用いた製造方法では、原料の鉄スクラップに含まれる不純物などによって、高炉生産品と同等の品質を確保するのが難しくなる恐れがある。特に生産量が増えると、製鉄所以外で発生するさまざまな鉄スクラップ（不純物などが含まれるスクラップ）を使用しなければならない。鉄スクラップに混入する有害元素を無害化する技術を確立する必要がある。

（高田 隆＝日経クロステック・日経Ａｕｔｏｍｏｔｉｖｅ）

050

セルロースナノファイバー

軽量で高強度の素材を植物からつくる

技術成熟度……中

2030期待度……13.7

セルロースナノファイバー（ＣＮＦ）は、木材などの植物から採れるセルロースを数〜数十ｎｍに微細化した繊維である。軽量かつ強度が高い特性を持ち、樹脂（プラスチック）の強化材としての活用が期待されている。

これまでのＣＮＦは化粧品や食品などに少量を添加するといった用途が主体だったが、カーボンニュートラルの実現や環境負荷低減に向けた取り組みを追い風として、自動車部品などの工業製品での採用ニーズが高まっている。

ＣＮＦを手掛ける製紙会社が集積する静岡県をはじめ、全国でＣＮＦの関連団体が複数立ち上がり、実用化に向けた動きが活発化している。

ヤマハ発動機は日本製紙とＣＮＦを使った材料の共同開発を進めている。水上オートバイの２０２４年モデルで、エンジンの樹脂部品にＣＮＦ強化樹脂を採用することを計画している。ＣＮＦ強化樹脂は、木材から採れるセルロースをポリプロピレンなどの樹脂に混練・分散した

図　ヤマハ発動機は日本製紙と共同でCNF強化樹脂を開発
水上オートバイのエンジンの樹脂部品に採用する計画。
（出所：ヤマハ発動機）

材料で高強度を保てる。既存の樹脂材料よりも使用量を減らせるため、25%以上の軽量化が図れるとしている。

CNF強化樹脂は材料に木材を使っているため、二酸化炭素排出量の削減効果もある。ヤマハ発動機は2050年のカーボンニュートラル実現に向けて、植物由来材料の活用が欠かせないとし、CNFを有望な材料とみている。

同じように樹脂を繊維で強化した材料であるガラス繊維強化樹脂（GFRP）と比べても、CNFは二酸化炭素排出量の削減効果があるだけでなく、リサイクルの面でも利点があり、自動車メーカーなどがこの特徴に注目し始めている。セルロースで強化した樹脂は破砕しても材料特性を保ちやすい特徴があるため、繰り返しリサイク

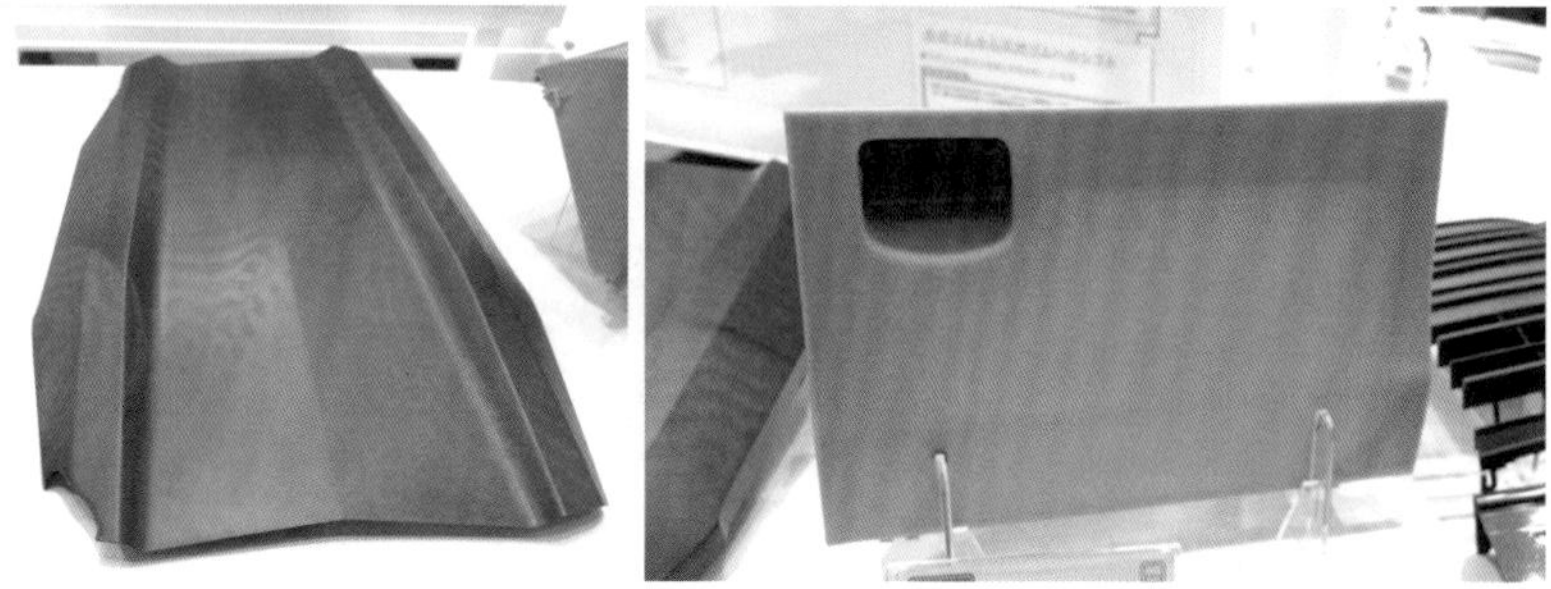

図　CNFは自動車部品向けでの活用が期待されている

自動車技術展示会「人とくるまのテクノロジー展 2023 YOKOHAMA」では、自動車部品にCNFを採用した開発品が目立った。
（撮影：日経クロステック）

ルできる。一方、ＧＦＲＰは破砕するとガラス繊維が折れて機能を発揮しにくくなるため、リサイクル前と同じ用途に適用するのは難しい。

　自動車技術展示会「人とくるまのテクノロジー展２０２３ ＹＯＫＯＨＡＭＡ」では、自動車向けなどでの活用をにらみ、豊田合成やダイキョーニシカワなどが、ＣＮＦを採用した開発品を数多く出展した。自動車部品メーカーからは「脱炭素対応でＣＮＦの採用を検討したいという声が完成車メーカーから寄せられている」といった声が多く聞かれた。

　ＣＮＦは本来、木材などの植物から採れるセルロースをｎｍサイズまで細かくした繊維を指す。ただ、この微細化のコストがＣＮＦの価格を押し上げる一因となっている。市場の早期拡大に向けて、繊維を細かくするコストを削減するために、「ナノにこだわるべきではない」との見方もある。

　樹脂の強化用途では「マイクロ（μｍ）」レベルとやや大きなセルロース繊維を使う動きがある。例えば、パナソニックプロダクションエンジニアリング（大阪府門真市）や住友化学などがマイクロレベルのセルロースを使う試みを始めている。

ＣＮＦを巡っては、政府が２０３０年に1兆円規模の市場創出を掲げている。これを受けて、２０１５年ごろから全国でＣＮＦの関連団体が複数立ち上がり、少しずつ成果が出始めている。２０２３年6月には、静岡県が基幹産業である製紙業を生かし、ＣＮＦで新産業を興そうと、ＣＮＦの開発・活用を推進する組織「ふじのくにセルロース循環経済フォーラム」を発足させた。ヤマハ発動機、スズキ、日本製紙が旗振り役となり、４１０社・団体が参画している。同県はＣＮＦ活用の出口として、自動車部品への採用を強く打ち出している。

（長場 景子、木崎 健太郎＝日経クロステック・日経ものづくり）

051

自動配送ロボット

2023年4月に改正道路交通法が施行され、公道走行が解禁された

技術成熟度……中

2030期待度……35.6

近距離の宅配を担う自動配送ロボットが普及に向けて動き出した。小型・低速で走行するロボットは、法律上で「遠隔操作型小型車」として定義され、管理者が遠隔から監視・操作することで公道（歩道）での自律走行が可能となった。

自動配送ロボットは、近隣の小売店や配達拠点などから、食料品や荷物を住宅などに届ける手段として活用が期待されている。

ＥＣ（電子商取引）事業を手掛ける楽天グループなどが配送ロボットを使ったサービスの事業化を検討しており、パナソニック ホールディングスなどがロボット開発を進めている。

道路交通法の改正により、安全基準などを満たせば、これまで公道でロボットを走行させるために必要だった随行者が不要になり、サービス事業者は事業を進めやすくなった。法改正前は事実上、スタッフがロボットに随行し周囲の安全を確認しながら走行させなければならず、この人件費がネックとなっていた。

図　自動配送ロボットは食料品や荷物などを近距離で運ぶ手段として期待される
2023年4月の改正道路交通法の施行で、配送ロボットは歩道などを走行できるようになった。
（撮影：日経Robotics（写真左）、出所：楽天グループ（写真右））

ただし、スタッフがロボットに随行しなくて済む代わりに、管理者が遠隔で監視し、緊急時などに備えロボットを操作できる体制を整える必要がある。パナソニック ホールディングスは実際の運用を想定し、1人が同時に4台のロボットを遠隔監視・操作できるシステムを開発した。神奈川県藤沢市の住宅街「Ｆｕｊｉｓａｗａサスティナブル・スマートタウン」で実証実験を継続して実施している。

今後、配送ロボットを本格的に事業で活用する上では、人手の操作を減らして、遠隔監視者の負荷を軽くし、1人がさらに多くの台数を監視できるようにする必要がある。そのためには、ロボット側の認識機能の向上や遠隔操作側での支援技術の向上などが求められる。現状では、ロボットの走行経路上の障害物を回避したり、信号の色を識別して横断歩道を渡ったりするといった場面では、人が手動操作することが多い。

今回の法改正により、公道を走行させる際の法的

図　配送ロボットが続々と登場

川崎重工業や三菱電機、本田技術研究所などがロボットの開発を進めている。最高時速は6km、車体は電動車椅子相当の大きさであれば歩道を走行できる。
（撮影：日経クロステック）

な手続きが簡便になった。サービス事業者は走行場所やロボットの仕様などの情報を所轄の都道府県公安委員会に届け出るだけで済む。法改正前は、警察庁や国土交通省からの許可・審査が必要で、ある限られたエリアでの走行許可を得るだけでも1カ月以上かかることもあった。

　ロボット本体の安全性の認証については、民間レベルで実施していく。パナソニックホールディングスや楽天グループら8社がつくった業界団体「ロボットデリバリー協会」が安全基準を策定し、ロボットがこれに適合するかを審査する。

　公道走行に関して規制の障壁がなくなり、サービス事業者にとって配送ロボットを活用しやすい環境が整ったが、普及には地域ごとのニーズの掘り起こしやロボット本体の低コスト化が欠かせない。配送ロボットのニーズ

図　ロボットを遠隔で監視・操作する様子
パナソニックホールディングスはFujisawaサスティナブル・スマートタウン内や東京・汐留に遠隔監視センターを設け、オペレーターはそこからスマートタウン内のロボットを監視している。
（撮影：日経Robotics）

は、高齢者が買い物に行く手段が少ない地方や、配達員を配置しにくい過疎地域などで高いものの、現状のロボットは配達員のコストよりも高くつく。当初は少ない台数で稼働率を上げていくことを踏まえると、利用頻度が見込める郊外でのデリバリーから広がっていくとみられる。

楽天グループは茨城県のつくば駅周辺でロボット配送サービスを始めており、周辺地域の住民向けに飲食店の料理などを配達している。つくば駅周辺は飲食店や小売店などが多く、届け先となる集合住宅やオフィスが立ち並ぶ。同社は利用者の数が見込めるこうした地域ならサービスを展開しやすいとみており、似た条件の他の地域でサービスを展開していく計画である。

（長場 景子＝日経クロステック・日経ものづくり）

052

ドローン配送

人手を介さず商品などを配送

技術成熟度……高

2030期待度……35.9

ドローンで食品や雑貨などを自動配送する。荷物の増加や配送の担い手不足などの物流における課題に応える。少子高齢化が進む過疎地域では、ラストワンマイル物流の維持に省力化・省人化が必須となっている。

産業用ドローンの研究開発を手掛けるエアロネクストは２０２２年12月、デリバリーサービス大手の出前館と業務提携した。ドローンと陸送を組み合わせた物流サービスＳｋｙＨｕｂを導入する自治体で、出前館のアプリから発注した物品を届けていく。

エアロネクストはセイノーホールディングスやＫＤＤＩグループと連携、ＳｋｙＨｕｂを自治体に提供している。例えば福井県敦賀市では、利用者がアプリや電話で食料品や日用品を注文すると、一帯の配送拠点となるドローンデポからドローンが自動飛行で荷物を運び、最短30分で自宅近くのドローンスタンド（離着陸場所）に到着する。利用者はそこで荷物を受け取る。

図　エアロネクストなどが手掛けるSkyHub
（出所：エアロネクスト）

重心制御に優れた物流専用ドローンを用い、様々な種類の荷物を運ぶ。天候などの事情でドローンの利用が難しい場合は陸送に切り替える。

今後、ドローンデポを「2024年3月に100~150カ所、25年3月に300~500カ所と増やしていく計画」（エアロネクスト）だ。

ドローン配送の普及を国による制度整備が後押しする。2022年12月に有人地帯上空における補助者なし・目視外飛行が解禁された。許可・承認の手続きが簡略化され、事業として手掛けやすくなった。楽天グループや日本郵便などが実証実験を進めており、2024~2025年には荷物を運ぶドローンを空に見かける機会が増えてくるだろう。

日本郵便は過疎地域におけるドローンと走行ロボットを組み合わせた自動配送にも取り組む。東京都奥多摩町での実証実験では、郵便局から中継地点まで人が荷物を輸送し、そこからドローンで山間部にあるロボットへの受け渡し地点まで運搬する。ドローンから荷物を受け取ったロボットが道を走り、民家に置き配で届ける。

「ラストワンマイル配送のアシストとして、ドローン配送、ロボット配送、組み合わせ配送を状況に応じて使い分けることが考えられる。省力化配送の必要性が高い中山間地から実用化を目指したい」（日本郵便）

（小谷 真幸＝日経トレンディ）

053

エアタクシー

eVTOL（電動垂直離着陸機）の商用運行が始まる

技術成熟度……中

2030期待度……19.0

バッテリーで駆動するeVTOL（電動垂直離着陸機）を使って、人間を運ぶ。ヘリコプターのように垂直に上昇・下降が可能で、ビルの屋上でも離着陸しやすい。滑走路が要らないので日本の国土に合う。

２０２５年に大阪市で開かれる国際博覧会（大阪・関西万博）でエアタクシーの商用運航を始め、その様子を世界に向けて初披露する計画が進む。

大阪・関西万博会場では、人工島・夢洲と大阪国際空港（伊丹空港）、大阪市内、淡路島などを結ぶ8路線が検討されている。運航事業を手掛けるのは4社のグループで、例えば大阪市内と夢洲間を結ぶ場合、タクシーでは約30分かかるところ（料金は６０００円程度）、約半分の時間（料金は６０００円の2〜3倍程度と試算）で移動できる見通しだ。大宝タクシー子会社「そらとぶタクシー」のように、独自に事業化を目指す動きもある。

東京都もエアタクシーの社会実装を目指し、２０２２年8月に三菱地所、日本航空、兼松によるコンソーシアムを採択した。3社は２０２４年に実証実験をする。三菱地所は大手町・丸の内・有楽町エリアの街づくりを進めており、このエリアと成田空港・羽田空港との間をつなぐ路線が誕生するかもしれない。

　商用運航が実現できる４人乗り以上の機体を手掛けるメーカーは、現在8社ある。トヨタ自動車が出資し、ＡＮＡホールディングスと提携する米ジョビー・アビエーションは翼に6つのプロペラを備えた「Ｓ４」を、世界各国のエアタクシー事業者へ２０２４年にも納品する。8社はすでに世界各国の事業者から合計５８００機の予約を受け付けている。

図　ANAホールディングスと提携する米ジョビー・アビエーションのeVTOL
（出所：ジョビー・アビエーション）

　課題も見えてきた。主流は離着陸時も巡行時も同じプロペラをモーターで常に回転させ続けて飛ぶ可動有翼型ｅＶＴＯＬだが、消費電力が大きく、1回の充電で飛べる距離は１００㎞程度にとどまる。ただし、次世代電池の開発が急ピッチで進んでおり、航続距離を延ばせそうだ。出力が求められる離着陸時はガスタービン発電機を回し、その際に蓄電させておいたバッテリーで巡航させ、航続距離を４００〜１０００㎞へ一気に伸ばすアイデアもある。欧米の航空機エンジンメーカーが相次ぎ開発を表明し、小型ジェット機を手掛けるホンダもｅＶＴＯＬ向けの開発を始めた。

（高田 学也＝日経クロストレンド）

054

自律航行潜水機

検査用アームを持ち、海底パイプラインの検査を担う

技術成熟度……高
2030期待度……3.0

深海を自動運転（自律航行）で調査できる潜水艇。川崎重工は検査用のロボットアームを備える自律航行潜水機「SPICE-1（スパイス-ワン）」を開発しており、英国の海底パイプライン検査会社への納入が決まっている。高い信頼性を求められる深海設備の検査用途で自律航行潜水機の採用が決まったのは初めてだ。

自律航行潜水機は3000m級の深海作業を想定し、海底の地形観測など科学技術調査や資源探査、海底パイプラインなどの深海設備の検査業務を担う。

川崎重工は海底パイプライン検査用に、6自由度のロボットアームを備える「SPICE-1（スパイスーワン）」を開発した。海底パイプラインの検査業務を担う英モダスサブシー・サービスへ2023年内に納入する。モダスサブシー・サービスは、北海油田をはじめとする世界の海底パイプライン敷設海域でSPICE-1を運用する予定だ。

図　川崎重工の自律型無人潜水機「SPICE」
自律航行し、ロボットアームでパイプラインを近接検査できる。英モダスサブシー・サービスに納入する「SPICE-1」の寸法は全長約5.6m、幅約1.4m、高さ約1.1m。深度3000mまで潜航できる。
（出所：川崎重工業）

自律航行潜水機が海底の地形観測など科学技術調査や資源探査などで利用された事例はあったが、海底パイプラインの検査業務といった高い信頼性が求められる用途での採用は今回が初めてとなる。検査の自動化や省人化、これに伴うコスト削減と安全性の向上なども期待できる。

従来の無人潜水機は海上の母船（水上船）からオペレーターが遠隔操作するタイプが主流だった。GPS（全地球測位システム）の電波が届かない海中で、自らの位置を把握しつつ、自律航行できる信頼性の高いシステムの開発が困難だったからだ。だが、遠隔操作による検査は時

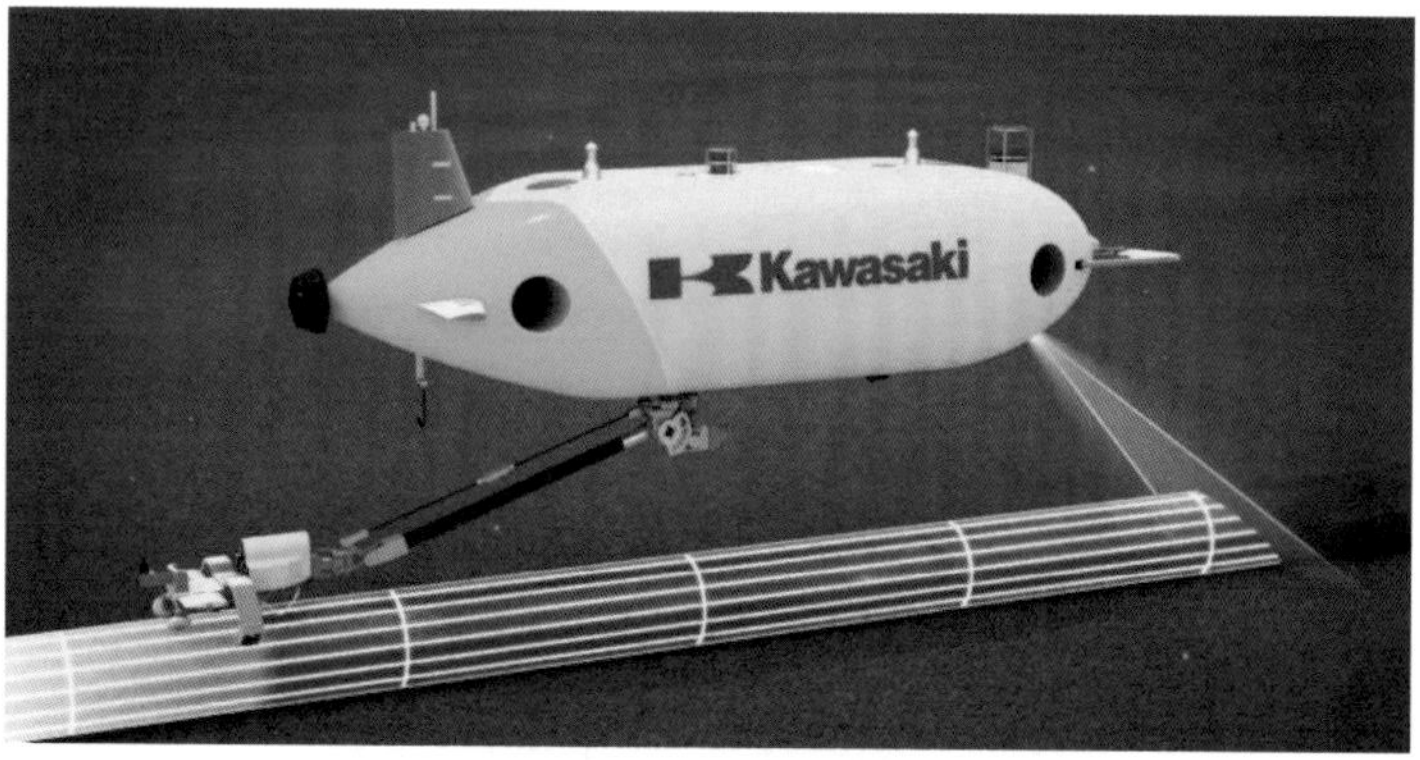

図　SPICEが海底パイプラインを検査している様子
ロボットアームの先端に検査用のセンサーを搭載しており、アームをパイプラインに沿わせて移動する。
（出所：川崎重工業の公式動画からキャプチャー）

間がかかるうえ、専門スキルを持つオペレーターの人件費や母船の運用コストがかかるのが大きな問題だった。

川崎重工は深海での自律運航の鍵となる自己位置の推定を、ＩＭＵ（慣性航法装置）と音響通信（ソナー）のデータから計算で導く手法で可能にした。

さらに深海の高圧力に耐える船体、深海で機能し、必要な情報を収集できるパイプライン検査、密閉度の高い潜水艇で航行用のエネルギー供給やデータのやり取りを非接触で行う、といった技術課題を達成し、今回の採用にこぎつけた。

ＳＰＩＣＥ－１は母船と複合ケーブルでつながれ、ＳＰＩＣＥへの電源供給やデータ授受が可能なドッキングステーションに接続された状態で、船から海へ投入される。海中でドッキングステーションから離脱して自律潜航を開始。

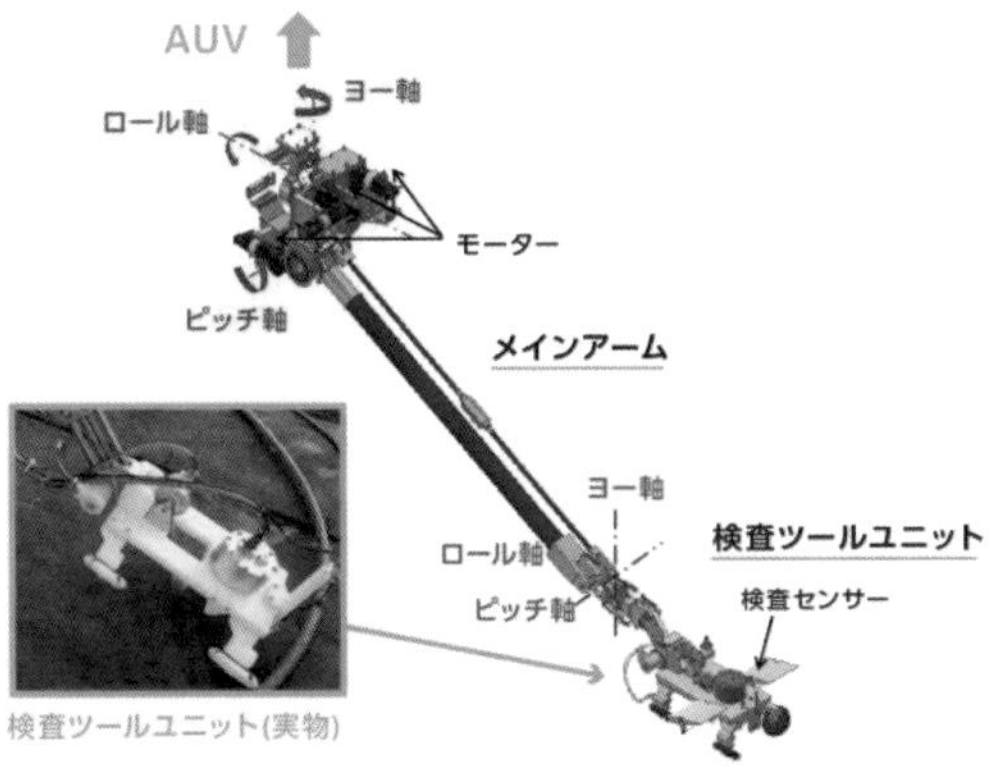

図　SPICEが搭載するロボットアーム
船体下部に付いており、パイプラインを見つけるとそれを下ろして検査を開始する。ロボットアーム先端の台座がパイプラインの上を転がっていく。潮流で揺れる環境下でも検査を続けられるように、ロボットアームは6自由度を持つ。
（出所：川崎重工業）

最速4ノット（時速約7・4km）で目標に近づく。

ソナーで目的のパイプラインを見つけたら、船体の下部の6自由度ロボットアームを下ろす。アームの先端には車輪のついた台座があり、そこにカメラや水中電界センサー（さびや腐食部からの電界の状況を検出）など各種の検査用センサーを搭載する。検査時に台座がパイプラインの上を転がり、近接からセンサーのデータを取得する。1ノット（時速約1・85km）の潮流があっても、姿勢を制御しながらパイプラインに沿って移動して検査を続ける。

リチウムイオン電池で駆動し、1回の充電で最大8時間航行、パイプライン30～40km分を検査できる。任務完了後は海上の母船につり下げられているドッキングステーションをソナーで探して帰還する。電池の充電と検査情報の回収は非接触で行う。

（内田 泰＝日経クロステック・日経エレクトロニクス）

055

完全自動運転

運転手が乗らず、システムが運転のすべてを担う（レベル5自動運転）

技術成熟度……低

2030期待度……58.8

「完全自動運転（レベル5自動運転）」は、ドライバーが一切運転に介入しない「ドライバーレス」のクルマを公道などで自動運転する技術を指す。

実現のめどはまだたっていないが、運転ミスに起因する事故や交通渋滞などによる輸送効率の低下を防げる可能性がある。自動運転トラックやバス、タクシーなどにより物流や公共交通に革命を起こすと期待されている。

レベル3自動運転までは対応した市販車が既に登場している。人手不足に悩むトラック・バスなどの物流業界はレベル3をスキップし、レベル4自動運転の実用化を急いでおり、政府も後押ししている。

政府は米自動車技術者協会（SAE）の基準をもとに、運転支援のレベル1から完全な自動運転のレベル5まで、自動運転を5段階に分類している。レベル1〜2はドライバーによる運転タスク実行を前提としているのに対し、レベル3〜5ではシステムがすべての運転タスクを実行する場面を想定する。レベル3と4はドライバーの存在を前提とし、レベル5ではドライバーレスを目指す。当然、自動運転技術の難易度はレベル5が飛びぬけて高い。

政府は２０２４年度をめどに、新東名高速道路の一部に自動運転車用のレーンの設置を検討している。特定のエリアに限りドライバーレス運転を許すレベル4自動運転を、主に夜のトラックが利用することを想定している。

図　自動運転レベル3の様子（イメージ）
（出所：メルセデス・ベンツ）

独ダイムラートラックホールディング傘下の三菱ふそうトラック・バスは既にレベル2相当のトラックを発売済みで、レベル3をスキップし、需要が大きいレベル4の発売を目指す。三井物産も２０２６年度からレベル4自動運転を搭載した大型トラックを使った物流事業を始める計画を既に明らかにしている。

トラック業界がレベル4相当の自動運転の導入を急ぐのは、２０２４年4月1日から運転にかかわる人の年間時間外労働時間の上限が９６０時間になる、いわゆる物流の「２０２４年問題」への対策である。

市販の自家用車ではレベル3自動運転の実用化が始まっている。レベル3は特定の条件下でシステムが運転を担い、必要に応じて手動に切り替える。

2021年3月にホンダが発売したレジェンドが量産車では世界で初めてレベル3相当の自動運転機能「トラフィックジャムパイロット」を搭載した。高速道路の渋滞時、時速30㎞以下になったときに起動できる。システムがオンになると、一定の条件下でシステムが周辺を監視しながら、ドライバーに代わってアクセル、ブレーキ、ステアリングを操作する。

トラフィックジャムパイロットの動作中のドライバーはナビ画面でテレビやDVDを視聴したり、目的地の検索などナビ操作をしたりすることが許される。渋滞が解消して速度が時速50㎞を超えるとシステムがドライバーに運転の交代を促す。ドライバーが対応しないと自動で速度を落として路肩に寄せ、クルマを止める。

独メルセデス・ベンツグループも2022年9月にほぼ同様のレベル3自動運転を提供し始めた。本国ドイツで新型「Sクラス」やSクラスの電気自動車（EV）「EQS」に、有料オプションの「ドライブパイロット」を提供。アウトバーンなどの高速道路上で時速60㎞までの交通渋滞の状況で機能する。

メルセデスは2023年1月に米国ネバダ州とカリフォルニア州で同機能による自動運転を申請、認可されたため、同社は米国における最初のレベル3自動運転の導入メーカーになった。

限定されたエリア内で「ドライバーレス」の運転を実現するレベル4自動運転によるサービス提供も始まっている。2023年4月1日施行の改正道路交通法で国内でもレベル4自動運転が解禁されたからだ。

2023年5月28日、福井県永平寺町でレベル4自動運転に対応した有料の移動サービスがスタートした。道路に埋め込んだ電磁誘導線と無線ＩＣタグからの情報を基に、あらかじめ設定したルートを低速で走行する。不具合などで車両が自動停止した後の対応などを行うために遠隔監視室を設けた。

今回の移動サービスは、経済産業省と国土交通省が推進する自動運転による移動サービスの実現に向けた国家プロジェクト「ＲｏＡＤ ｔｏ ｔｈｅ Ｌ４」の一環である。国立研究開発法人の産業技術総合研究所（産総研）が幹事機関となり、三菱電機やヤマハ発動機、ソリトンシステムズと共同で研究開発と実証実験を行ってきた。

これらの4社・団体のうち、自動運転車両はヤマハ発が開発した。自動運転の制御システムの開発は三菱電機、遠隔監視システムの開発はソリトンが担当した。

現在提供中のサービスでは、これまで実証実験を行ってきた片道約8kmの「永平寺参ろーど」区間の一部にあたる約2kmの区間を、運転者が同乗しない状態で走行している。国が定めた条件に基づき、走行速度は時速12km以下に抑えた。

（高田 隆＝日経クロステック・日経Ａｕｔｏｍｏｔｉｖｅ）

図　福井県永平寺町のレベル4自動運転の有料移動サービスの様子

国が定めた走行条件に基づき、安全を最優先して運行している。（写真：三菱電機）

056

ステア・バイ・ワイヤ（ＳＢＷ）

ステアリングホイールとタイヤを電気信号で接続して制御する

技術成熟度……中

2030期待度……3.5

自動車のステアリングホイールとタイヤを機械的に接続せず、電気信号でタイヤ角を制御するシステムである。自動運転に必須の技術とされ、部品大手による開発競争が激化している。

独ＺＦは２０２３年内にもステア・バイ・ワイヤ（ＳＢＷ）の量産を始め、ジェイテクトも量産を目前に控える。トヨタ自動車は電気自動車（ＥＶ）「ｂＺ４Ｘ」や「レクサスＲＺ」の今後発売する一部グレードにＳＢＷを採用する予定だ。

独シェフラーや独ボッシュ、日立アステモなども開発を進める。シェフラーは２０２５年に少量生産を始める計画。ボッシュは２０２０年代半ばの市場投入を目指しており、日立アステモは２０２６年ごろの量産を予定する。

各社が現在開発するＳＢＷはステアリング軸を完全に無くしながら安全性を確保できるのが特徴である。ステアリング軸がなくなると、ステアリングホイールを格納するなど設計の自由度が高まる。ステアリングホイールの形状は円形にこだわる必要がなくなり、デザイン性を高めやすくなる利点もある。

ステアリング軸の有無にかかわらず、SBWはステアリングホイールの回転角とタイヤの操舵《そうだ》角の比率であるステアリングギア比を自由に変えられる。同ギア比を小さくすれば、小さなステアリングホイールの回転量でタイヤの操舵角を大きくし、車両の向きを変えられる。

図　トヨタのEV「bZ4X」におけるSBW搭載車のイメージ
異形ステアリングホイールを採用することで、広々とした空間の演出にも寄与するという。（出所：トヨタ自動車）

SBWの開発が加速する背景には、レベル3相当の自動運転システムを搭載した車両の開発が進んでいることがある。ZFは、レベル3搭載車が立ち上がり始める2030年ごろからSBWが増え始めると予測する。

ホンダは2021年3月、高級セダン「レジェンド」でレベル3を世界で初めて実用化したが、トヨタは同年4月、高度運転支援技術「Advanced Drive（アドバンストドライブ）」を搭載した高級セダン「レクサスLS」と燃料電池車（FCV）「MIRAI（ミライ）」を発売した。トヨタはアドバンストドライブで「レベル2」をうたうが、技術的にはレベル3相当を実現している。

レベル3とSBWは安全に対する基本的な考え方が

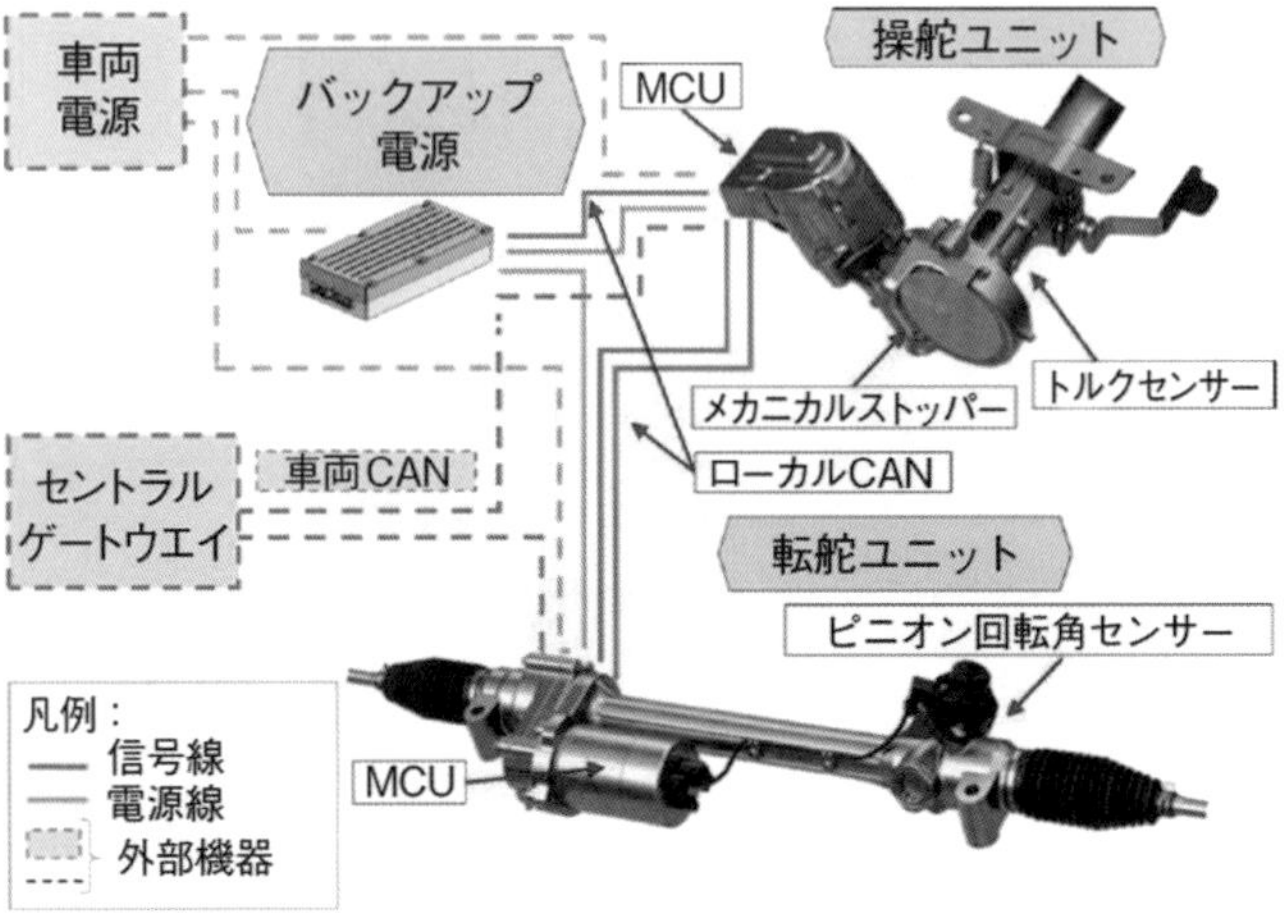

図　ジェイテクトのSBWシステムの構成

操舵ユニットと転舵ユニットに2重の冗長性を設ける。電源の故障時はバックアップ電源を使用する仕組み。（出所：ジェイテクト）

同じで、レベル3向けに開発した部品をSBWに流用しやすい。両者に共通するのは、部品の失陥時にも動作を継続する「フェールオペレーショナル」の考え方である。ステアリングのような重要部品の電気系には冗長化などの対策が必須となる。レベル3を想定したステアリング部品を流用すれば、軸がなくてもSBWのフェールオペレーショナルを実現できる。

SBWの基本的なシステム構成は、ステアリングホイール側の操舵ユニットとタイヤ側の転舵ユニット、バックアップ電源などである。操舵ユニットと転舵ユニットはそれぞれ電子制御ユニット（ECU）を搭載する。両ECU間で通信することで、ステアリングホイールの回転角に応じてタイヤの操舵角を制御する。

操舵ユニットには、回転量の検出用センサーとモーターを搭載する。同モーターには運転者に「操舵感」となる反力を加える機能がある。転舵ユ

図　日立アステモが試作した、マウスのような新操舵デバイス
高齢者や障害者といった運転弱者を含む、より幅広い人々にレベル2くらいの車両でも使ってもらえることを目指している。手先で簡単に操作できるようにして、ステアリングホイールを切るのが遅れて事故を起こすケースを防ぐ狙いがある。（出所：日立アステモ）

ニットもモーターを搭載し、ステアリングホイールの回転量に応じてタイヤに力を加えて切れ角を変える。

ＳＢＷの普及に向けて最大の課題となるのが、コストの低減だ。ステアリングホイールを使ったＳＢＷは操舵側と転舵側の双方にモーターとＥＣＵを備えるため、コストが高くなる。

日立アステモはコストの低減などをにらみ、新しい操舵デバイスを開発した。同デバイスを使ったＳＢＷでは、モーターやＥＣＵは転舵側だけに搭載すれば済む。操舵特性を決めるうえで基本となる「ばね」「ヒステリシス」「ダンパー」と呼ぶ3つのパラメーターを機械的につくり出すことで、操舵側からモーターやＥＣＵを省くことを可能にした。

ジェイテクトのＳＢＷは、トヨタのアドバンストドライブ向けに開発した部品を流用している。具体的には、操舵ユニットにはＥＣＵの回路を2重化したコラム式ＥＰＳ、転舵ユニットには同様に2重化したラック式ＥＰＳを使う。量産規模を大きくし、コストを抑えやすくしている。

（久保田 龍之介＝日経クロステック・日経エレクトロニクス、富岡 恒憲、本多 倖基＝日経クロステック・日経Ａｕｔｏｍｏｔｉｖｅ）

057

青色レーザー溶接

非鉄金属である銅の溶接や加工に強い

技術成熟度……高

2030期待度……3.1

青色波長領域である４００～４６５ｎｍ付近の光を発振する半導体レーザーを使って溶接をする。光源には青色レーザーダイオードを使用する。

最大の特徴は非鉄金属である銅の溶接や加工に強いこと。ハイブリッド車（ＨＥＶ）や電気自動車（ＥＶ）といった電動車両の生産増加に伴い、銅製部品の接合や微細加工の需要が２～４倍に増えると予想されており、注目を集めている。

銅の溶接や加工に強いのは、青色レーザーが銅によく吸収されるためだ。吸収率は約60％と高い。より多くの熱エネルギーが銅に入って容易に溶けるため、消費エネルギーを削減しながら高い溶接品質を得られる。

これに対し、現在の溶接で主流の赤外線レーザー（波長９９０～１０７０ｎｍ付近）の銅への吸収率はわずか５％程度。約95％は銅の表面で反射されてしまう。赤外線レーザーの出力を大きくして無理に熱エネルギーを銅に入れると、溶融金属の突沸による飛沫（スパッタ）や急冷による空隙（ブローホール）といった溶接欠陥が生じる恐れがある。

電動車両の中核部品であるリチウムイオン電池やモーター、インバーターに多用される巻き線や電極などの銅製部品を高品質で接合したり加工したりする上で、スパッタやブローホールは大敵となる。

例えば、電池の生産工程でスパッタが発生し、異物としてセル内部に取り込まれると、使用中に発煙や発火トラブルを起こしかねない。青色レーザー溶接であれば、欠陥となるスパッタやブローホールの発生を減らせる。

青色レーザー溶接

技術の概要

- レーザー溶接のうち、光源に青色波長領域（400～465nm程度）のレーザーを使ったもの。
- 従来の赤外線レーザーよりも銅への吸収率が高い。

活用イメージ

- 銅など非鉄金属の溶接や加工。
- 電動車両のモーターや2次電池、インバーターで増えている銅線や電極の溶接や接合。

主なプレーヤー

- ドイツLaserline
- 古河電気工業
- パナソニックHD
- 中国United Winners Laser
- 島津製作所（発振器）

普及に向けた課題

- コスト削減による価格の低減
- レーザー出力の向上による溶接・加工力の強化
- ビーム品質の向上による微細加工への対応

図　青色レーザー溶接の概要

実用化で欧州と中国が先行する。（出所：日経クロステック）

図　古河電気工業のハイブリッドタイプのレーザー溶接機「BRACE X」
NITTOKUと共同開発した。モーター用巻き線の銅線同士を高品質に溶接する。（写真：日経クロステック）

実用化では、欧州と中国が先行する。けん引するのは、独レーザーラインと中国のＵＷレーザーである。

　レーザーラインの特徴は高出力化だ。レーザーラインは出力が３ｋＷの溶接機を開発している。

　青色レーザー溶接は赤外線レーザーと比べて出力が小さいという課題がある。例えば、数１００Ｗ程度では厚さが０・数㎜程度の銅の薄膜の溶接には使えるが、数㎜以上になると歯が立たない。

　ＵＷレーザーは２ｋＷの青色レーザー溶接機を開発し、既に中国市場で実績があるという。同社は青色レーザー単体の出力向上だけでなく、赤外線レーザーと組み合わせた「ハイブリッド」タイプのレーザー溶接機の開発も手掛けている。

　組み合わせるのは、５００Ｗの青色

レーザーと１・５ｋＷの赤外線レーザーである。青色レーザーで固体の銅を加熱・溶融し、溶融部分に高出力の赤外線レーザーを照射して深い溶け込みを作り、より厚い銅製部品の溶接や加工を実現する。

青色レーザーの出力を抑えつつ、出力の向上には赤外線レーザーを活用することで、価格を抑える狙いがある。銅は溶融して液体になると赤外線レーザーの吸収率がほぼ１００％となる。

ハイブリッドタイプのレーザー溶接機は古河電気工業も開発している。１ｋＷの青色レーザーと３ｋＷの赤外線レーザーを組み合わせる。溶接機を使う製造業と共同開発を進め、実用例を増やしている。

レーザーの品質、すなわちファイバー径の細さに特徴を持つのが、パナソニックホールディングスだ。同じ青色領域で波長の異なる複数の光（４４５±２０ｎｍ）を回折格子（光学プリズム）を使って１つのレーザーに集光する光波長合成技術を開発した。

この技術によって、４００Ｗの青色レーザー溶接機でファイバー径を50μｍまで細くした。光学レンズを使った通常の青色レーザー溶接機の場合、１ｋＷのタイプでファイバー径が３００μｍほどになるという。ファイバー径が細いとレーザーの直進性に優れる。同社の青色レーザー溶接機は、微細加工に適するほか、ワークに対する照射の位置精度が高く、生産性を向上できる利点がある。

（近岡 裕＝日経クロステック）

058

サメ肌を模した機体外板

微細な三角形の凹凸構造を採用、摩擦抵抗を低減し、燃費改善を目指す

技術成熟度……中

2030期待度……3.1

航空機の機体表面にサメの肌を模した「リブレット加工」を施し、燃費改善や二酸化炭素（CO_2）排出量削減を目指す取り組みが国内外で注目を集めている。日本航空（JAL）や全日本空輸（ANA）が、リブレット加工を施した機体の実証実験を進めている。

リブレットは、微細な三角形の凹凸構造をしており、空気との摩擦抵抗を低減できる効果がある。両社は異なる加工方法を採っており、ニコンが両社にレーザー加工技術で協力している。

ＪＡＬは宇宙航空研究開発機構（ＪＡＸＡ）、ニコン、オーウエルと共同で、機体外板の塗膜上にサメの肌を模した「リブレット加工」を施した航空機による飛行試験を実施した。対象機種はＪＡＬが保有する旅客機の中では小型の「ボーイング７３７-８００」型機で、飛行試験で期待した耐久性を確認できたという。

図　航空機の一部にリブレット加工を施した「ボーイング737-800」型機
JALは燃費改善や二酸化炭素（CO_2）排出量削減を見込む。
（撮影：日経クロステック）

飛行中の機体表面には空気の微小な渦の流れが出現し、これが摩擦抵抗を増大させる。リブレット加工により、この渦を機体表面から遠ざけ、摩擦抵抗を低減する効果が期待できる。

今回のリブレット加工では、機体の塗膜上に直接レーザー加工を施した。凹凸の高さを50μm、ピッチ（凹凸の間隔）を１００μmとした。「一般に、ピッチに対して凹凸の高さを半分にすると摩擦低減効果が高くなる」（ＪＡＸＡ）という。

ＪＡＸＡの試算では、リブレット加工を航空機全面に施工すると、およそ2%の燃費改善効果が見込める。これは、東京からロンドンまで「ボーイング７７７-

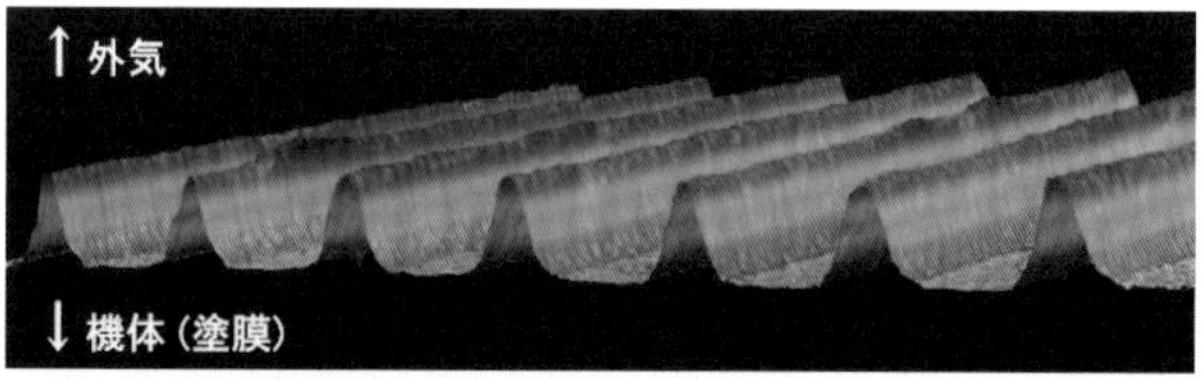

図　リブレットの顕微鏡拡大写真
サメ肌のような凹凸を塗膜上に施した。
（出所：JAL）

300ER」型機で飛行した場合に、片道あたり「燃料にして約2200kg、二酸化炭素にして約7t削減できる」（JAL）ことに相当する。

実証実験では胴体下部の点検用の開閉部（サービスパネル）に2箇所、それぞれ約7・5cm四方に加工を施した。流体的に影響が小さく、安全上最もリスクが小さい場所を選んだという。今後は、大面積の加工を施した実証機で飛行試験を継続し、国内線の大型機や国際線の機体に順次展開していく。

JALは2つの加工方法を実験しており、施工場所によって適した手法を使い分けていく方針だ。1つはニコンの技術で、可搬式のレーザー加工機などを使い、事前に重ね塗りして膜厚を増した塗膜上に、レーザーを照射して直接凹凸を形成する。

もう1つは、塗料や表面処理剤を手掛けるオーウエルの技術で、既存の塗膜上に水溶性の型（モールド）で凹凸を形成する。まず、所望のリブレット形状を写した水溶性モールドに、航空機と同じ塗料を塗工してフィルムにする。次に、航空機の既存の塗膜の上にこのフィルムを圧着する。最後に、塗膜が硬化した後、水洗いすることで水溶性モールドを除去してリブレット形状を機体表面

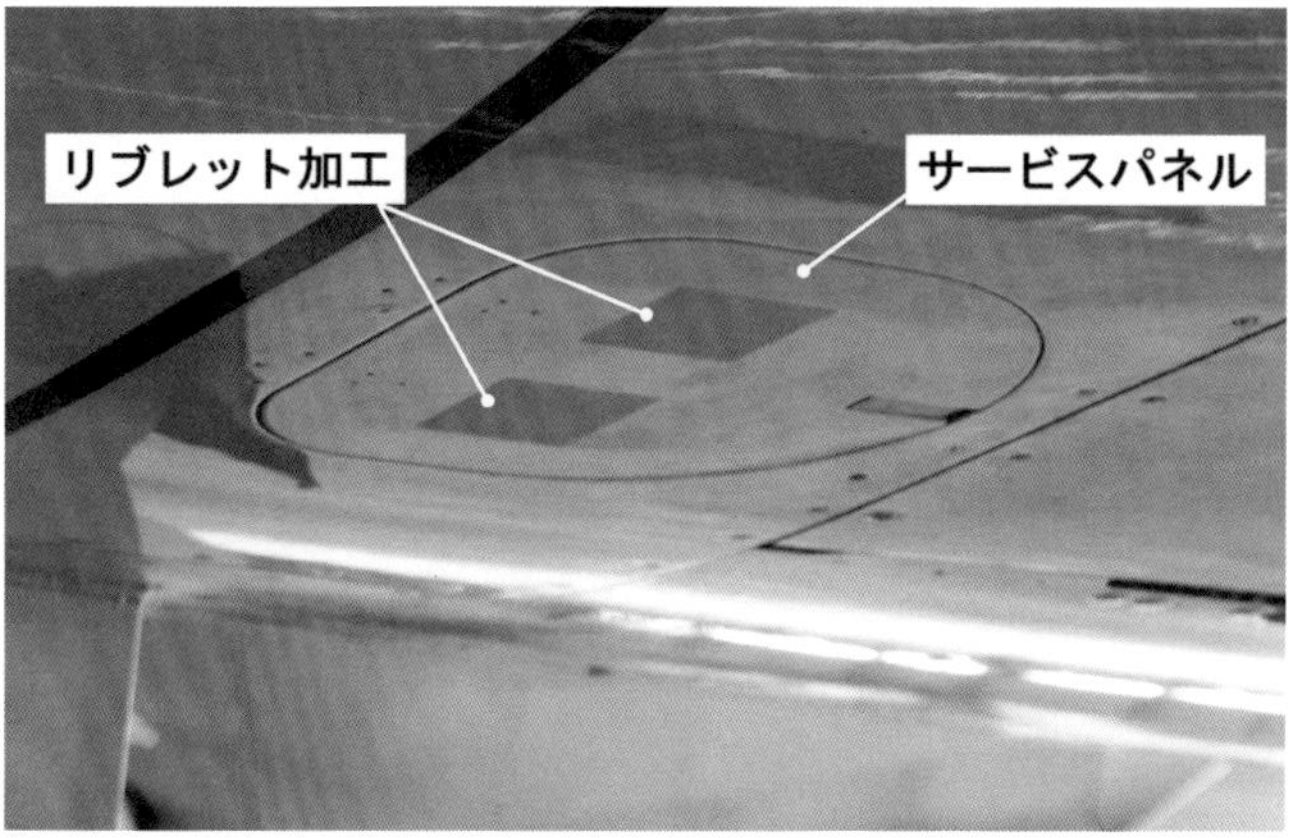

図　リブレット加工を施した機体胴体下部

リブレット加工を施した正方形1つの大きさは約7.5×7.5cm。
（撮影：日経クロステック）

に露出させる。

ＡＮＡはＪＡＬに先駆けて、２０２２年10月にリブレット加工フィルムの実証実験について発表している。リブレット加工を施したフィルムを、胴体上部と右翼付け根の2カ所に貼り付け、フィルムの劣化や変色といった耐久性を確認した。ＡＮＡの試算では、「機体表面の80％にリブレット加工フィルムを装着した場合、燃費を約2％改善できる」という。同社が保有する全ての航空機に適用すると、ジェット燃料として年間95万t、二酸化炭素に換算すると同30万tの削減が見込める。同社はフィルムをリブレット加工する際、ニコンのレーザー加工技術を採用した。

（石橋 拓馬＝日経クロステック・日経ものづくり）

059

アンボックストプロセス（Unboxed Process）

別々に用意したモジュールを一体にして車両をつくる工法

電気自動車（EV）を対象とした新しい生産方法。車両をある程度まとまった部品単位である「モジュール」に分けて別々に造った後、それらを一体化して1台の車両に組み立てる。

米テスラが2023年3月に披露したアイデアで、日本の自動車業界からは「既存の自動車メーカーではなかなか出てこない発想」といった声が上がっている。

アンボックストプロセス（Unboxed Process）では、車両を6つのモジュールに分割する。

車両の下側を前方・中央・後方の3つのモジュール（［1］フロントボディー、［2］フロア、［3］リアボディー）に分ける。車両の上側も左右および蓋《ふた》物の3つのモジュール（［4］左アッパーボディー、［5］右アッパーボディー、［6］ドアやフードなど）に分ける。

これら6つのモジュールを、それぞれの専用ライン（サブライン）で組み上げたら、後工程であるメインラインに各モジュールを供給して1台の車両として組み立てていく。

技術成熟度……中

2030期待度……2.7

発想としては、パソコン（PC）の組み立てに近い。主要部品をそれぞれ別に造り、それを集めて最終製品を組み立てる「組み合わせ型（モジュラー型）」のものづくりとみなせる。

アンボックストプロセスの狙いは、製造コストの大幅な削減である。

まずリードタイムは大きく削減できそうだ。生産ラインは、サブラインとメインラインの2つだけから成るシンプルな構成である。6つのサブラインで各モジュールの組み上げを並行処理した後、メインラインで車両を完成させる。そのため、リードタイムは2工程分（サブライン+メインライン）となる。

アンボックストプロセス

技術の概要

- EVをパソコンのように低コストに製造する方法
- 分割して造ったモジュールから車両に組み上げる
- 製造コストを大きく削減できる可能性がある

活用イメージ

- 従来よりも大幅に安価なEVの生産
- シンプルなラインから成るコンパクトな工場の建設
- 作業しやすい生産ラインの構築

主なプレーヤー

- 米Tesla

普及に向けた課題

- 十分なボディー剛性の確保
- 経年劣化による耐久性や安全性の確認

図 「アンボックストプロセス」の概要
米テスラが発案した。EVの製造コストを大幅に削減できるとの期待がある。（出所：日経クロステック）

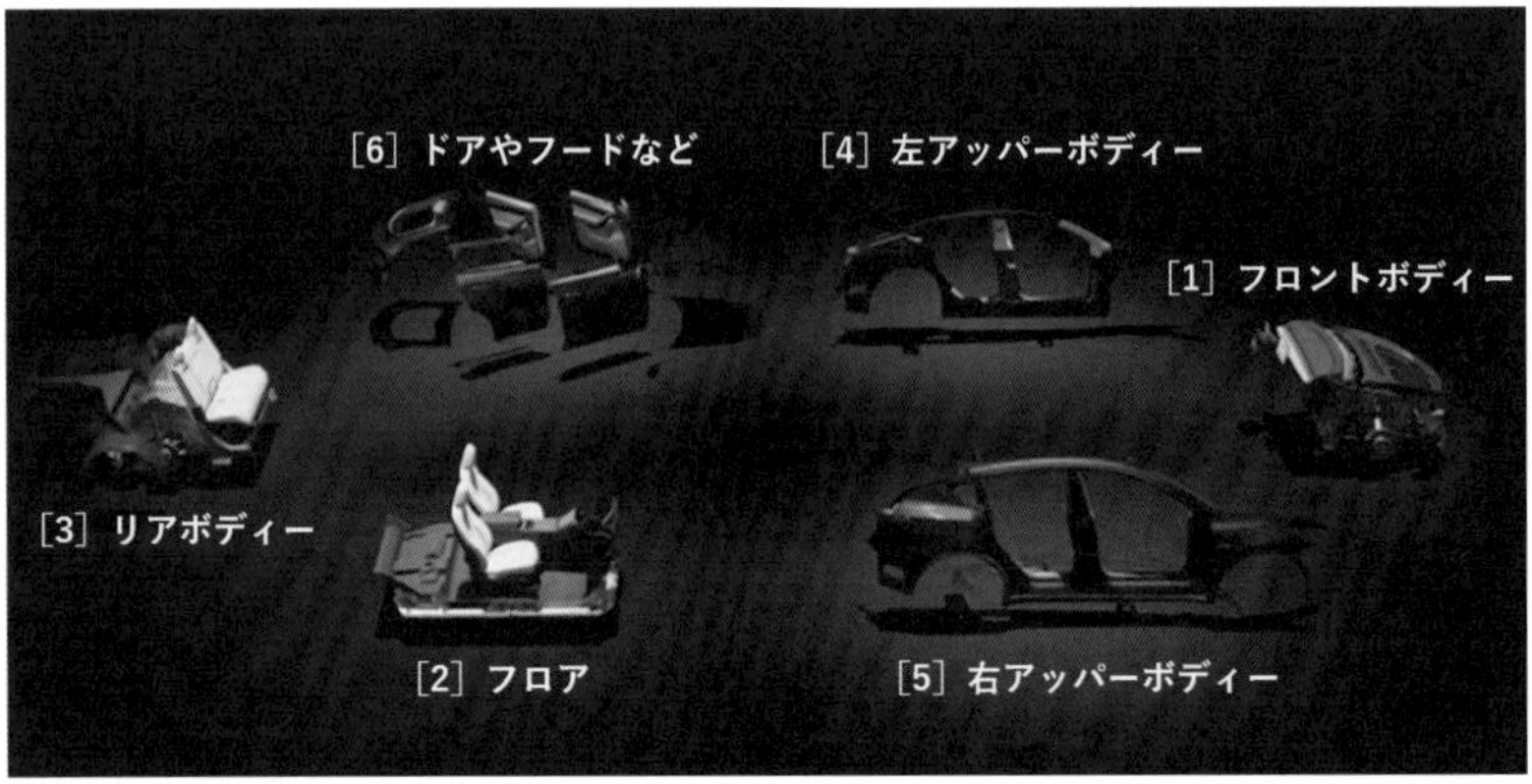

図　6つのモジュール
車両をこれらのモジュールに分割し、それぞれをサブラインで並行して組み上げた後、メインラインで1台の車両に組み立てる。
（出所：テスラの配信動画のキャプチャーを基に日経クロステックが作成）

これに対し、現行の生産方法はプレス成形した鋼板を溶接してボディーを造り、ドアを外して内装部品を詰めた後、再びドアを取り付けて車両を完成させる。従って、リードタイムは4工程分（プレス＋溶接＋塗装＋最終組み立て）と長い。

生産ラインのコンパクト化に貢献する可能性もある。中央にメインラインを設置し、そこに左右から各サブラインが斜めにつながる「魚の骨」のような生産ラインになる。4つの工程（プレス＋溶接＋塗装＋最終組み立て）が直列につながる現行の生産ラインと比べて「超コンパクトライン」になり得る。

テスラは生産ラインの設置面積を40％以上小さくできると見込んでいる。その分、初期費用を抑えられ、かつ工期も短縮できる。

ただし、実現するには「十分なボディー剛性を確保できるかどうか」が課題だという指摘が自動車の専門家から上がっている。現行のボディー（モノコックボディー）は、シャシー（骨格）とボディー（車体）を含めて全体が一体化した構造であるため、剛性が非常に高い。

これに対し、アンボックストプロセスは大物部品である6つのモジュールを、最終組み立て工程であるメインラインでつなぎ合わせる必要があり、正確かつ強固に接合するのは難しいとみられる。

中でも、注意を要するのは経年劣化だ。自動車は10年以上の耐用年数を要する。発売直後は問題なくても、10年以上経過して劣化したボディー剛性が安全な走行に必要な水準を満たし続けられるかどうかの点で、不安が残るというのが自動車の専門家の見立てだ。

一方で、自社が理想とする造り方を目標として掲げ、実現するために革新的な技術の開発に努めるのがテスラ流である。アンボックストプロセスでも革新的な接合技術を開発して乗り越える可能性はあるという声が工場の専門家から上がっている。

（近岡 裕＝日経クロステック）

第6章

医療・健康・食農

ＱｏＬ（クオリティ・オブ・ライフ）を高める

060

多重特異性薬（Multispecific Drugs）

標的に結合し、破壊するなど これまでとは異なる仕組みで効果を出せる薬剤

技術成熟度……中

2030期待度……22.7

2つ以上の標的に対して特異性を有する薬剤のこと。従来の低分子薬や抗体医薬では狙えなかった標的を狙える。内因性の酵素や細胞を生物学的エフェクターとして活用することで従来とは全く異なる仕組みで作用できる。

従来の低分子薬や抗体医薬は単一の標的に対して特異性を有する薬剤であり、標的分子に結合し、抑制・阻害したり、活性化したりすることで効果を発揮していた。

多重特異性薬は低分子薬から蛋白質医薬まで多岐にわたるが、抗体薬物複合体（ＡＤＣ）、標的蛋白質分解誘導薬、二重特異性抗体などが、臨床開発あるいは実用化の段階にある。ＡＤＣ、二重特異性抗体を指して多重特異性バイオ医薬（Multispecific Bi-otherapeutics）などと呼ぶこともある。

多重特異性薬は作用を起こす仕組みによって大きく2タイプに分類される。

第1は特定の組織・細胞へ送達するための部位と薬効を発揮するための部位から成るタイプ。

このタイプであるＡＤＣは、特定の組織・細胞上の標的分子に結合する抗体と、抗腫瘍効果を発揮するための薬物から成っている。

第２は治療標的に結合する部位と治療標的を修飾したり破壊したりする生物学的エフェクターに結合する部位から成るタイプ。このタイプである標的蛋白質分解誘導薬は、標的蛋白質に結合する化合物と、Ｅ３リガーゼに結合する化合物から成る。

二重特異性抗体もこのタイプであり、抗体の片方ががん細胞上の標的分子に、片方がＴ細胞上の標的分子に結合するＴ細胞エンゲージャーなどが該当する。

図　米アムジェンのデビッド・M.リース研究開発担当エグゼクティブバイスプレジデント
（撮影：日経バイオテク）

米アムジェンは多重特異性薬の研究開発に力を入れているバイオ企業の1社である。研究開発の責任者、デビッド・Ｍ・リース エグゼクティブバイスプレジデントは「我々は低分子薬の領域で多大な取り組みをしている。その大部分は、我々が多重特異性薬と呼んでいるものだ」と述べている。

アムジェンのレイモンド・Ｊ・デシェイズ シニアバイスプレジデントは２０２０年4月、多重特異性薬についてネイチャー誌に総説論文を発表した。

（久保田 文＝日経バイオテク）

061

老化細胞除去療法

自然の成分などを用いて
老化細胞を除去する治療法

技術成熟度……低

2030期待度……33.5

加齢が進んだ老化細胞を除去し、健康寿命を伸ばすこと。老化細胞が炎症物質を分泌して周辺の若い臓器に障害をもたらすことを防ぐ。

老化細胞のアポトーシス（細胞死）の歯止めとなっているたんぱく質の働きを阻害する薬剤により、アポトーシスを促し、老化細胞を取り除く試みがされている。

老齢マウスから遺伝子工学により老化細胞を除去すると、動脈硬化や腎障害などの老年病の発症が遅れることが報告されている。

米ユニティ・バイオテクノロジーは２０２３年４月24日、アポトーシス蛋白質を阻害する低分子薬のＵＢＸ１３２５が、糖尿病黄斑浮腫患者を対象とする臨床試験において、硝子体内へ1回注入することで約1年にわたる視力改善効果を示したと発表した。

同社のアニルヴァン・ゴーシＣＥＯ（最高経営責任者）は「ＵＢＸ１３２５は老化細胞の標的薬として初めて臨床試験に進んだ開発品で、成功すれば標準薬である抗血管新生薬による治療アプローチを見直す契機になる」と語った。

ＵＢＸ１３２５は、アポトーシス（細胞の自殺）調節蛋白質を阻害することにより、糖尿病で障害を受けた眼内血管に蓄積した老化細胞のアポトーシスを促進し、除去する薬剤だ。

眼内血管の閉塞や漏出、出血により、網膜中心の黄斑部分がむくんで見え方が歪むと、視力低下が進行し、失明に至る危険がある。これまで使われてきた、抗血管新生薬の場合、１年に複数回硝子体内に注入する必要があり、患者にとって投与の負担が大きかった。

一方、東京大学医科学研究所癌防御シグナル分野の城村由和助教と中西真教授らは、老化細胞に強く発現するグルタミン代謝酵素を阻害すると、老化細胞だけが除去されることを見いだしている。

中西教授らが老齢マウスや加齢関連疾患モデルマウスにグルタミン代謝酵素阻害薬を投与したところ、様々な臓器・組織の加齢現象や老年病、生活習慣病が改善した。

さらに「老化細胞においてグルタミン代謝酵素を阻害すると細胞内ｐＨ（水素イオン指数）が低下することでアポトーシスが誘導される」「アンモニアを過剰添加し、培養液のｐＨを高めるとグルタミン代謝酵素阻害によるアポトーシスが抑制される」といったことが分かった。

中西教授が見つけたグルタミン代謝酵素の作用は多くの老化細胞に共通していることから、適応の広いアンチエイジング薬に結びつく可能性がある。

（小崎 丈太郎＝医学・生命科学記者、川又 総江＝ライター）

062

経鼻投与型製剤

従来、注射薬しかなかった製剤で簡便な経鼻投与が可能になる

技術成熟度……中

2030期待度……8.5

鼻から投与できる製剤。2020年に発売された低血糖時救急治療薬（バクスミー点鼻粉末剤）、2023年3月に承認され、2024年秋に発売予定の経鼻インフルエンザワクチン（フルミスト点鼻液）などがある。

従来注射薬しかなかった製剤に経鼻投与の選択肢が加わることで投与が簡便になる。

さらに近年、中枢系疾患に対する薬物治療における経鼻投与の研究開発が進んでいる。鼻腔に投与された薬物は嗅神経領域から脳へと直接移行することが知られており、血液脳関門などを迂回して脳へと薬物を送達できる。

浜松医科大学精神医学講座の山末英典教授らの共同研究チームは2022年1月、帝人ファーマと共同して改良したオキシトシン経鼻スプレーの医師主導治験を実施し、有効性と安全性を示したと発表した。オキシトシンは脳の下垂体から出るホルモンで、社交性の改善に効果があるとされている。

このため、改良型オキシトシン経鼻スプレーは自閉スペクトラム症に対する治療薬として期待されている。研究チームは改良型オキシトシン経鼻スプレーの次段階の治験と承認申請に協力する企業を探していく。

製薬スタートアップのアキュリスファーマは２０２２年11月から、てんかん重積状態またはてんかん重積状態にいたる恐れのあるけいれん発作を対象とした、抗けいれん薬ジアゼパム経鼻投与スプレー製剤の国内第３相臨床試験を開始している。

同剤は米ニューレリスが開発し、アキュリスファーマが日本を含むアジア太平洋地域での独占的開発・商業化に関するライセンスを取得、日本における開発を進めている。ニューレリスは２０２０年にジアゼパム経鼻スプレーについて米食品医薬品局（ＦＤＡ）の承認を得た。

製薬会社から非臨床試験を受託する新日本科学は鼻から吸引する片頭痛薬について米ＦＤＡに承認申請し、２０２３年５月、受理された。審査終了は２０２４年１月ごろを見込み、「２０２４年夏には最初の薬を販売したい」としている。

新日本科学は粘膜付着性を持たせた経鼻粉末担体をつくる技術と、経鼻製剤を簡便かつ確実に鼻腔内に送り込む経鼻投与用デバイスを開発している。

（黒原 由紀＝日経バイオテク）

063

エクソソーム治療

細胞由来の物質をエイジング治療に活用

技術成熟度……低

2030期待度……14.9

体内のさまざまな細胞から放出される、直径１００ｎｍ前後で脂質の膜を持つ小胞を精製し、投与することで、組織の再生などに役立てる研究が進んでいる。研究成果に先立ち、民間ではキーワードとして注目されており、エクソソームを使うエイジング治療をうたう美容クリニックなどが出てきている。

生体内の細胞や培養中の細胞が産生、放出する直径１００ｎｍ程度の「細胞外小胞（Extracellular Vesicles：ＥＶｓ）」は脂質二重膜で囲まれており、ｍＲＮＡ、ｍｉＲＮＡなどの核酸、骨格たんぱく質や各種酵素などを含んでいる。細胞から分泌されたＥＶｓは体内を循環し、細胞間の情報伝達を担うとされている。

ＥＶｓが生まれる過程は色々あり、厳密に言うとエクソソームはエンドサイトーシス（飲食作用）と呼ぶ過程から形成される小胞を指す。細胞はエクソソーム以外のＥＶｓも産生し、放出しているため、近年はエクソソームではなく、ＥＶｓという呼称が用いられる。

ＥＶｓの臨床応用への期待が高まっている。例えば間葉系幹細胞（ＭＳＣ）由来のＥＶｓを単離・精製して投与することで、組織を修復したり免疫を抑制したりできると考えられている。世界では複数の研究チームがＭＳＣ由来ＥＶｓの開発を進めており、臨床試験も開始されている。再生医療での応用が長年有力視されていたＭＳＣの機能の多くは、ＭＳＣが分泌するＥＶｓによるものであることが明らかになってきている。最近では遺伝子組換えなどによって一部機能を改変したＥＶを開発する動きも活発化している。例えば、改変型ＥＶに特定の治療薬を内包し、薬物送達システム（ＤＤＳ）として利用する。ＥＶｓは送達指向性を持つことが示唆されており、安全性の高いＤＤＳキャリアとして期待されている。

国内でもＥＶｓの治療応用に向けた研究開発が本格化しているが、薬事規制が不明確な部分が多かった。医薬品医療機器総合機構（ＰＭＤＡ）は２０２３年1月、「エクソソームを含む細胞外小胞（ＥＶ）を利用した治療用製剤に関する報告書」を公表した。専門部会がＥＶｓ療法を開発・審査する際の留意事項をまとめたものだ。

なお、自由診療の枠組みの中で、「エクソソーム療法」を実施する動きがある。厚生労働省が２０２０年4月に設置した再生医療等安全性確保法の見直しに係るワーキンググループでの報告によれば、１２１カ所以上の医療機関が美肌や毛髪再生、勃起不全を対象に、自由診療で培養上清を投与しており、一部の医療機関が培養上清にエクソソームが含まれると紹介していることが分かっている。

（佐藤 礼菜＝日経バイオテク）

064

植物性プラスチック針によるワクチン投与

蚊の針から考案した植物性の針を利用

技術成熟度……中

2030期待度……5.7

「皮膚にスタンプする」だけでワクチンの皮内投与ができるデバイスの開発が進む。針には生分解できる植物性プラスチックを採用する。人にも環境にもやさしいサステナブル医療機器を目指す。

医療機器ベンチャーのライトニックスは植物性プラスチック（ＰＬＡ：ポリ乳酸プラスチック）製の注射針を採用したワクチン投与デバイスを開発中である。実現すればスタンプのように垂直に押すだけで、高いスキルが必要な皮内投与ができるという。

皮内投与は表皮と真皮の間へ注射する方法で、筋肉注射や皮下注射に比べて、ワクチンの効果が高くなり、ワクチン量が約5分の1になるとされているが、それができる人手が不足していた。

同社はＰＬＡを用いたランセット針（指先採血針）「ピンニックスライト」を開発・製造・販売しており、その技術をワクチン投与デバイスに生かす。この針は生分解が可能で、手術用の

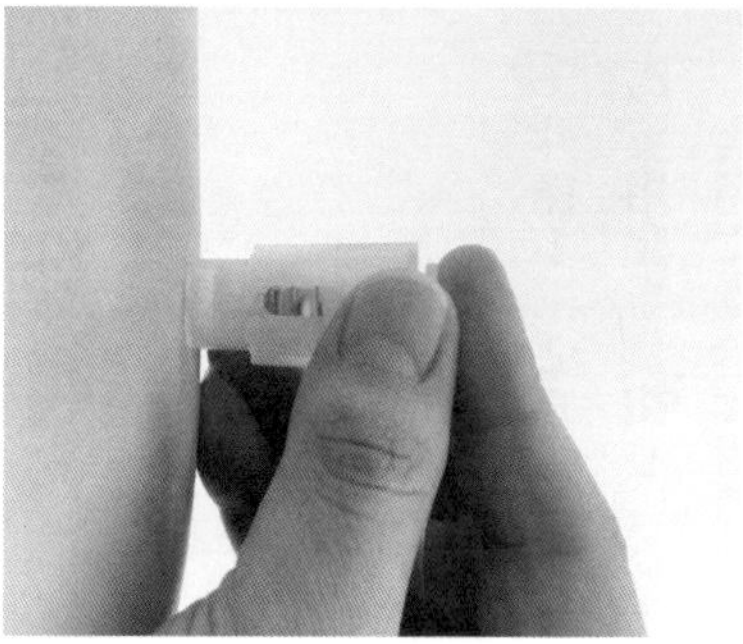

図 ライトニックスが開発中のワクチン投与デバイス（イメージ）
（出所：ライトニックス）

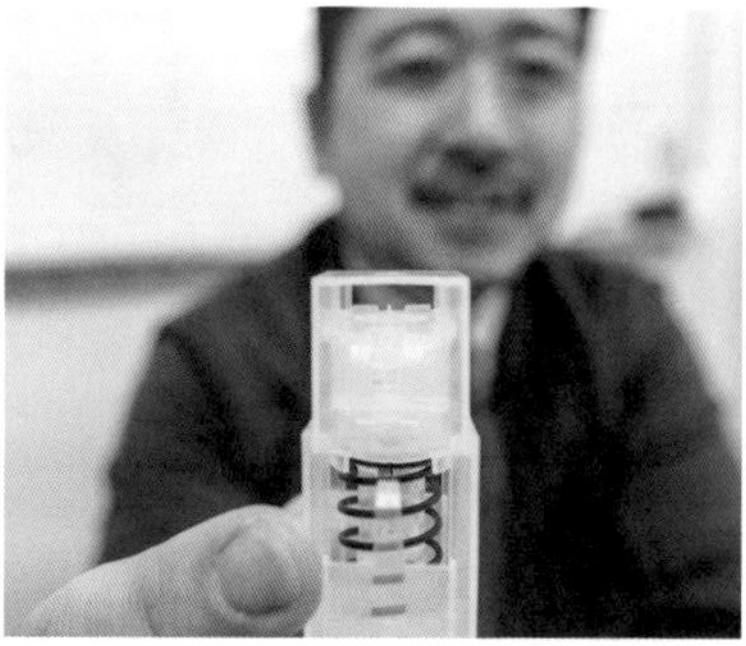

図 ワクチン投与デバイスの試作品
中央がPLA製の針で使用後に自動収納する。より小型にする予定。
（写真：小口正貴）

縫合糸で実績のある医療用グレードのＰＬＡを使う。金属の針は開発途上国で適切に廃棄されないことが多く、大きな問題になっている。

実用に向けてはワクチン投与デバイスとして医療機器の薬事承認をとり、その上でワクチンメーカーが最適化したワクチンを組み合わせたデバイスを医薬品として薬事承認を取る必要がある。まずは、２０２３年に医療機器の承認を取ることを目指す。

同社創業者の福田光男氏は人に痛みを感じさせずに吸血する蚊の針のメカニズムを手がかりにこの技術を確立したという。ランセット針、ワクチン投与デバイスに続く第３段階として、針自体を体内に入れ、薬の有効成分が緩やかに溶け出し、効果が長く続くデバイスを開発する。ここでもＰＬＡを使うので針は体内で溶けていく。

（小口 正貴＝スプール）

065

極細使い捨て関節内視鏡

外径1・25㎜と注射針並みに細く、関節の内部を確認できる

技術成熟度……中

2030期待度……7.7

外径1・25㎜と注射針に近い極細の関節鏡（極細硬性内視鏡）の開発が進み、2024年の実用化を目指している。

実用になれば世界で最も細い硬性内視鏡となり、関節の内部を観察する際の患者負担の軽減につながる可能性がある。

先端部は使い捨てを想定しており、滅菌消毒の作業が不要となるなど、医療現場の負担軽減にもなると期待される。

2023年4月25日、慶應義塾大学医学部整形外科学教室の中村雅也教授と慶應フォトニクス・リサーチ・インスティテュート（KPRI）の小池康博所長、8K技術を使用した内視鏡システムなどの開発を手掛けるエア・ウォーターが共同で発表した。

公表された極細硬性内視鏡は外径1・25㎜の外筒管に、プラスチック製の光ファイバーでできたレンズを収めた構造をしている。レンズの太さは0・1～0・5㎜で、観察する関節の

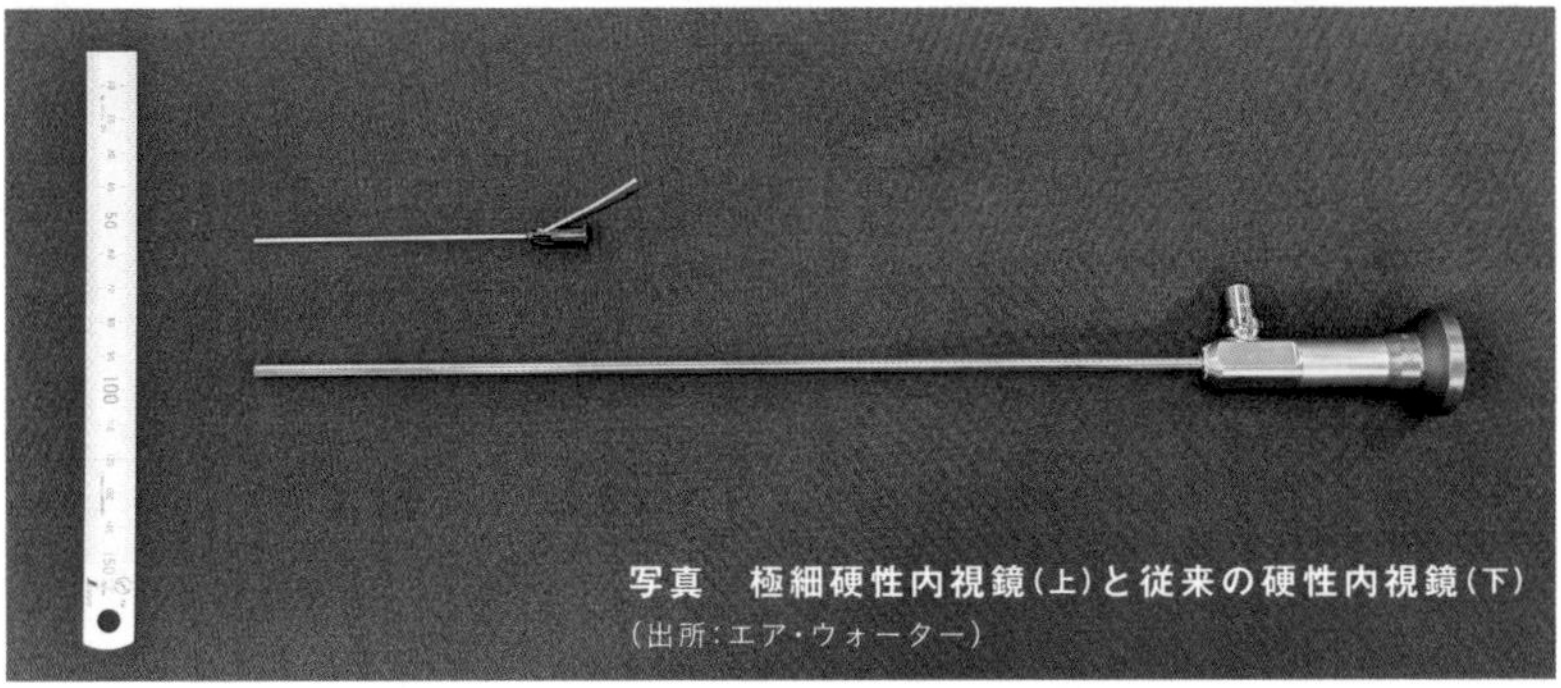

写真　極細硬性内視鏡（上）と従来の硬性内視鏡（下）
（出所：エア・ウォーター）

大きさによって使い分ける。

関節内検査に用いられる内視鏡は、体内への挿入部分が硬い硬性内視鏡で、既存の製品の多くは太さが約2～4㎜程度だった。レンズはガラス製で壊れやすいため、径を細くするには限界があった。

先端部分が18ゲージの注射針ほどの細さであることから「局所麻酔もしくは無麻酔でも検査ができ、入院が不要になる」と中村教授は期待を寄せる。プラスチック製レンズの採用で低コストの製造が可能になり、先端部分を使い捨てできる。

この極細硬性内視鏡について、膝関節だけでなく、足関節、肘関節、手関節など、より小さい関節の検査にも応用する検討を進める。さらに血管内や脊髄などの検査への応用を狙っていく。

足や膝などの関節の検査としては、X線撮影や超音波検査、MRI検査などに加え、関節内視鏡による検査が行われる。関節鏡検査は関節内部を直接観察できるため、より正確に症状を診断できる一方、切開による整容面の影響や患部の感染症リスクもあるほか、使用のたびに内視鏡の滅菌消毒作業が必要となることから、患者と医療現場双方の負担が大きいという課題があった。

（服部 暉＝日経メディカル）

066

心電計付き血圧計

心房細動を早期に発見し、治療につなげる

技術成熟度……高

2030期待度……6.5

1台で血圧測定と心電図記録が同時に行える心電計付き上腕式血圧計をオムロンヘルスケアが提供している。一般人が購入し、家庭で使えるが、医師の指示のもと、利用することが求められる。

医療機関による臨床研究や診療などでも使用実績があり、2023年8月、研究成果を紹介するウェブページを公開した。

同社とスマートヘルスケア協会は、薬局に訪れた高血圧患者などの心房細動リスクを心電計付き血圧計で評価し、必要があれば病院への受診を勧める「受診勧奨モデル」を考案した。このモデルは2023年5月の段階で、全国約700店舗の薬局に導入されている。

アインホールディングスは2022年7月から、受診勧奨モデルを関東のアイン薬局15店舗で導入し、心房細動が引き起こす脳卒中の予防を目指している。

測定を希望する利用者は、専用のスマートフォンアプリをあらかじめダウンロードしておく。

測定するアイン薬局で、上腕にカフを巻いてから、上記のアプリを起動し、心電計付き血圧計本体の上にスマートフォンを置く。血圧計のスタートボタンを押し、指を4カ所の電極に接触させると、血圧測定と心電図記録が始まる。アプリの画面が心電図記録のディスプレイとなる。測定と記録は約30秒で完了する。

心電図はアプリ内で解析され、正常な洞調律、徐脈、頻脈、心房細動の可能性など6種類に分類される。利用者は心電波形と併せて、6種類のうちどれに当てはまるかをアプリで確認できる。記録した心電図をPDFに変換し、医療機関を受診する際、医師と共有できる。

血圧測定の結果はアプリへ転送され、継続的に使用すれば数値の変化をグラフで簡単に確認できる。

利用者は既往歴や自覚症状などを尋ねるチェックシートも記入する。薬剤師は心房細動や脳卒中について説明しつつ、測定の結果やチェックシートを確認、必要に応じて受診を勧める。

（吉永真理＝日経ドラッグインフォメーション）

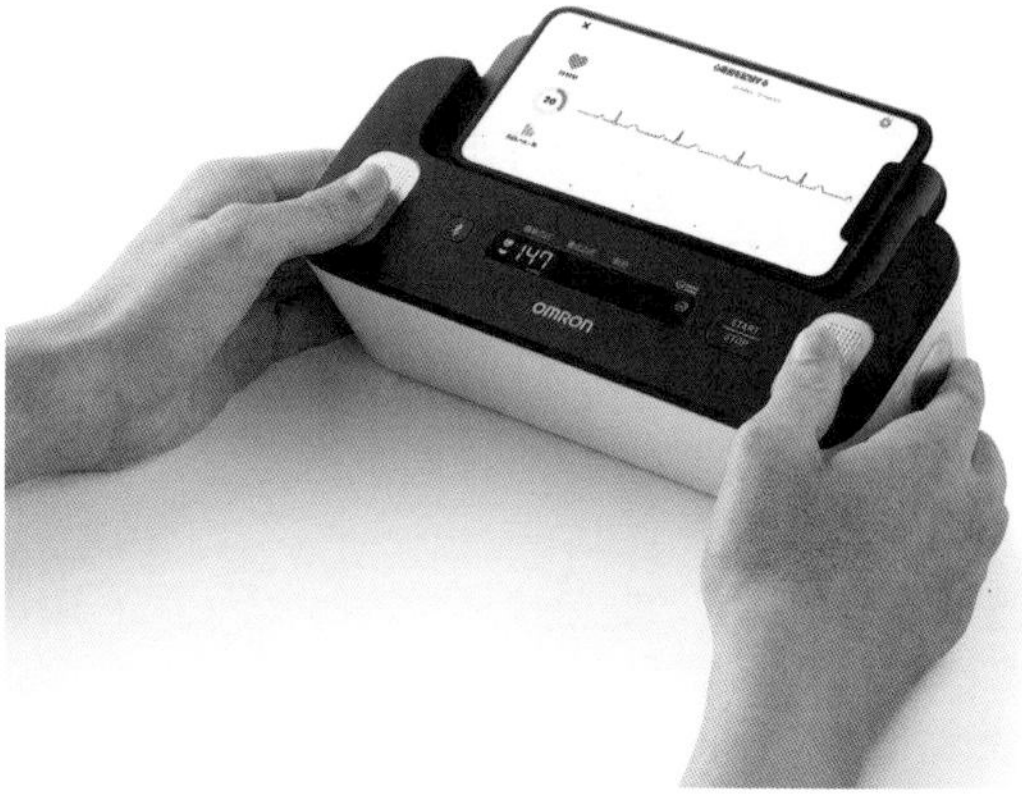

図 心電計付き血圧計を用いた測定の様子
（出所：オムロンヘルスケア）

067

神経活動測定

脳神経の活動を電磁気や代謝変化を使って測定する

技術成熟度……低

2030期待度……16.8

脳波や脳磁場で測定した脳神経活動データを基に、会話をしたり、ロボットやコンピューターを動かしたり、ある部位の脳の活動を変えたりすることを目指す。脳科学を応用した技術であり、「95　ＢＭＩ（ブレイン・マシン・インターフェース）」と同義だが、より広く「ニューロテック」と呼ぶ場合もある。

意識はあるが顔や体を動かせず、意思伝達が難しい「閉じ込め症候群」の患者が何かをイメージするだけでコミュニケーションをとれるようになりつつある。

大阪大学高等共創研究院の柳澤琢史教授は、視覚野の神経活動を介して体外の機械を操作する「representational Brain Computer Interaction」と呼ぶ技術の研究開発を進めている。最終的には、閉じ込め症候群の萎縮性側索硬化症（ＡＬＳ）患者に応用することを目指す。

患者に何らかの映像を想起してもらい、その時の神経活動を測定し、画像としてコンピューター上に描出し、その画像を用いて患者とコミュニケーションを取ることを想定している。

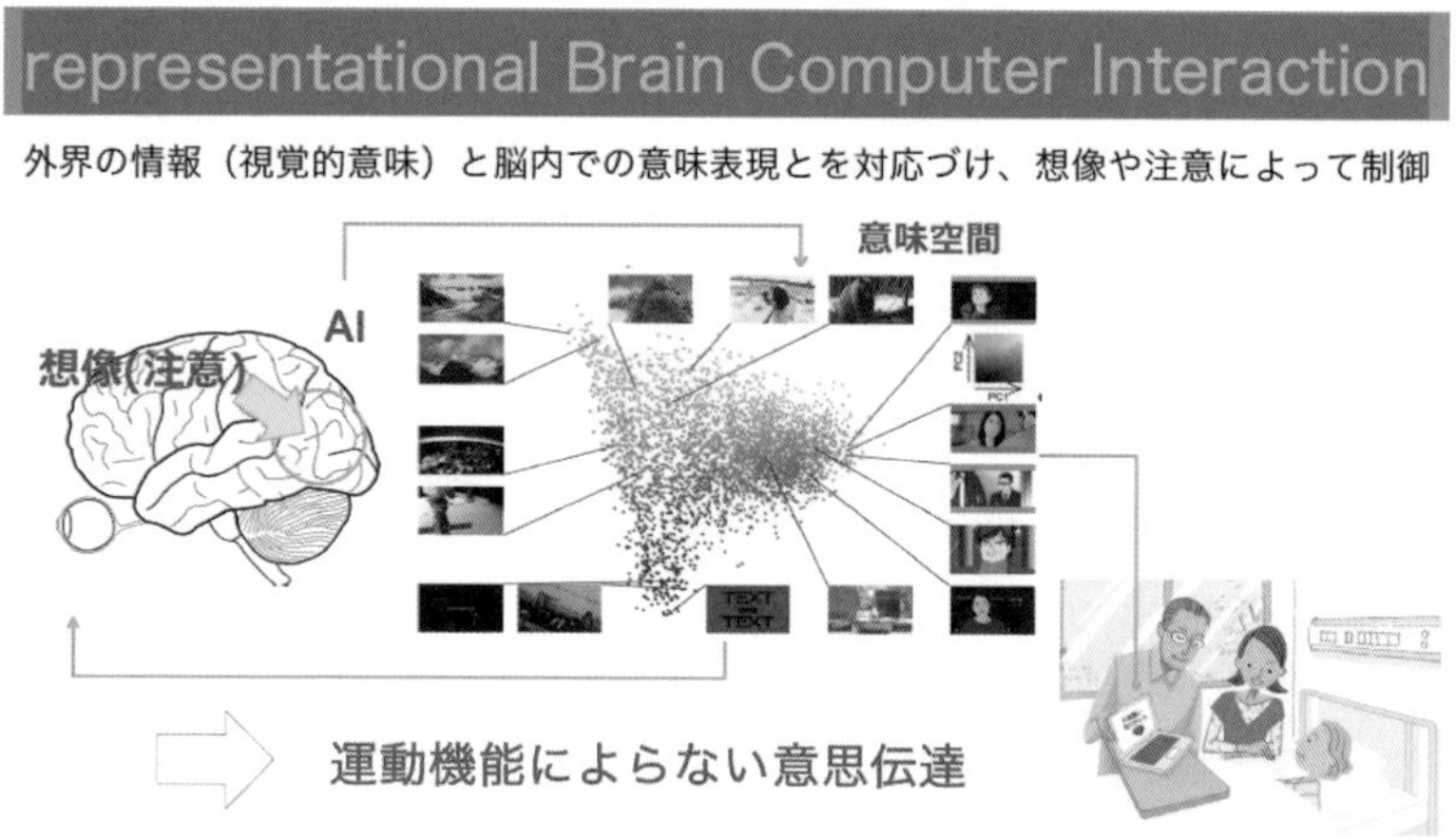

図 representational Brain Computer Interactionの概念図
視覚野の神経活動を介して体外の機械を操作する。
（出所：柳澤 琢史氏）

これまでは運動野の神経活動を測定し、その情報を元に機械を動かす研究がされてきたが、ＡＬＳが進行すると運動野の神経細胞が脱落してしまい、測定が難しかった。

視覚野の神経活動の測定にあたっては、脳に電極を挿入する、シート状の電極を埋め込む、といった方法があるが侵襲性が高い。このため、脳の外部に装着させた装置で測定する、血管内ステントを用いて電極を脳内に留置する、といった研究も進めている。

測定した神経活動から、想起していた映像を描出するために、ＡＩ（人工知能）を利用する。様々な画像を見てもらった際の神経活動をＡＩに学習させておき、ある神経活動でどのような画像を想起しているかを推定する。学習と推定を繰り返すことで、精度を高めることが可能という。別のＡＩを用いて画像を文章として表現することもできる。

（小板橋 律子＝日経メディカル）

068

手術支援ロボット遠隔操作

遠隔地からネットワークを通じて手術支援ロボットを操作する

技術成熟度……中
2030期待度……31.0

遠隔地にいる指導医が、現地の手術支援ロボットの操作権を部分的に切り替えて術者として手術し、現地の術者（主治医）と共同で手術すること。

現地に術者が立ち会わず遠隔地だけからロボットを操作する「完全遠隔手術」は安全性の確保と法的な観点からまだ認められていない。

既存の手術支援ロボットに遠隔操作が加わることで、医師の移動負担が軽くなり、ひいては指導を受ける機会の拡大が見込まれる。

２０２３年３月下旬、約１５０㎞離れた２拠点間で、手術支援ロボットを遠隔操作する実証実験が行われた。胆のう摘出手術を実施するロボットを青森県のむつ総合病院に設置し、このロボットを操作できるコンソールを弘前大学医学部付属病院にも置き、患者の近くでロボットを使って手術する医師を離れた場所にいる熟練の医師が支援する。

むつ総合病院の医師がロボットをメインで操作し、弘前大学医学部付属病院の指導医が難し

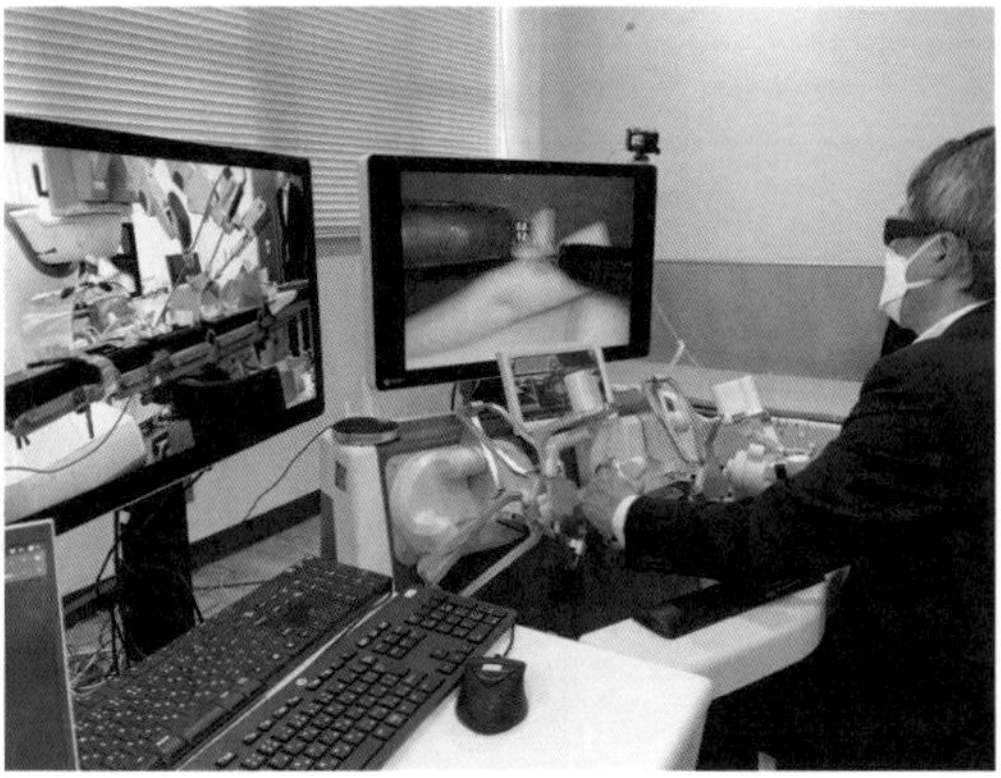

写真　遠隔地から手術支援ロボットを操作している様子
患者の近くで手術する医師を指導・支援することを目的として、手術支援ロボットを遠隔から操作する。利用したのはリバーフィールドの手術支援ロボット。
(出所：リバーフィールド)

い操作の際にむつ総合病院の医師に代わってロボットを動かしたり、内視鏡画像に図示してロボットの動かし方を説明したりした。

国内での実証実験は、日本外科学会や病院、手術支援ロボットメーカー、通信業者が協力して実施している。手術支援ロボットメーカーとしては、国内メーカーであるメディカロイドとリバーフィールドが参加する。２０２３年４月７日には、藤田医科大学がメディカロイドの手術支援ロボットを使い、東京都と愛知県間約３００㎞を結ぶ遠隔手術指導の実証実験を実施した。

手術支援ロボットの遠隔操作ができれば、地域間の医療格差の是正につながる。日本外科学会の遠隔手術実施推進委員会は「人口減少、外科医師数の減少などの社会課題の中で、遠隔手術は質の高い医療の均てん化に寄与し、地域医療支援と若手外科医教育にも貢献し得る診療形態」としている。

経験の浅い医師がロボット手術の手技を体得するには、指導医に現地で立ち会ってもらうのが一般的だが、地方の場合、指導医の移動時間を考えると立ち会いが難しい場合がある。

実施時期	実証施設	遠隔度*1	使用回線（通信業者など）	手術支援ロボットメーカー
2021/2	・弘前大学医学部附属病院（青森県弘前市） ・むつ総合病院（青森県むつ市）	中	有線（NTT東日本）	リバーフィールド
2021/4	・神戸大学医学部附属病院ICCRC*2（神戸市） ・統合型研究開発・創出拠点（神戸市）	小	5G無線（NTTドコモ）	メディカロイド
2021/5	・藤田医科大学（愛知県豊明市） ・藤田医科大学岡崎医療センター（愛知県岡崎市）	小	有線（専用回線）	メディカロイド
2021/7	・北海道大学病院（札幌市） ・九州大学病院（福岡市）	大	有線（SINET*3）	メディカロイド
2021/8	・弘前大学医学部附属病院（青森県弘前市） ・むつ総合病院（青森県むつ市）	中	有線（NTT東日本）	メディカロイド
2021/9	・北海道大学病院（札幌市） ・市立釧路総合病院（北海道釧路市）	大	有線（NTT東日本）	リバーフィールド
2021/10	・弘前大学医学部附属病院（青森県弘前市） ・北里大学獣医学部附属動物病院（青森県十和田市）	中	有線（NTT東日本）	リバーフィールド
2022/3	・九州大学医学研究院附属動物実験施設（福岡市） ・九州大学病院別府病院（大分県別府市）	中	有線（NTT西日本）	リバーフィールド
2022/5	・虎ノ門会場（東京・港） ・新宿会場（東京・新宿）	小	5G無線（KDDI）	リバーフィールド
2022/11	・NTT武蔵野研究開発センタ（東京都武蔵野市）内に実証環境	中	有線（NTT）	メディカロイド
2023/2	・赤坂会場（東京・港） ・MeDIP*4（神戸市）	大	5G無線（NTTドコモ）	メディカロイド
2023/3	・弘前大学医学部附属病院（青森県弘前市） ・むつ総合病院（青森県むつ市）	中	有線（NTT東日本、ソフトバンク、東北インテリジェント通信*5）	リバーフィールド

＊1　遠隔度：2拠点を結ぶ距離が300km以上を「大」、100kmから300km未満を「中」、100km未満を「小」とした。距離に関する情報が公開されていない場合は、編集部で概算している。

＊2　ICCRC：国際がん医療・研究センター

＊3　SINET：国立情報学研究所が構築、運用している情報通信ネットワーク

＊4　MeDIP：統合型医療機器研究開発・創出拠点

＊5　東北インテリジェント通信は2023年4月1日付でトークネットに社名変更

表　メディカロイドとリバーフィールドが参加した主な実証実験

2023年3月までに実施されたものを示した。

（遠隔手術ガイドラインやその他の公開情報などを基に日経クロステックが作成）

遠隔地からロボット手術の指導や支援を受けられるようになれば、どこにいても手術の手技を学ぶ機会が増え、地域による医療水準の偏りを抑制できると考えられている。

遠隔操作の課題は、コンソールとロボットの距離がこれまでより格段に長くなることへの対処である。加えて、緊急時などに現地の主治医による対応が不可欠となる。

距離が長くなると、通信の遅延やゆらぎなどが顕在化しやすい。実証実験では、通信の遅延やゆらぎが手術操作に与える影響や、操作に必要な通信帯域などを確認してきた。幾つかの実証実験を経て２０２２年6月に日本外科学会がまとめた「遠隔手術ガイドライン」では、遅延は最大時でも１００ミリ秒以下が望ましいとしている。

遅延に対しては、リバーフィールドがロボットに実装するエンコーダーを工夫した。画面の一部のデータがそろった時点で部分的に圧縮処理できるようにして、エンコーダー由来の遅延をこれまでよりも抑えた。

ゆらぎに関しては、メディカロイドが遠隔地から送信されたデータのゆらぎを吸収する仕組みを開発している。

さらに現地（手術室）に熟練の指導医がいない状況に対応する必要がある。例えば、指導医側と主治医側を結ぶネットワークが途絶えたとき、別の回線に切り替えられるようにしておく。切り替えられなかった場合、遠隔支援による手術を中断ないし中止し、現地での通常手術に切り替える判断が求められる。

（高橋 厚妃＝日経バイオテク）

069

介護ロボット

感知・判断・動作ができる介護用機器

技術成熟度……高

2030期待度……48.8

ロボット技術の介護利用における総称。厚生労働省と経済産業省は重点分野として、「移乗介助」「移動支援」「排せつ支援」「見守り・コミュニケーション」「入浴支援」「介護業務支援」の6分野を定めている。

ロボットの存在を前提に、介護職員がスムーズに仕事をして、被介護者がストレスなく過ごせるようにする動きが進んでいる。

センサーやカメラを被介護者の居室に取り付け、容体の異常があれば介護者に知らせるシステムは見守り・コミュニケーションロボットに当たり、導入が進んでいる。だが、本書に掲載した「2023年のテクノロジー期待度ランキング」で圧倒的1位になった「介護ロボット」に回答者が期待しているのは、移乗介助や移動支援など、介護者の負担が重い分野の支援であろう。

FA（ファクトリーオートメーション）や医療機器の制御システムなどを手掛けるマッスルは移乗介助ロボット「SASUKE」を開発し、2022年8月時点で約600施設に導入している。

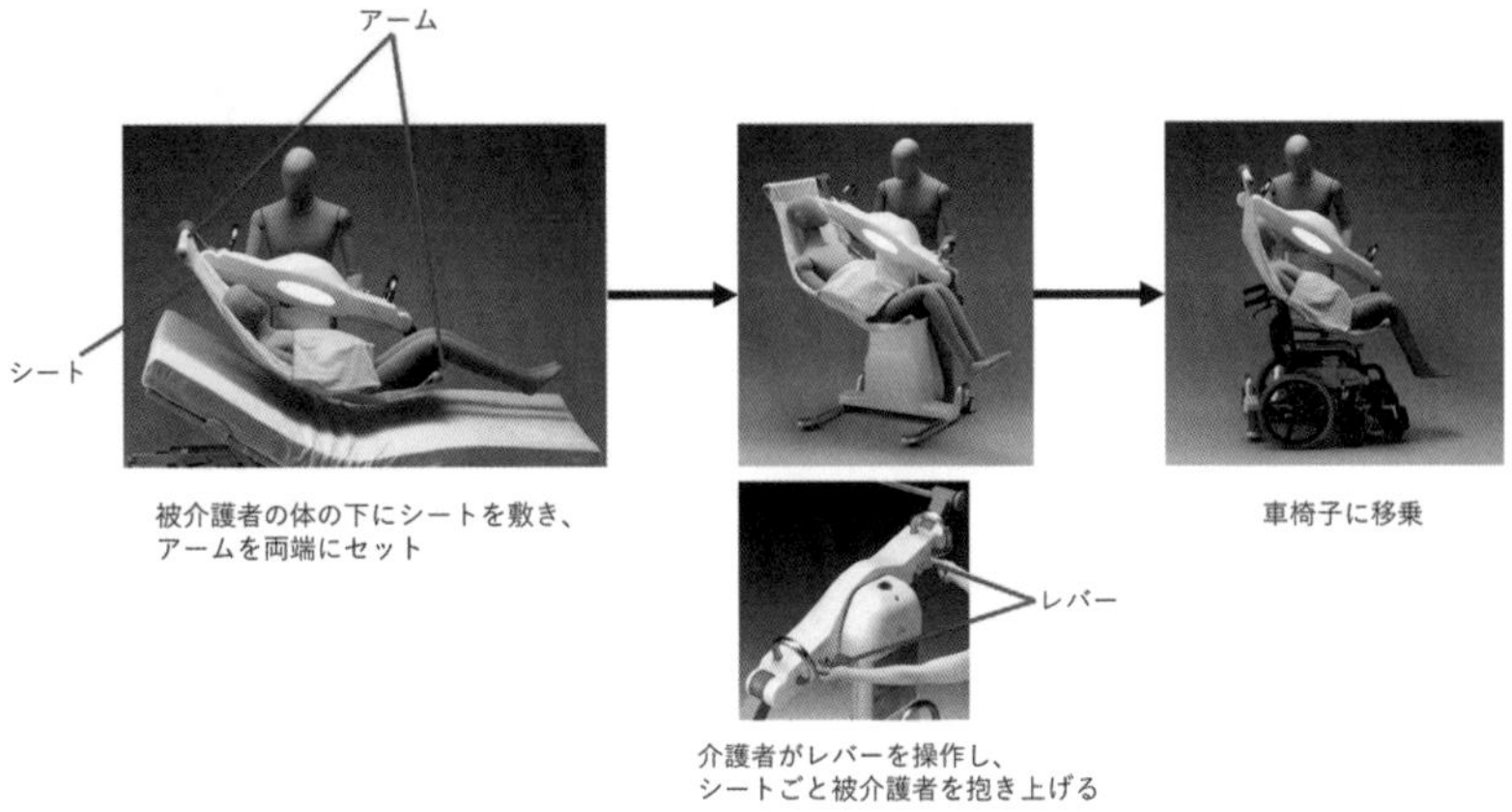

図　SASUKEを使ってベッドから車椅子への移乗を介助する流れ
（出所：日経クロステック、画像提供：マッスル）

SASUKEは「お姫様抱っこ」のように被介護者を移乗させる。介護者がベッドに寝た被介護者の下にシートを敷き、シートの両端にアームを差し込む。レバーを操作すると、SASUKEが被介護者に起き上がる姿勢をとらせ、シートごと抱きかかえるように車椅子に移乗させる。シートという面で被介護者を支えることで脱臼や骨折のリスクがある被介護者にも使用できる。介護者が2人がかりでなければ移乗できなかった被介護者を1人で移乗させられる。

SASUKEによる移乗介助であれば被介護者は頼みやすくなる。人間だけで介助する場合、被介護者が介護者の腰痛を心配し車椅子への移乗を頼みづらいことがあった。

SASUKEは介護者がベッドのそばまで移動させる。自動的に動かすことも検討したが、現場の声を聞いたところ、近くまで来るのを待っている時間が介護者にはストレスだと分かったという。

（渥美友里、杉山千織＝日経クロステック・日経コンピュータ）

070

医薬品の在庫管理クラウド

薬局の課題である在庫管理を容易にする

技術成熟度……高

2030期待度……5.6

薬局における医薬品の在庫管理を簡単に行うデバイスとクラウドサービスが使われ始めている。病院あるいは歯科や美容皮膚科など院内処方をしている診療所でも使われている。

医薬品の下にマットを敷くだけで、定期的に重さを計測し、在庫量をクラウド側で把握できる。自動発注システムと組み合わせることも可能である。

薬局では１０００品目ほどの医薬品の在庫があり、棚卸し作業が現場の負担となっている。

スマートショッピングが提供するSmartMat Cloudは、スマートマットと呼ぶマットの上に医薬品を置くことで、重量から個数を算出し、在庫数をクラウドサービス側で管理する。医薬品以外にも、薬袋、軟膏を入れるプラスチックの容器なども置いて管理できる。

Ａ４サイズのマットの場合、30kgまで搭載でき、10g単位で計測できる。

マットは上に置かれた医薬品などの在庫数を定期的に計測し、クラウドへ送信する。利用者は管理画面から在庫数を確認できる。あらかじめ決めておいた基準値を下回ったら、利用者に

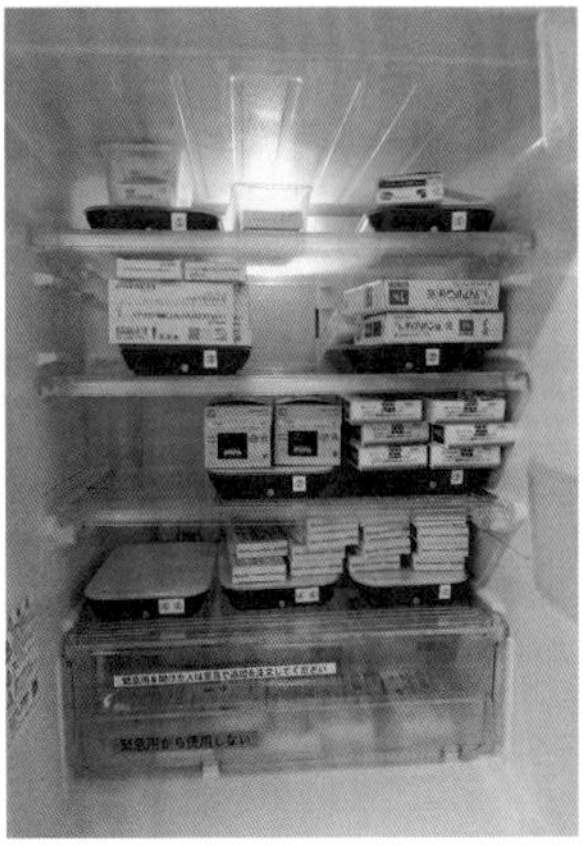

図　スマートマットによる計測

医薬品などを乗せておくだけで数を把握できる。冷蔵庫の中でも使える。

（出所：スマートショッピング）

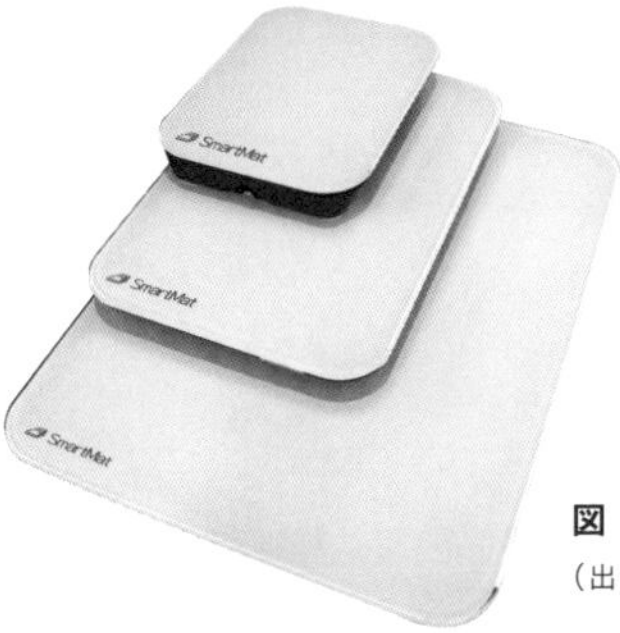

図　スマートパットの種類

（出所：スマートショッピング）

通知する。あるいは電子メールなどを使って自動発注する。

スマートマットクラウドは医薬品などに付けられている「メディコード」と連携しており、メディコードが付いている医薬品を自動発注できる。

既存の調剤薬局向け在庫管理システムと連携させることも可能である。調剤薬局向け在庫管理については複数のパッケージソフトウエアやクラウドサービスがある。ただし、在庫数を棚卸などにより正確に把握する必要があり、それがかなりの手間になっていた。

（谷島 宣之＝日経BP 総合研究所 未来ラボ）

071

人工肉

植物や培養した動物の細胞を材料にする

技術成熟度……中

2030期待度……24.4

肉以外の材料から本物の肉のような味と食感を再現する。大豆を中心とした植物性原料からつくる「代替肉」のほか、牛や豚といった動物の細胞を培養する「培養肉」も注目を集めている。

人工肉のうち、培養肉は牛や豚の少量の細胞を特殊な機器を使って大量増殖させ、成形して製造する。食肉の世界的需要が高まる中で安定して供給できる方法として期待されている。家畜を生かしたまま細胞採取でき、環境へ与える負荷も低い。無菌培養のため長期間保管可能で食中毒を起こしにくい、味や栄養、脂肪分などを制御可能、という特徴もある。

培養肉を使ったハンバーガーは２０１３年に初めて登場しており、欧米やイスラエル、シンガポールなどを中心に、培養肉関連の起業や事業参入、投資が進んでいる。中でもシンガポール食品庁は培養肉の販売を２０２０年12月に世界に先駆けて承認した。

これらの国や地域が培養肉の普及を急ぐ理由として「食の安全保障」がある。新興国の食糧

図　東京大学と日清食品ホールディングスが開発した培養肉
（写真：加藤 康）

需要の拡大や気候変動などで、食肉の安定供給が将来脅かされる危険がある。

　それに備えるために、食料の約９割を輸入に頼っているシンガポールは２０３０年までに食料自給率を３割に引き上げる目標を掲げる。利用できる国内の土地も少ない中、シンガポールは食肉を製造できる手段として培養肉に期待をかける。

（久保田　龍之介＝日経クロステック・日経エレクトロニクス）

072

ナノジーン育種

ごくわずか（ナノ）な遺伝子（ジーン）に働きかけて品種を改良する

技術成熟度……高

2030期待度……11.7

10億分の1（ナノ）の特定の遺伝子（ジーン）を酵素の刺激によって切り取り、意図的に品種改良を起こす手法。他の生物の遺伝子を注入する遺伝子組換えとは異なる。自然界でも起きる遺伝子の欠失を人為的に再現し、魚の可食部を大きくしたり、給餌量を減らしたりする。

優良な個体を選んで掛け合わせる選抜育種の場合、品種改良に10〜30年かかるが、ナノジーン育種は2年程度で改良できるという。

ナノジーン育種に取り組むスタートアップ、リージョナルフィッシュは可食部を1・2倍に増量しつつ給餌量を2割減らせた「22世紀鯛」や、成長性を1・9倍にし、給餌量を4割減にした「22世紀ふぐ」を生産、販売している。

2品種の改良に加え、さらに20品種程度を開発中である。成長性の速さや肉付きの良さだけでなく、例えばDHA（ドコサヘキサエン酸）やEPA（エイコサペンタエン酸）など特定の栄養成

図　可食部を1.2倍に増量させた「22世紀鯛」
（出所：リージョナルフィッシュ）

分を増やす、食べやすいように骨を減らす、軟らかくする、といった品種改良を視野に入れる。

直径1ミリほどの魚の卵に注射針のような器具で酵素を打ち込み、狙った遺伝子が確実に欠失したかを確認する。その個体を孵化させて生育し、変異（改良効果）があるかどうかを検証する。酵素の打ち込み、孵化、生育の試行錯誤を繰り返し、鯛やふぐの改良にこぎつけた。改良に成功した成魚から採卵し、次の世代を安全かつ効率的に育てる完全養殖の確立にも取り組んだ。

リージョナルフィッシュの手法は京都大学の木下政人准教授が研究する水産物の遺伝子編集技術に基づいている。完全養殖については近畿大学水産研究所の知見を活かしている。同社は木下准教授を取締役CTO（最高技術責任者）に、近大水産研究所の家戸敬太郎教授を科学技術顧問に、それぞれ招いている。

（金子 芳恵＝フリーランス）

073

RNA農薬

遺伝子の機能を阻害し、特定の害虫だけ駆除

技術成熟度……高

2030期待度……11.9

ＲＮＡ干渉と呼ばれる、遺伝子の振る舞いを止める作用に基づく農薬。害虫に必須の蛋白質の生成を止め、害虫の成育を阻害する、といったことができる。標的となる害虫以外には影響しないように設計することができる。生命現象を制御することからバイオ農薬と呼ぶ場合もあり、従来の化学農薬の補完薬として期待されている。化学農薬型の殺虫剤が、受粉に必要なミツバチなど益虫へ悪影響を与えることが世界的な問題となっている。

味の素の研究グループがＲＮＡ干渉を利用したＲＮＡ農薬の量産系を確立した。基礎生物学研究所（愛知県岡崎市）との共同研究で害虫に対する生育阻害活性を確認しており、研究成果は２０２３年3月8日、日本農薬学会第48回大会で発表された。

通常、ＲＮＡ（リボ核酸）の遺伝情報はたんぱく質へと翻訳合成されるが、ＲＮＡ干渉が起きると、遺伝情報のたんぱく質への翻訳が抑制されてしまう。味の素が開発中のＲＮＡ農薬は

この仕組みを利用している。ＲＮＡ農薬は作用する害虫を限定でき、ミツバチなどの益虫への影響を回避できる。適度に生分解することから土壌や水圏を汚染する心配が少ない。ＲＮＡ農薬に耐性を示す害虫が出現したとしても、それに合わせて農薬を調整できる。

低コストで量産するために、グルタミン酸の生産などで利用実績があるコリネ型細菌を使う技術を同社は開発した。開発した生産菌株を培養槽で培養したところ、ＲＮＡ干渉を起す二本鎖ＲＮＡ（ｄｓＲＮＡ）を培地当たり１・０ｇ／Ｌ以上、生産できることを確認した。この生産系を採用すれば、１ｈａに培養液１Ｌを散布すれば済む計算になる。

生産したｄｓＲＮＡの有効性を、基礎生物学研究所進化発生研究部門の新美輝幸教授と共同でナス科作物の害虫、ニジュウヤホシテントウに投与したところ、生育を阻害する効果が出た。テントウムシには益虫もいるが、味の素バイオ・ファイン研究所マテリアル＆テクノロジーソリューション研究所の羽城周平主任研究員は「益虫のゲノム情報と照合して安全性が高いｄｓＲＮＡの配列を設計することは可能」と見る。グローバルコーポレート本部Ｒ＆Ｄ企画部インキュベーショングループの臼田佳弘シニアマネージャーは「事業化に当たっては農薬企業との提携を希望している。原体（ｄｓＲＮＡ）の受託製造や菌株のライセンスなどが考えられるが協議して決めていきたい」と語る。さらに「真菌やジャガイモなどに深刻な被害を与える線虫に対してもｄｓＲＮＡの効果が報告されている。事業化を望むパートナーがいれば連携して取り組みたい」（臼田シニアマネージャー）。

（小崎 丈太郎＝医学・生命科学記者）

074

ビーガンレザー

菌糸体の繊維を使って皮の代替素材をつくる

技術成熟度……高

2030期待度……13.0

レザーの代替品を目指した植物を原料とする新素材。キノコやリンゴなどを使う。動物由来のものを避けることから「ビーガン」（植物性食品だけを食べる人）を冠して呼ぶ。サステナビリティー（持続可能性）やエシカル（倫理的）消費に対する意識の高まりに応えられる。

キノコの根に生えている、菌糸体と呼ばれる綿のような繊維を使って合成皮革を開発するスタートアップがある。菌糸体を使ったレザー代替素材「Ｍｙｌｏ（マイロ）」を提供する米ボルト・スレッズである。

独アディダス、カナダのスポーツ衣料メーカー、ルルレモン・アスレティカ、英ファッションブランドのステラ・マッカートニー、日本の土屋鞄製造所などがＭｙｌｏを使った製品の開発や販売を進めている。土屋鞄製造所は２０２２年12月からＭｙｌｏを使った小型の財布を販売、ランドセルやバッグも手掛けていく。

バイオ化学者のダン・ウィドマイヤーＣＥＯ（最高経営責任者）が中心となり、２００９年にボルト・スレッズを設立した。「我々の使命は38億年の歴史を持つ地球上の生命から生まれた偉大な発明を活用すること」とウィドマイヤーＣＥＯは語る。

当初はクモの糸のたんぱく質構造を応用したシルク風の糸を扱っていたが、協力関係にあるブランドからレザー代替素材の要望が強くなってきたこともあり、２０１８年からキノコ菌糸体の素材開発に取り組んだ。

キノコ菌糸体は水と空気、生育時に培地の表面を覆うマルチング材（おがくずを利用）だけがあれば育てられるので安定供給ができる。ボルト・スレッズは再生可能エネルギーだけを使う施設でキノコ菌糸体を栽培している。

図　レザー代替素材Mylo
（出所：ボルト・スレッズ）

約2週間で袋に入れてつぶした綿あめのようになる。これらを収穫し、色を着け、シート状の素材にし、表面に化学加工を加え、皮のように仕上げる。

（松元 英樹＝シリコンバレー支局長）

第7章

ライフスタイル／ワークスタイル

心身を穏やかに、豊かにする

075

ストレス軽減アプリ

自然音を聞いたりして
ストレス軽減を支援

技術成熟度……高
2030期待度……9.0

個人の心身の状態に合わせて気持ちの切り替えをスマートフォンで支援するアプリ。こうしたアプリを「トランスフォーマティブ・テクノロジー」「ウェルビーイング・テクノロジー」と呼ぶこともある（『76 瞑想アプリ』を参照）。

ポーラ・オルビスホールディングスで研究開発機能を担うポーラ化成工業は「me-fullness（ミーフルネス）」を提供している。

利用者の顔の動画を撮影、そこから疲労の程度を判定し、スマホの振動とビジュアル、音楽がセットになったコンテンツを提供する。利用者の状態を把握し、それぞれに最適なコンテンツを配信する。

夜間に使うオフタイムモードを選ぶと撮影画面になり、フレームに自分の顔が収まるようにスマホを構えると、「疲れた目をしているように見える」などの質問が表示され、5段階評価で回答すると30秒間の顔動画撮影に移る。

肌の状態からストレスや疲労の度合いを推定できる。同社が持つ数千人分の肌情報データベースを利用する。さらに肌の色の変化から心拍数と、心拍のペースも読み取れる。速くなったり遅くなったりと揺らいでいるのが正常で、疲労度が強いと揺らぎがなくなってくる。

顔動画から分かるデータと、質問に対する回答から、心と体の充実度を判定、簡単な解説とともに、「今のあなたへおすすめ」として、スマホの振動と音楽、ビジュアルがセットになったコンテンツの候補が3点表示される。両手でスマホを握り、触覚（振動）と視覚（ビジュアル）、聴覚（音楽）に作用するコンテンツを体感することでリラックスし、眠りに入る。

図　ポーラ化成工業がリリースしたアプリ「me-fullness」
（出所：ポーラ化成工業）

オンタイムモードでは、顔の撮影を省略して指の撮影で代行し、簡易分析の結果と、振動とビジュアルがセットになったコンテンツを提示する。

アプリ体験後の変化について、ストレス度合いを把握できる唾液中コルチゾールを測定したところ、一定のパソコン作業後にアプリを体験したグループのほうが非体験グループよりストレスが有意に低下した。

産後ケアアプリなどにも機能の搭載が進んでいる。

（小林 直樹＝日経クロストレンド）

076

瞑想アプリ

心の落ち着きや安眠などを支援する

技術成熟度……高

2030期待度……9.6

睡眠、マインドフルネス、瞑想などを支援するアプリ。

精神も含めた健康、幸福感を重視されていることに応える。

この領域はかねてより注目されており、アプリにデバイスも加え、トランスフォーマティブ・テクノロジー（トランステック）、スリープテック、ウェルビーイング・テクノロジーと呼んだりする。

精神も含めて健康になり、幸福感を得るために、睡眠、マインドフルネス、瞑想などが注目されている。これらを支援するアプリは多数提供されている。

著名なものとして、米カームの瞑想アプリＣａｌｍがある。ｉＰｈｏｎｅの利用者20万人を対象にした調査の結果、「世界で一番幸せなアプリ」に選ばれた。

Ｃａｌｍアプリから様々なコンテンツを体験できる。スリープストーリー（眠りやすくなる物語の朗読）や心が休まる音楽、自然音を聴いたり、瞑想をしたりできる。

瞑想アプリのコンテンツは大きく3点ある。まず、瞑想を手助けする。音声で瞑想をガイドする、インストラクターがオンラインで助言する、といったことを体験できる。

次に良い睡眠へ誘導する。色々な朗読や音楽、音を選んで聞ける。寝る前に聴くとよく眠れる音を自分向けにつくることもできる。

様々な計測機能が用意されている。日々の感情を記録する。質問に答えて自分の状態を知る。キーボード操作やスマートフォンへの文字入力の速さを継続して計り、心の状況を把握する。寝ているときの自分や周囲の音を録音し、問題があれば解決への提案をしてくれる。

なお、トランスフォーマティブ・テクノロジーあるいはウェルビーイング・テクノロジーといった場合には、睡眠やマインドフルネスの支援に加え、体の調子を調べる、運動を後押しする、といったアプリやデバイスも含む。

（三好敏＝日経BP 総合研究所 クリーンテックラボ）

077

更年期対策

体に付けるセンサーでデータを集め、健康維持に関して助言する

技術成熟度……高

2030期待度……30.0

就業率の高い更年期世代（45〜54歳）の健康維持のための取り組みの総称でeラーニングや体調のモニタリングといった技術の利用も含む。

更年期に入る頃からみられる、体調の不良や情緒の不安定など（更年期障害）は女性だけではなく男性にも起こる。

女性について言えば、更年期世代の働く女性は７４８万人（労働力調査・２０２１年）、働く女性の４分の１を占めており、更年期の女性が働きやすい環境をつくることが重要になっている。

一例として、シンクタンクの米ＳＲＩインターナショナルとそこから生まれたスタートアップ、米リサ・ヘルスは、体に付けられるセンサーやスマートフォンなどから得られるデータに基づいて、更年期障害などに関する知識と対策への助言を、利用者の状態に合わせて提供するサービスに取り組んでいる。

ＳＲＩは更年期障害の典型である夜間のほてりが睡眠障害を起こすことを示す研究を続けてきており、関連データを蓄積している。

国内でも様々な取り組みが進む。丸井グループは２０２３年2月からオンラインの健康相談あるいはオンライン診療を1年間は利用無料として始めた。更年期の悩みがあっても婦人科の検診につながりにくいことへの対処である。

大和証券グループは更年期の仕組みやリテラシーを解説するeラーニング講座を用意したほか、産婦人科医の対馬ルリ子氏が講義した動画「ここからビューティー 働く女性の健康講座」を自社で制作した。

第一生命ホールディングスは女性特有の悩みを専門家に気軽にＬＩＮＥで相談できる仕組みづくりや、男性ホルモン（テストステロン）を唾液で検査するキットと同社独自の健康増進プログラム試作版を男性社員に体験してもらう実証に取り組んでいる。ＰｏＣ（実証）を通して新規性の高いテーマの開拓を担う社内組織と連携し、更年期対策においても最先端の情報や技術を取り入れ、スタートアップや専門家とコラボレートしていく。

これら3社は専門組織を用意し、更年期を含む健康対策に関するセミナーやワークショップを定期的に実施し、上司や周囲の理解をうながしたうえで、ツールの利用を始めている。

（加藤 京子＝日経ｘｗｏｍａｎ、谷島 宣之＝日ＢＰ 総合研究所 未来ラボ）

078

顔認証決済

顔を映すだけで商品を買える

技術成熟度……高

2030期待度……26.6

利用者が顔を端末に向けるだけで商品を購入する仕組み。現金やスマートフォンがなくても買い物ができる。間違わずに顔を認識する技術は整ってきているが、利用者にとっての「心理的なハードル」は残っているという指摘がある。

ＮＥＣは２０２３年４月24日、顔認証で自動販売機の決済をできるようにするサービスを始めると発表した。伊藤園が２０２３年５月中旬に、このサービスを採用した自販機による事業を始める。ＮＥＣは飲料メーカーなどに向けて、顔認証決済を行うためのクラウドサービスと、顔認証決済アプリケーションを搭載したタブレット端末を販売する。

利用者は事前に自販機に掲示してあるＱＲコードからＮＥＣの専用Ｗｅｂサイトにアクセスし、クレジットカード情報や顔画像、商品購入時のパスコードなどを登録しておく。次に自販機で商品を選択し、設置されているタブレット端末から顔認証を実施、パスコード

実証主体	実証実験の概要
大阪メトロ	駅構内にあるポップアップ型販売店舗「Metro Opus」の梅田店で2022年4月から2023年3月、なんば店で2022年7月から2023年3月まで顔認証決済の実証実験を実施した。
新潟市、グローリー	2022年1月から2022年2月の間、新潟駅と古町エリアを結ぶ「にいがた2km」にある飲食店や服屋など10店舗で顔認証決済の実証実験を実施した。
パナソニック	2021年11月から2022年1月の間、「富士急ハイランド」や周辺の観光地、観光地を巡る観光バスなどの支払いに顔認証を利用する「富士五湖 顔認証デジタルパス」の実証実験を実施した。
Retail AI	2022年4月に、福岡県宮若市の「トライアルGO 脇田店」に設置した無人レジにカメラを取り付けた。従業員や市の職員を対象に実証実験を実施した。

図　顔認証決済の実証事例
（出所：日経クロステック）

を入力し、決済する。新設の自販機だけでなく、設置済みの既存自販機にも顔認証決済の仕組みを後付けできる。

利用者は手ぶらで商品を購入できるため、現金などの持ち込みが困難だった工場やスマートフォンを持ち込めない施設でも自販機を導入できる。自販機を設置する企業は利用者の許諾の下で、利用者が登録したデータをマーケティングに活用していける。

ＮＥＣはオフィスの出退勤管理やホテルのチェックインなどにすでに利用されている顔画像などのＩＤを、今回提供を開始する自販機の顔認証決済にも活用できるようにしていく。

顔認証決済の実証実験は相次いでいるが本番導入までこぎ着けた事例は少ない。顔を決済にひも付けるにあたって、認証精度や登録した情報を守るセキュリティーなどの技術は進化しているものの、利用者の「なんとなく不安」という気持ちは残る。登録した顔の画像データを誰が保管しているのか、どう認証するのか、といった点を分かりやすく説明するコンテンツを作成し、問い合わせにサポートデスクで応え、心理的なハードルを下げる必要がある。

（筒井 爽人＝日経クロステック・日経コンストラクション、貴島 逸斗＝日経クロステック・日経ＮＥＴＷＯＲＫ）

079

パスキー（Passkeys）

パスワードなしで認証ができる

技術成熟度……高
2030期待度……22.9

パスワード代替のコンセプトとその技術。パスワードを使わずに本人の認証をするための「認証資格情報」を複数の端末で使えるようにすることで、使い勝手をよくする。

2022年9月以降、米アップルとグーグルが、スマートフォンやパソコン向けのOSやWebブラウザーにこの仕組みを実装した。

パスキーはパスワードレス認証に取り組む非営利団体ＦＩＤＯアライアンスが策定する認証仕様の使い勝手を高める仕組みである。

ＦＩＤＯアライアンスは１つの認証資格情報を複数の端末で使用できる「マルチデバイス対応ＦＩＤＯ認証資格情報」という機能を考え、これをパスキーと呼び、企業がパスキーの仕組みをそれぞれ実装できるようにした。利用者が端末を買い替えたり、故障・紛失したりしたときには、クラウド上にある取得済みのパスキーを新しい端末に取り込むだけでよい。

もともとの仕組みでは端末の生体認証などを使って本人の認証を済ませると「ＦＩＤＯ認証

資格情報」と呼ぶ「鍵」を端末に生成、この鍵をWebアプリケーションがあるサーバー側とやりとりしてログインしていた。この手順であればパスワードを送るより安全性が高い。ただし、複数の端末を利用する場合、各端末で認証資格情報を取得する必要があった。また、端末を紛失したり、新しい端末に買い替えたりしたときに認証資格情報を取得し直さなければならなかった。

今後の課題はWebアプリケーション側（サーバー側）の対応である。パスキーを使えるようにしなければならないが、FIDOアライアンスが2022年10月に発表した調査によると、有力企業を除けばIDとパスワードによる認証だけに頼るアプリケーションがまだまだ多い。

パスキーを導入すれば、「パスワードを忘れた」という問い合わせへの対応工数を削減できる。事業の機会損失も防げる。FIDOアライアンスの調査によると、パスワードを思い出せなかったため、サービスへのアクセスを諦めた利用者の割合はある月では過半数を超えるという。

（国司 理紗子＝日経クロステック・日経コンピュータ）

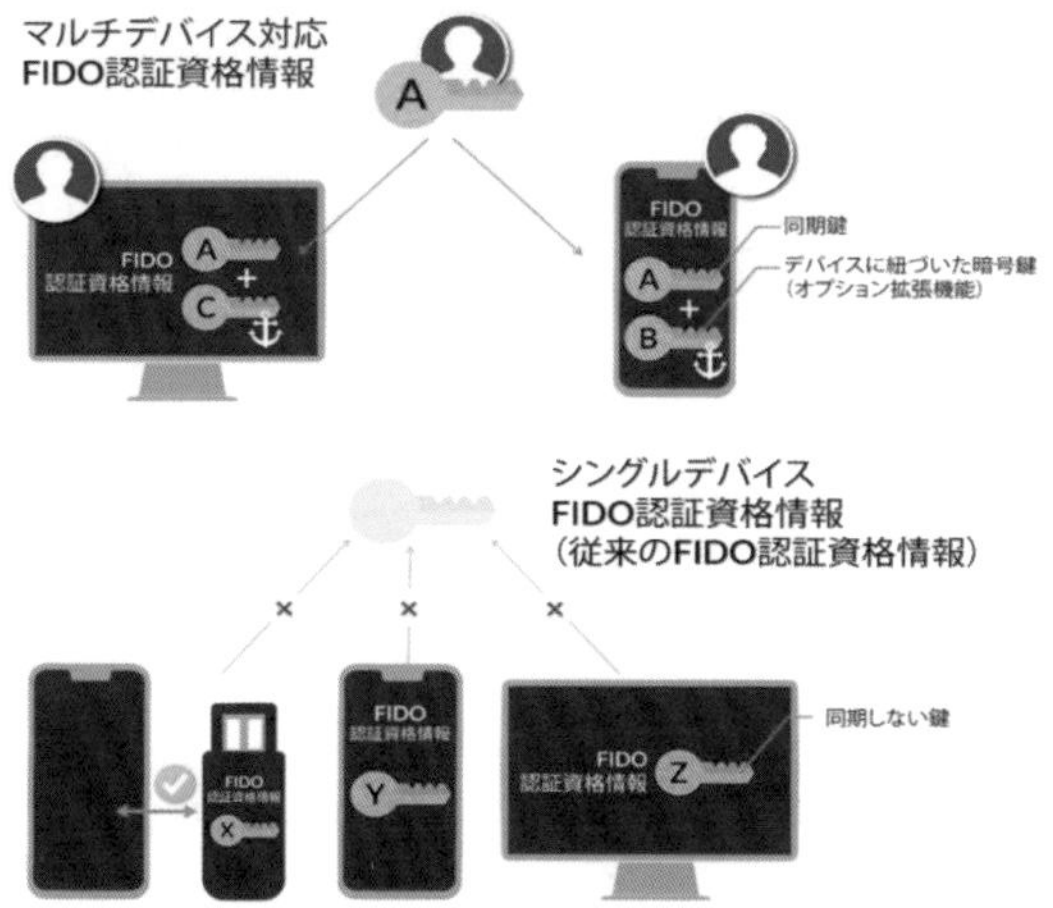

図　マルチデバイス対応FIDO認証資格情報（上）と従来のFIDO認証資格情報（下）のイメージ図
（出所：FIDOアライアンス）

080

ＢａａＳ（バンキング・アズ・ア・サービス）

銀行の機能をクラウドサービスで提供する

技術成熟度……高

2030期待度……16.7

金融サービスを手掛けたい外部事業者に対し、ＡＰＩ（アプリケーション・プログラミング・インターフェース）などを介して金融機能を提供するクラウド型サービスのビジネスモデル。利用者の動線に近い場所に金融サービスを組み込み、潜在的なニーズに応えていく。

これまでＢａａＳに取り組んできたのは主に新興銀行だったが、メガバンクも動き出している。三菱ＵＦＪ銀行とＮＴＴドコモは２０２２年12月、デジタル口座サービス「ｄスマートバンク」を開始した。ドコモの銀行サービスを三菱ＵＦＪ銀行が裏で支える。ｄスマートバンクの残高照会や入出金明細照会、本人確認、口座登録といった諸機能を、個人向けインターネットバンキング「三菱ＵＦＪダイレクト」のそれらを呼び出して実現する。

みずほ銀行は事業者が電子マネーを運営するために決済・チャージ機能を提供する「ハウスコインサービス」を始め、２０２２年9月にヤマト運輸が開始した「にゃんＰａｙ」で採用された。みずほ銀のキャッシュレス決済サービス「Ｊ－Ｃｏｉｎ Ｐａｙ」の機能を外部に開放するものである。

一方、早くから「ＮＥＯＢＡＮＫ」ブランドでＢａａＳに取り組んできた住信ＳＢＩネット銀行は協業先企業と金融サービスを開発していくなかで「Ｐａｙ機能」を汎用化し、ヤマダデンキに提供した。

ヤマダＮＥＯＢＡＮＫの利用者が店頭で決済すると、レジから住信ＳＢＩネット銀行のリアルタイム口座振替機能を通じて決済情報を同行に伝え、これを受けて同行にある利用者の個人口座から代金を引き落とし、ヤマダデンキの法人口座に入金する。

店頭ＱＲ決済サービスとして始まったＢａｎｋ Ｐａｙ（運営は日本電子決済推進機構）は事業者のアプリに金融機能を提供するインフラになりつつある。２０２１年に、事業者アプリ向けに電子マネーチャージやハウス決済機能の外部提供を始め、２０２２年にはＥＣ（電子商取引）の際に口座引き落としで決済ができる機能を追加した。

Ｂａｎｋ Ｐａｙに参画している約１４０の金融機関は加盟店となる事業者を開拓する中で、これらの機能を提案できる。大手事業者からスタートアップ企業、自治体まで、２０２３年２月時点で10数社が導入を決めており、加えて数社と具体的な話を進めているという。

Ｂａｎｋ Ｐａｙを使ってＢａａＳに参入した地銀もある。西日本シティ銀行はＥＣ事業者向けに２０２２年10月、代金を銀行口座から即時引き落とする決済手段「銀行口座払い」の提供を始めた。

（岡部 一詩＝日経クロステック）

０８１

甘噛みロボット

指を出すと柔らかく噛んでくれ、幸せな気分になる

技術成熟度……高

2030期待度……1.6

指をハムハムするだけのロボット。

開発したのは、ハードウエアベンチャーのユカイ工学。ユカイ工学は、しっぽが付いたクッション型ロボットＱｏｏｂｏなどでもヒットを飛ばしている。

「甘噛みハムハム」に、指を差し出すと、柔らかく繰り返し挟んでくれる。機能はそれだけのロボットが1年半ほど前の２０２２年1月、米ラスベガスで開催された家電見本市「ＣＥＳ２０２２」に登場して以来、話題になっている。

機構は簡単で、差し込んだ指に反応し、上唇と下唇に該当するパーツが動いて挟むだけ。一連の動作を行うモジュールを「ハムリングシステム」と名付けた。これを入れれば、様々なぬいぐるみが甘噛みをしてくれる。

ハムリングシステムはコンピューター制御されており、「ハムゴリズム」というプログラムにより、さまざまな甘噛みのしぐさができる。例えば、味わいハム、溺れハム、空振りハムと

図　独自開発の甘噛みユニットをぬいぐるみに入れると甘噛みハムハムになる

いったしぐさが用意されており、指を入れるたびに違った甘噛みを体験できる。

開発チームは、メンバー自身の子育ての経験から、赤ちゃんの甘噛みをするしぐさを思い出し、ロボットにすることで「（乳幼児という）ほんの短い期間にしか体験できない幸せな時間を再現できないか」と考え、開発プロジェクトを始めたという。

第1弾として、りぶはあとの「ねむねむアニマルズ」というぬいぐるみとコラボレーションしたモデルを展開。順次、バリエーションを増やしており、既に4万匹以上を販売している。

ユカイ工学は青木俊介CEO（最高経営責任者）が2007年に、「ロボティクスで、世界をユカイに。」というビジョンに掲げて操業した。ファミリー向けコミュニケーションロボット「BOCCO」「BOCCO emo」、しっぽの付いたクッション型ロボット「Qoobo」など、一風変わったロボットを開発してきた。

なでるとしっぽを振ってくれるQooboの販売数は、ミニサイズのPetit Qooboと合わせてシリーズ累計4万匹を超えている。Qooboは熱狂的なファンを持ち、SNSにはペットのように愛でている投稿が続出している。ユカイ工学が開催したファンミーティングには応募が殺到、参加者を抽選で選ばざるをえない状況になったという。

（森岡 大地＝日経クロストレンド）

082

液中描画

食品由来の描画飲料で
液体中にイラストなどを描く

技術成熟度……中

2030期待度……2.0

とろみのある透明な飲み物の内部に、食物由来のインクでロボットが絵を描く技術。サントリーが開発し、２０２３年１月の米テクノロジー見本市に出展した。

エスプレッソコーヒーの表面にクリームで絵やメッセージを描くラテアートを出す店を普通に見かけるようになった。今後は表面だけでなく、飲み物の内部に3次元の絵やメッセージを描けるようになるかもしれない。そんな夢のある技術「ＬｉＤＲ（Liquid Drawing）」をサントリーが開発した。

「飲料でダイレクトにメッセージを届ける」ことを狙い、絵だけでなくメッセージを描いたりもできる。

ロボットアームなどの機材を低コストで量産できるパートナーを探し、「デザイン飲料」を提供する技術として今後、結婚式会場やレストラン、スタジアム、遊園地などでの利用を目指す。

サントリーがＣＥＳ２０２３の会場で見せたデモでは、水に増粘材と砂糖でとろみをつけた

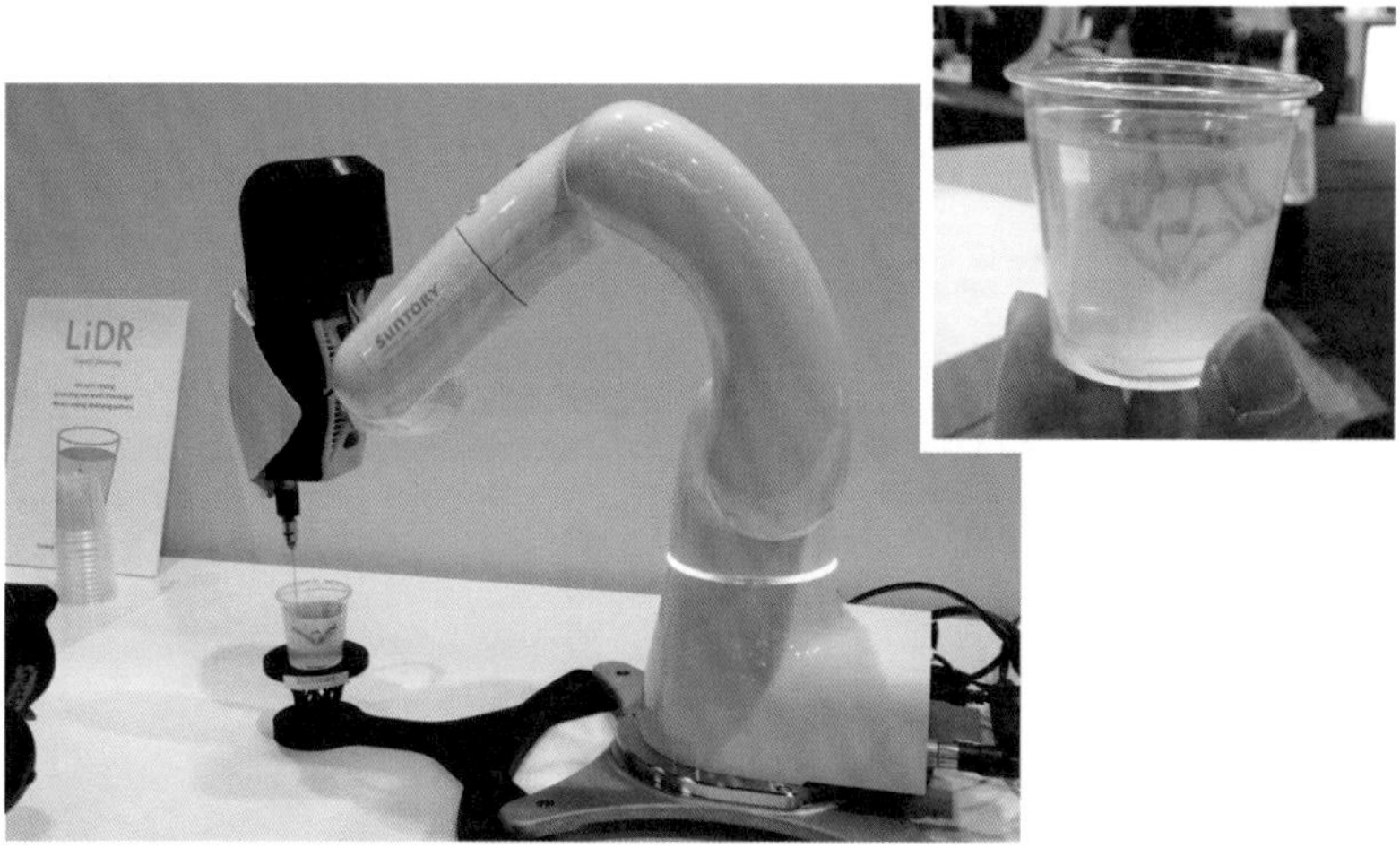

図　ロボットアームが液中描画をする様子

ロボットアームの先に取り付けた注射針からイカ墨由来のインクを出し、透明な飲み物の中に立体のダイヤモンドを描く。

（写真：日経クロステック）

飲料に、ロボットがイカ墨由来のインクで、立体のダイヤモンドの絵を描いた。ロボットアームの先に注射針が取り付けられており、イカ墨インクをそこから吐出する。描かれた絵はそのままなら1〜2日間保持できる。飲むこともできる。

　飲料の中に絵を描いて安定させ、かつ簡単に溶け合わないように、キャンバスとなる飲料と比重がそろっており、粒子が細かいインクを使う必要がある。デモでイカ墨由来のインクを使ったのはこのためだ。

　飲料内にインクを吐出する流量や動かす速度、動かし方にもノウハウがある。これらを組み合わせた描画プロセスにそってロボットアームを制御するためのソフトウエアを開発した。今回のロボットとソフトウエアをプログレス・テクノロジーズと共同開発した。

（内田 泰＝日経クロステック・日経エレクトロニクス）

083

アバター生成サービス

自身の3次元アバターを作り、動画を配信できる

技術成熟度……高

2030期待度……9.8

自分の分身画像であるアバターの3次元版を簡単につくれるサービス。例えばスマートフォンから自分の好きなアバターをつくり、そのままメタバースに参加することができる。自分の全身をスキャナーから撮影し、それをもとにアバターをつくるシステムも登場している。

２０２２年9月21日から12月14日の期間限定で開設されたある施設に３４０万人が訪れ、温泉に入り、サウナなどを楽しんだ後、２０２２年の流行語「ととのった！」を言って楽しんだ。

この「施設」は「ビームスディレクターズバンク プレゼンツ おふろパラダイス ととのい別天地」である。セレクトショップ運営のビームスが、インターネット上に開いた、いわゆるメタバースで、千葉県流山市にある施設「竜泉寺の湯 スパメッツァ おおたか」を再現した。

このメタバースはスマートフォン向けメタバースＲＥＡＬＩＴＹの上につくられた。ＲＥＡＬＩＴＹ用アプリのダウンロード数は１０００万を超えており、利用者はスマートフォンのＲＥＡＬＩＴＹ用アプリからアバターをつくり、メタバースに参加できる。温泉にやって

きたのは３４０万のアバターだった。

来訪者の属性を見ると、18歳から24歳が約6割を占め、男女比では女性が63％と多かった。これはＲＥＡＬＩＴＹ全体の利用者とほぼ同じ比率という。国別に見ると日本25％、アジア太平洋35％、北米21％、その他19％。「温泉施設は日本独自のものなので、もっと国内に偏ると思っていた」という主催者の予想とは違っていた。

このメタバースを訪れた人がリアルな温泉「おおたか」へ実際に行くという流れも起きた。

一方、全身をボディースキャナーで撮影し、そのデータから自動でアバターを作成してくれるシステムもある。Ｐｏｃｋｅｔ ＲＤが手掛ける「ＡＶＡＴＡＲＩＵＭ」（アバタリウム）である。身長１２０cmから２００cmまで撮影できる。アバターのデータをスマートフォンに取り込み、利用者が編集加工する。

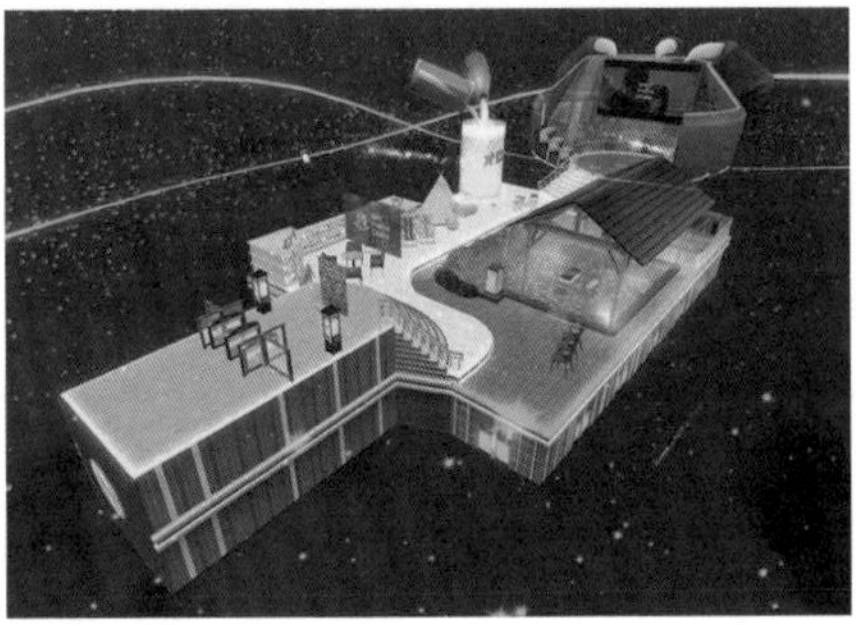

図　メタバースREALITYに設置された温泉
（出所：REALITY）

２０２１年10月に「バーチャル渋谷」で開催されたハロウィーンイベントでは人気漫画『名探偵コナン』とコラボレーションし、参加者は渋谷に設置されたＡＶＡＴＡＲＩＵＭを使ってアバターをつくり、コナンの登場人物の衣装をまとい、髪型を合わせたりして楽しんだ。

（大谷 真幸＝日経エンタテインメント！、谷島 宣之＝日ＢＰ 総合研究所 未来ラボ）

084

産業メタバース

産業ごとに用意し、熟練作業者の不足などに備える

技術成熟度……中

2030期待度……50.5

デジタル空間上に作業現場などを再現すること。メタバースを通じて、熟練作業者が遠隔地から仕事ができる。

インダストリアルメタバースであり、まずは製造業を対象にする。ただし、少子高齢化にともなう人手不足や熟練作業者の不足はどの産業界にも共通しており、そうした問題を解決する手法として普及が期待されている。

米マイクロソフトと川崎重工業は遠隔拠点間で使える共同作業システム「インダストリアルメタバース」を開発し、２０２３年４月にドイツのハノーバーで開かれた産業展示会「HANNOVER MESSE 2023」で、ドイツと日本を結ぶデモンストレーションを実施した。川崎重工の遺伝子検査装置をドイツの展示会場と日本の双方に設置し、実機から収集したデータを基に、装置をマイクロソフトのクラウドサービス上で再現した。

ヘッドマウントディスプレー（ＨＭＤ）を装着したドイツ側の専門家が、メタバース上にあ

図　デジタルツインで仮想化した設備

設備のデジタルツインを構築し、専門家が遠隔地の現場の様子を把握できるようにした。写真左が日本側、右がドイツ側の設備の状態を示している。
（出所：川崎重工とマイクロソフトの資料を日経クロステックが撮影）

る日本の装置の状態をＨＭＤ越しに把握し、同じくＨＭＤを装着した日本側の担当者に指示を出した。日本側の装置に過負荷エラーが発生し、それを確認したドイツ側の専門家が再起動の指示を日本側に送る、といった遠隔指示の事例を説明員が解説した。

川崎重工の遺伝子検査装置は産業用ロボットやＰＬＣ（Programmable Logic Controller）などを組み合わせたもので、取り扱いには専門的な知識と経験が求められる。そのため装置を初めて動かす場合、専門家が現地に移動する必要があった。インダストリアルメタバースがあれば、専門家が現地に移動することなく、遠隔地からでもトラブルシューティングなどに応じられる。

川崎重工は利用者としてインダストリアルメタバースの開発に取り組んでおり、同社内で利用している。展示会で説明員は「将来的には他社にも使ってもらいたい」と外販の可能性を示唆していた。

（斉藤 壮司＝日経クロステック・日経ものづくり）

085

人材マッチングアルゴリズム

従業員や部門の希望に基づき、人材配置を最適化する

技術成熟度……高

2030期待度……29.3

従業員が希望する配属先部門と、部門が希望する従業員の組み合わせを最適化する。双方から提出された優先順位付きの希望情報を基に、最適な配属結果を決定するアルゴリズムが開発されている。

臨床検査機器、検査用試薬などを手掛けるシスメックスは人材マッチングアルゴリズムの開発に取り組み、２０２１年の新卒入社社員の配属から使い始め、一般従業員への適用も進めている。

２０２１年度は新入社員の配属先は15部門あり、それぞれが新入社員に自部署を紹介した。次に新入社員が自分をアピールする。双方のプレゼンテーションが終わった後に、新入社員は第1希望から部門を選んでいき、希望する部門がなくなったら「該当なし」を選択する。希望する配属先が多い方がマッチングできる可能性が高まるため、このやり方にした。

各部門は希望する新入社員を優先順位付きで列挙し、双方の希望情報をマッチングアルゴリ

ズムに入力し、配属先を決める。

マッチングアルゴリズム導入後は、新入社員と部門の双方の希望が反映されるようになり、新入社員のエンゲージメントが高まったという。これまでは、人事部門が新卒入社の社員の意向を聞き取った上で配属案を決め、配属先の部門に打診していた。

一般従業員の場合、どのグレード・ミッションを部下に担ってもらいたいかという上司の希望と、本人による希望を出してもらい、マッチングさせる。ジョブ型人事制度への移行に伴い、係長未満の従業員に3段階のグレードを設け、それぞれ2種類のミッションタイプを設定、グレードやミッションによって処遇が変わるようにした。

マッチング対象となる従業員約１３００人のうち、94％が希望通りになった。６％は希望した配置先が定員オーバーだった、希望を記入しなかった、というケースだという。

「ジョブ型人事制度の枠組みの中で、自分のキャリアを自分で選べる世界をつくりたかった」と考えていたシスメックスの前田真吾人事本部長が東京大学マーケットデザインセンター（ＵＴＭＤ）のセンター長で、マッチング理論やマーケットデザインの研究をしている小島武仁教授に出会い、ＵＴＭＤの支援の下で、自社に最適なマッチングアルゴリズムを共同研究した。

（吉川 和宏＝日経ＢＰ 総合研究所 Ｈｕｍａｎ Ｃａｐｉｔａｌ Ｏｎｌｉｎｅ ライター）

第8章

IT・通信

五感の伝送や脳との直結など
人間との融合が進む

086

シリコン型量子コンピューター

超電導型と比べ、温和な条件でノイズを制御でき、小型になる

技術成熟度……低

2030期待度……27.1

コンピューターに使われているシリコン半導体の製造技術を使い、小型の量子コンピューターを実現する技術。量子コンピューターで主流の超電導型に比べ、温和な条件で稼働し、小型化しやすい。簡易な演算や量子コンピューターの導入検討といった用途に向けて開発が進められている。

シリコン型量子コンピューターは、米ＩＢＭなどが開発する超電導型の量子コンピューターと比べると、温和な条件でノイズを制御できるとされている。装置の小型化に有利で、高さ１ｍほどの本体の中に冷却機や演算チップなどを収めるシステムを実現できるという。

産業技術総合研究所（産総研）の研究チームが２０２２年12月に開かれた国内展示会でシリコン型量子コンピューターの制御用回路の試作チップや、量子計算を担う基本素子「量子ビット」の試作ウエハーを初めて展示した。これらの技術を応用すると小型量子コンピューターを開発できるとしている。

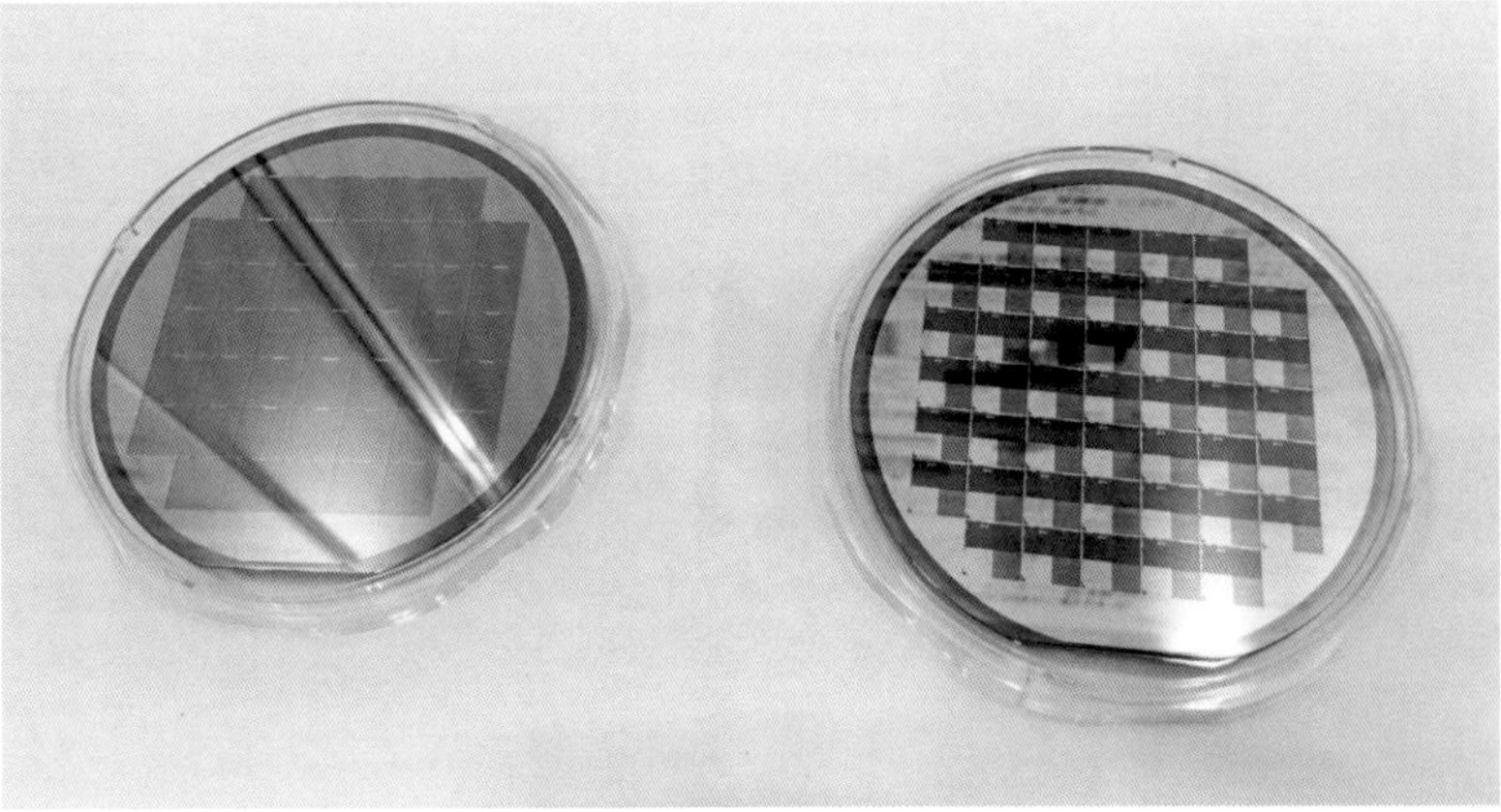

図　量子計算を担う基本素子である量子ビットの試作ウエハー
（撮影：日経クロステック）

展示したチップなどは、産総研デバイス技術研究部門上級主任研究員の森貴洋氏らの研究チームが、茨城県つくば市の拠点内にある試作共用ラインで試作したもの。今後、量子ビット数の増加やエラー率の低減に向けた設計を検討していく。

これらの要素技術を組み合わせた小型の量子コンピューターの実用化を目指すのは、量子関連のソフトウエアを手掛けるスタートアップ、ブルーキャット（ｂｌｕｅｑａｔ）である。簡易な演算に使える小型量子コンピューターの試作機を２０２４年3月にも開発する計画である。

産総研や量子コンピューターの要素技術を持つ企業と協力して、オープンな開発プロジェクト「ＯｐｅｎＳｉｌｉｃｏｎＱｕａｎｔｕｍ」として進め、データセンターに接続し、クラウド経由のサービス提供を想定している。

（佐藤 雅哉＝日経クロステック）

087

量子誤り訂正

0と1とを重ね合わせる量子ビットのエラーを訂正

技術成熟度……低

2030期待度……8.7

量子コンピューターの演算エラーを補完してエラー率を下げる技術。量子コンピューターを実用化するために必要な6つの重要な難関の1つとされている。

米グーグルが2023年2月、この技術が本当に使えると実証した、と発表した。

量子コンピューターは大規模な化学実験のシミュレーションなど、現行のコンピューターで困難な計算処理を可能にするとされている。そのためには数十億回の量子演算が必要で、さらに演算エラー率を少なくとも0・0001%（100万回に1回の割合）から0・000001%（10億回に1回の割合）程度に抑えなければならない。

現状の量子演算のエラー率は良くて0・1%。今後、エラー率を3〜6桁も改善させるのは難しいと見られており、量子コンピューターを開発する企業や研究機関は、複数の物理量子ビットを使ってエラーを補完する量子誤り訂正技術の開発を進めている。

量子誤り訂正の主流である「表面符号（Surface Code）」という方式では、実際にデー

図　実験に使用した第3世代Sycamore量子プロセッサー
ゲートエラー率を従来品より下げ、データ量子ビットと測定量子ビットの数を増やし、量子演算のエラー率を下げた。
（出所：グーグル）

タを載せる「データ量子ビット」と、データ量子ビットにエラーが発生したかどうかを確認するのに使用する「測定量子ビット」を隣り合わせに配置する。測定量子ビットから得た情報を外部の従来型コンピューターで解析し、データ量子ビットのエラーを補正する。

理論上はデータ量子ビットと測定量子ビットの数を増やせば増やすほど、量子演算のエラー率を下げられるが、前提として物理量子ビットのエラー率がある程度まで低くなければならない。グーグルは量子誤り訂正に使用する物理量子ビットの数を増やして量子演算のエラー率を下げることに成功した。

量子コンピューターを実現するための６つの難関のうち、２番目を突破したとグーグルは述べる。第１の難関が量子超越性の実証で２０１９年に達成した。グーグルの研究者は最難関とされる３番目の「論理量子ビットの実現」を２０２５年以降にクリアするという。その後は順調に量子プロセッサーを拡張できるとみている。

（中田 敦＝日経クロステック・日経コンピュータ）

088

量子暗号通信

情報の漏洩や盗聴を量子力学の原理で防ぐ

技術成熟度……低

2030期待度……31.9

量子力学の原理を応用して情報の漏洩や盗聴を事実上不可能にする技術。光の最小単位、光子を使ってデータを送ると、第三者が盗聴を試みると光子の状態が変わる量子力学の原理で盗聴を検知できる。暗号鍵を本体のデータとは別に光子で送れば、暗号鍵を安全に搬送できるため、量子コンピューターの実用化後も暗号技術を使い続けられる技術となり得る。安全保障にもつながる技術であり、米国、中国をはじめとする先進各国が開発を競っている。

データ自体は通常の暗号技術で暗号化して通常の通信網で送るが、暗号鍵のやり取りには光の最小単位である光子を使い、1つの光子あたり1ビット、つまり0または1の暗号鍵情報を乗せて光ファイバーで受信側に送る。受信側では受け取ったデータをこの暗号鍵で復元する。

量子暗号通信が原理上、盗聴不可能なのは、ある状態を観測するとその状態が変化するという量子力学の原理があるから。第3者が暗号鍵の通信を観測（盗聴）すると光子の数や状態が変化し、受信者が盗聴に気づける。こうした安全性の高さから、秘匿性の高い情報を扱う安全

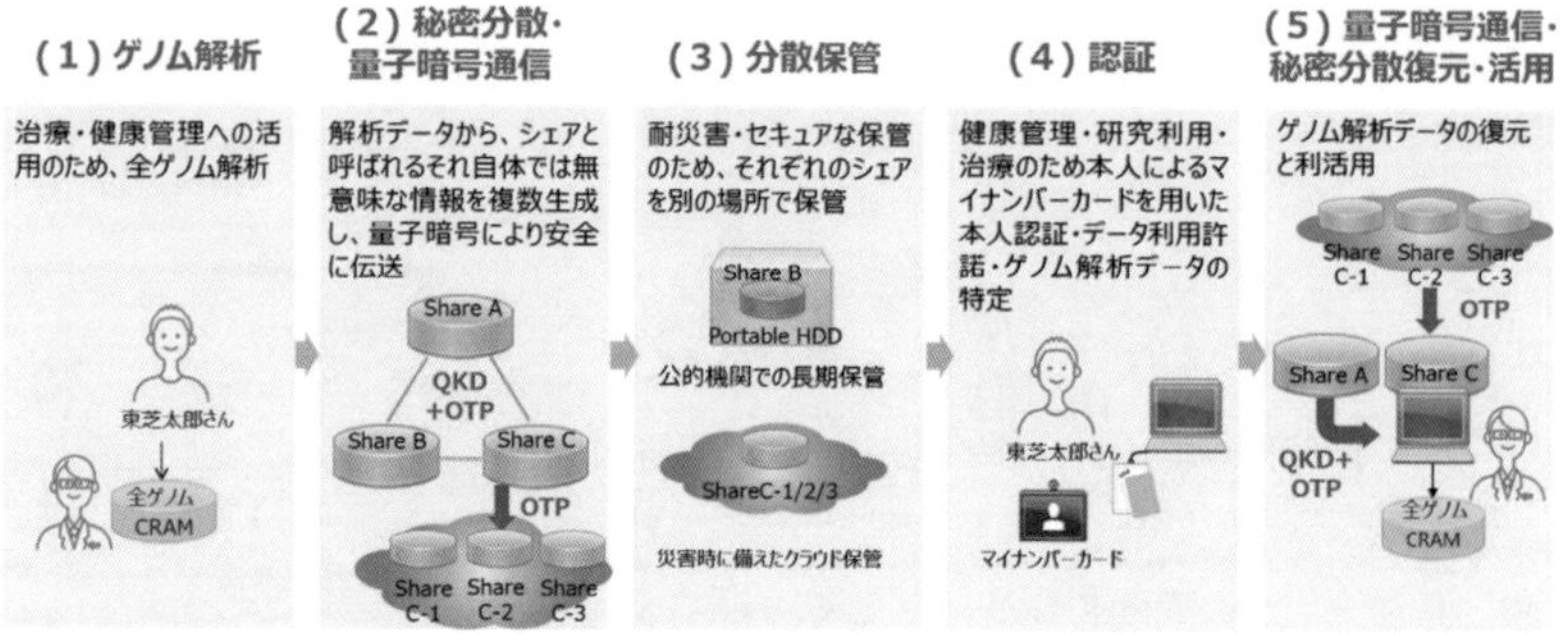

図　4者が開発した個別化ヘルスケアシステム
（出所：東芝）

保障や金融、医療などでの活用が進むとみられている。

現在インターネットなどで使われている公開鍵暗号は、量子技術を使う量子コンピューターが実用化すると破られる危険が指摘されており、その対抗手段となると期待される。安全保障にもつながる技術であり、米国、中国をはじめとする先進各国が開発を競っている。最近は既存技術で暗号化されたデータを傍受して保存し、時間をかけて解読する攻撃「データハーベスティング」も顕在化しつつある。こうした攻撃を回避できる量子暗号通信の実用化は喫緊の課題になっている。

量子暗号通信の高い安全性の活用案として次世代のヘルスケア基盤として利用する動きがある。構想を明らかにしたのは東芝と東北大学東北メディカル・メガバンク機構、東北大学病院、情報通信研究機構のチーム。個人のゲノム（全遺伝子情報）を安全に保存し、本人の求めに応じていつでも使えるようにする構想だ。2022年に4者でプロトタイプのシステムを構築した。秘密分散技術と量子暗号通信を組み合わせ、人のゲノムデータを暗号化したうえでバラバラにし、量子暗号通信で地理的に離れた複数拠点に送って保管した。さらに認証に基づいてデータ破片を引き上げて再構築するところまでを検証できた。

（松元 則雄＝日経クロステック、渥美 友里＝日経クロステック・日経コンピュータ）

089

送信ドメイン認証

なりすましメールを見抜く技術で、生成AI技術の発達で重要性が高まる

技術成熟度……高

2030期待度……13.8

フィッシング詐欺などで他人になりすまして送られるメールを見つける技術。メールサーバーを管理する企業や団体、インターネットサービスプロバイダーが導入する。文書生成AIの進化により、説得力のある日本語の詐欺メールを作成できるようになっており、被害拡大を防ぐために導入が急がれる。

送信ドメイン認証は、メールの受信の際に、メールアドレスの「@」以降、インターネットの住所にあたるドメイン情報などを詐称していないかを送信元のメールサーバーに問い合わせ、確認してから受け取るようにする。なりすましメールや詐欺メールは送信元を詐称して送られてくるケースが多い。

送信ドメイン認証には「SPF」「DKIM」「DMARC」の3種類がある。受信側がメールサーバーに導入して利用する。いずれも、ドメインの管理者があらかじめ登録した送信メールサーバーなどの正当性に関する情報を受信時に問い合わせる。登録された正当性情報と異な

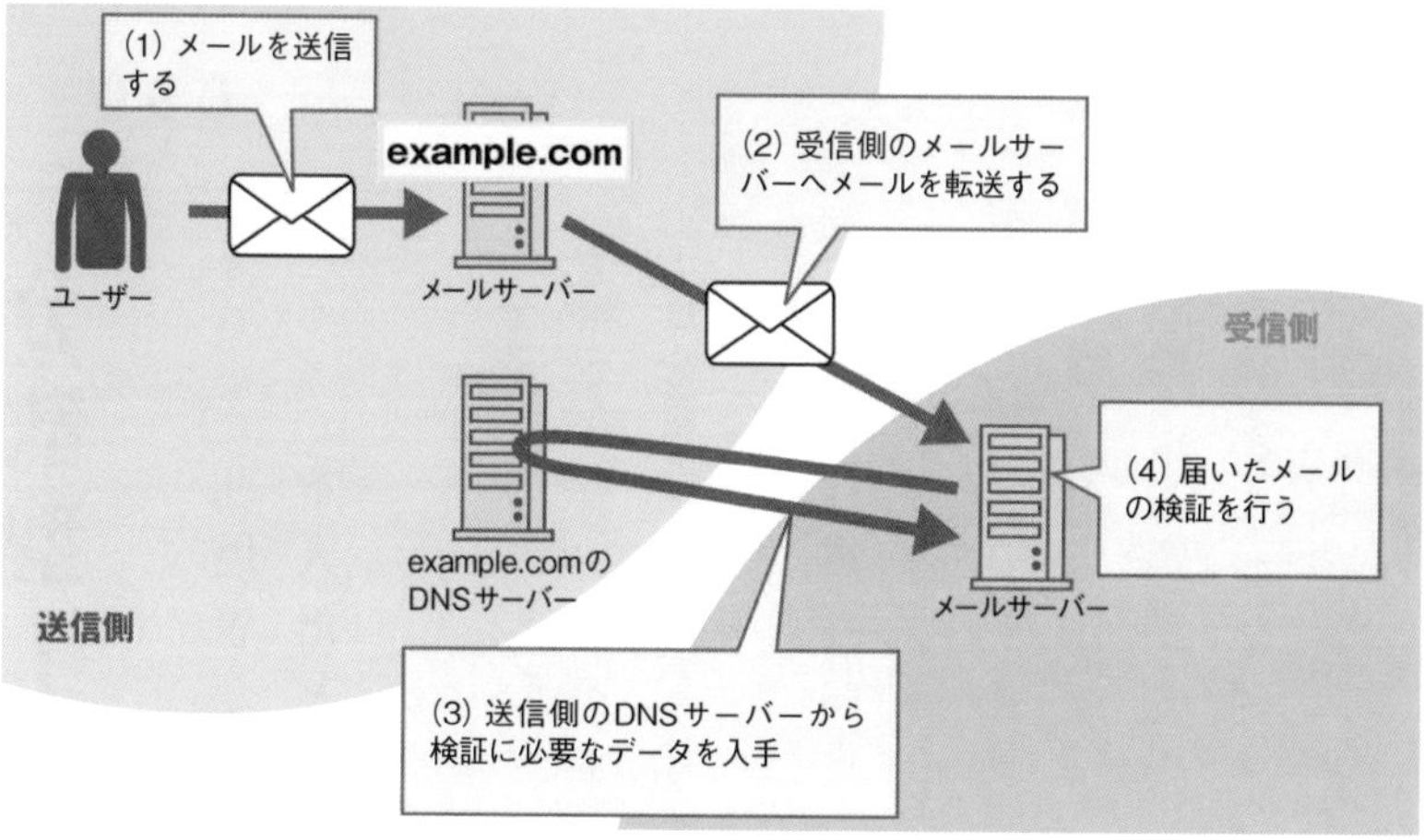

図　送信ドメイン認証の仕組み

メールの受信時にそのメールが正当なサーバーから送られたかどうかを問い合わせ、確認してから受け取る。
（出所：日経クロステック）

るメールはなりすましメールと判断する。

3種類は異なる情報を調べて正当性を確認する。ＳＰＦはメールサーバーの正当性、ＤＫＩＭは送信者の正当性を電子署名で調べる。ＤＭＡＲＣはＳＰＦとＤＫＩＭを併用しつつ、新しい仕組みを加えて「送信者名」の詐称も見抜く。

ただし、どの技術も、送信元のメールサーバー管理者が正当性情報を登録していなければ、なりすましメールかどうか判別できない。そのため、すべてのメールで正当性を判別できるわけではない。

「日本語の壁」によって、世界各国と比較するとフィッシング詐欺被害が少なかったこともあり、日本企業の多くは対策に出遅れ、有力な技術の導入率が3割にとどまるとの調査がある。２０２３年2月1日には経済産業省、警察庁、総務省が、なりすましメールによるフィッシング詐欺の対策強化をクレジットカード会社などに要請している。

（島津忠承＝日経クロステック・日経ＮＥＴＷＯＲＫ）

090

分散型ＩＤ

利用者が公開鍵暗号を利用してＩＤを発行、本人だと証明できる

技術成熟度……高

2030期待度……8.5

分散型アイデンティティー（ＩＤ）はブロックチェーン技術を使った、「自分の身元を示す情報（アイデンティティー＝ＩＤ）」の管理システム。巨大ＩＴ企業などに頼らず利用者自身がＩＤを管理でき、安全性を保ちながら、利用の自由度や利便性を高められる。

分散型ＩＤは電子証明書とブロックチェーンの技術を組み合わせ、利用者のＩＤ情報を、証明書と共にインターネット上に公開された分散台帳に登録する。サービス事業者は分散台帳と照合して利用者の本人確認ができるほか、利用者が許可した属性情報を得られる。こうした仕組みで特定の企業に依存せず、利用者にとって自由度の高いＩＤ管理が実現する。

国際標準化の議論や実用化に向けた動きが始まっている。２０２２年７月にウェブ技術の標準化団体World Wide Web Consortiumが分散型アイデンティティーのシステムを構築するための識別子の標準規格「Decentralized Identifiers（ＤＩＤｓ）」を勧告した。

米マイクロソフトは２０２２年５月、分散型アイデンティティーのサービス「Microsoft

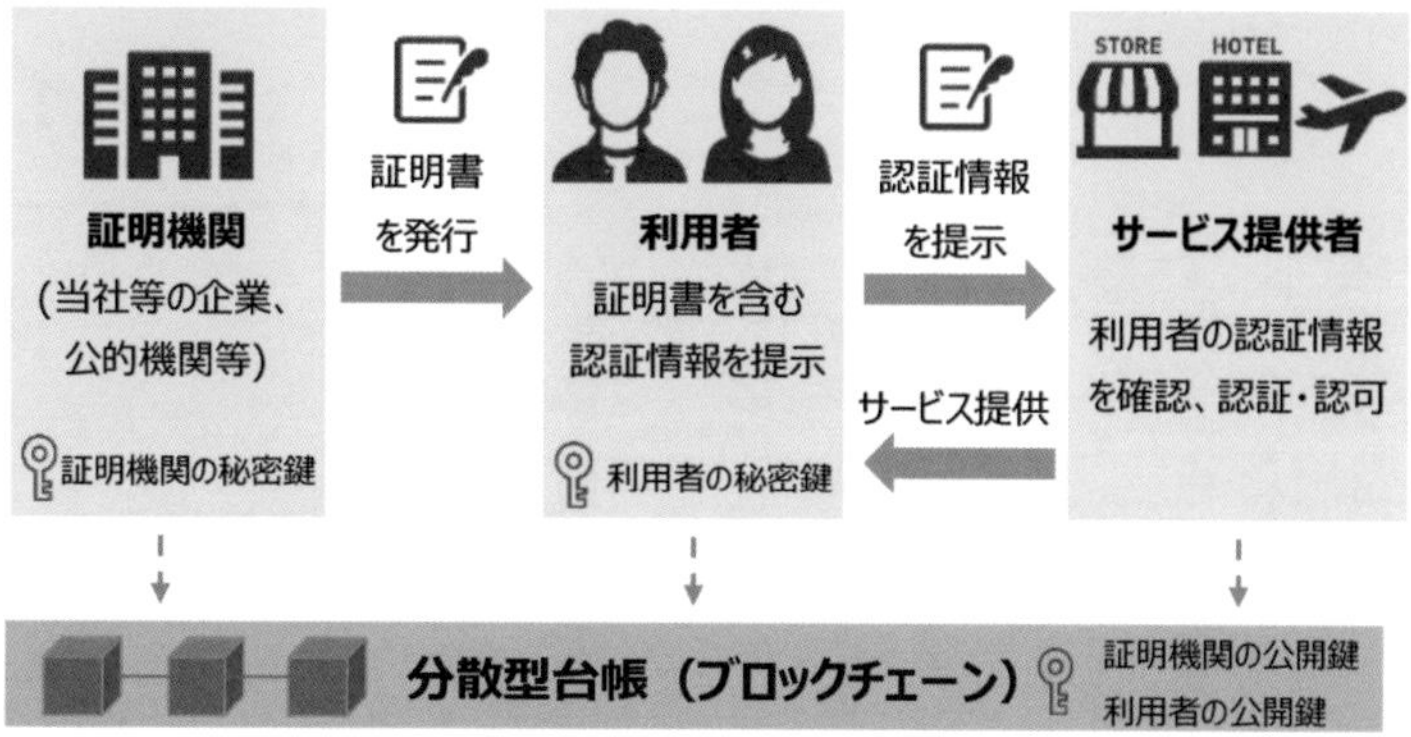

図　分散型アイデンティティーの仕組み
認証機関が発行した電子証明書と共に、利用者がIDと属性情報をブロックチェーン技術による分散台帳に登録する。サービス事業者はこれを照合し、本人の確認や属性情報の取得を行う。
（出所：三菱UFJ信託銀行）

Entra Verified ID」を発表した。国内では２０２３年3月に、三菱ＵＦＪ信託銀行とＮＴＴデータ、メタバース系ベンチャーのＨＩＫＫＹ、monoAI technologyが組んで分散型ＩＤの実証実験をしている。

個人を特定できるＩＤやメールアドレスなどの情報はこれまで、インターネット・サービス・プロバイダーや、グーグル、マイクロソフトのようなＩＴ企業、利用者が勤務する企業や団体といった「ＩＤプロバイダー」が発行してきた。ＩＤにひも付く属性情報やパスワードなどの認証情報もＩＤプロバイダーが一緒に管理している。

このため、管理が甘いＩＤプロバイダーがサイバー攻撃を受け、個人情報を流出させたり、ＩＤとパスワードを奪われ、なりすまされたりする危険があった。ＩＤにひもづく情報の登録や開示ポリシーがＩＤプロバイダーごとに異なるため、利用者が足りない情報をサービスごとに追加登録するという煩雑さもあった。

（渥美 友里＝日経クロステック・日経コンピュータ）

091

衛星コンステレーション

多数の小型衛星を連携させ、一つのシステムとして動かす

技術成熟度……高

2030期待度……12.5

数キログラムから数百キログラムの小型人工衛星を、高度２００キロから２０００キロの低地球軌道（ＬＥＯ）に多数打ち上げ、それらを束ねて全地球上にサービスを提供する。

数トンサイズの衛星を大型ロケットで地上から４万２０００キロの静止軌道（ＧＥＯ）に打ち上げる場合に比べ、１機あたりの打ち上げコストも衛星のコストも安く済む。

ブロードバンド通信や監視網の用途を考えると、地上が近い方が詳しい情報を得られ、電波がよく届き、遅延が小さく、地上側、衛星側共に通信機器の出力を小さく、小型化できる。

２０２３年４月２日、米国防総省の宇宙開発局は軍事用低軌道衛星コンステレーション「Proliferated Warfighter Space Architecture（ＰＷＳＡ）」を構成する最初の衛星10機を打ち上げた。

ＰＷＳＡは低軌道に光衛星通信による高速かつ抗たん性（軍事施設が敵の攻撃に耐えてその機能を維持する能力）が高いネットワークを構築し、陸・海・空に展開する部隊に通信機能を提供する。最終的には１０００機以上の衛星コンステレーションを目指す。

図　米国防総省宇宙開発局の軍事用低軌道衛星コンステレーション「PWSA」の最初の衛星10機の打ち上げ

2023年4月2日、スペースXのロケット「ファルコン9」で打ち上げた。
（出所：SpaceX、Space Development Agency）

大きな目的として、ロシアによるウクライナ侵攻で実戦において初めて使われたとされる極超音速ミサイルなど極超音速兵器を、低軌道を周回する衛星コンステレーションで探知・追尾し、即座に情報を地上に送ることがある。極超音速兵器は、放物線を描くこれまでの弾道ミサイルと異なり、低空を超高速かつ変則的な軌道で飛ぶため、距離が遠い静止軌道からその軌道を正確に捉えることは難しい。

欧州や日本でも光衛星通信の本格的な実証が始まっている。欧州連合（EU）は2023年2月14日、欧州独自の通信用衛星コンステレーションの構築計画「IRIS^2」を認可した。狙いはEU向けに安全で回復力があるブロードバンド通信を提供すること。防衛に加え、政府の災害対応、民間ビジネスまで視野に入れ、2027年のフルサービス開始を目指す。2025年から2027年の間に、低軌道に最大170機の通信衛星を打ち上

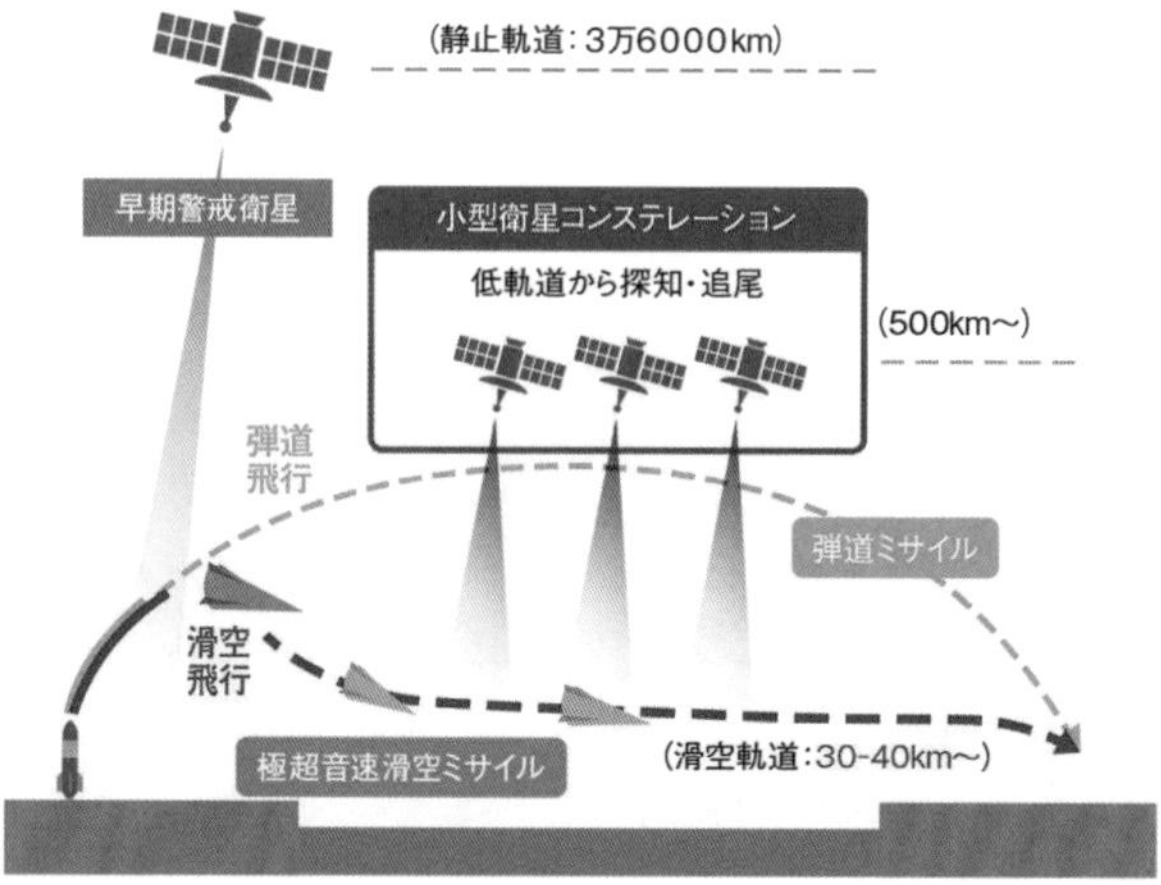

図　極超音速ミサイルを探知・追尾する仕組み

静止軌道の早期警戒衛星では捉えられない極超音速ミサイルを探知・追尾し、即座に情報を地上に送ることを目指す。

（出所：総務省「Beyond 5G の実現に向けた宇宙ネットワークに関する技術戦略について」）

げ、その後、中軌道や静止軌道にも同様の衛星を打ち上げる。

日本では新エネルギー・産業技術総合開発機構（NEDO）が主導する「経済安全保障重要技術育成プログラム（Kプログラム）」において「光通信等の衛星コンステレーション基盤技術の開発・実証」プログラムが2023年3月27日に始まった。2029年までに複数の軌道面に地球観測衛星を含む複数の光通信衛星を配備し、日本近傍で光衛星通信ネットワークシステムとしての機能・性能を検証する。

衛星コンステレーションによるブロードバンドサービス「Starlink（スターリンク）」を、米国の企業家イーロン・マスク氏がウクライナ軍に無償提供したことは注目された。スターリンクは2020年8月に北米大陸の一部でベータテストを開始、徐々にサービスエリアを広げ、2022年10月にアジア地域としては初のサービ

図　スターリンクの衛星
21機の新世代衛星「V2 Mini」を縦に積み、「ファルコン9」ロケットのフェアリングに収める。従来機V1.5衛星のほぼ2倍の大きさという。
（出所：スペースX）

スを日本で始めた。2023年7月末、日本を含む世界61カ国でスターリンクを使ったブロードバンド通信サービスが利用できる。

スターリンクを運営する米スペースXは同社のロケット「ファルコン9」を使って2～6週間に1回、衛星を打ち上げ続けている。打ち上げ回数は2023年7月末で98回を数え、軌道に上げた衛星の総数は4698機、うち約3700機が実際に稼働している。最終的には4万2000機の衛星を軌道に投入する計画だ。

対抗する企業も出てきた。米アマゾン・ドットコムは2018年に同様の衛星ブロードバンドサービス「Project Kuiper（プロジェクト・カイパー）」を公表した。2023年にプロトタイプ衛星の打ち上げと衛星の量産を始め、2024年に商用衛星を打ち上げ、2024年中の商用サービス開始を目指す。

（内田 泰＝日経クロステック・日経エレクトロニクス、松浦 晋也＝科学技術ジャーナリスト）

092

IOWN

光通信技術を中心に据えた次世代ネットワーク構想

技術成熟度……中

2030期待度……22.9

ＩＯＷＮはInnovative Optical and Wireless Network の略で、光通信技術を中心とした、新たな高速大容量通信、膨大な計算リソースなどを提供するネットワーク・情報処理基盤の構想である。

構想の実現に向け、主にＮＴＴが中心となって技術とサービスの開発を進めている。社会全体でデータ量や消費電力などが増加し続けており、こうした基盤が求められる。

ＮＴＴはＩＯＷＮの構想を２０１９年に公表し、既存ネットワークと比較して、遅延が２００分の１、伝送容量が１２５倍、電力効率が１００倍というネットワークの実現を目指している。

ＩＯＷＮの仕様を検討する組織ＩＯＷＮ Ｇｌｏｂａｌ Ｆｏｒｕｍには、ＮＴＴだけでなく、ＫＤＤＩや楽天モバイルなどが参加しており、ソフトバンクも加入を検討している。

ＩＯＷＮ構想を支え、低消費電力の実現を狙う技術として、光電融合がある。電気によって信号処理している箇所などを光で処理できるように置き換えていく。

現在のサーバーは、きょう体内部のバスとして電気信号によるＰＣＩｅ（ＰＣＩＥｘｐｒｅｓｓ）などを使っているが、電気信号には高速・大容量のデータを回路に伝送する際にエネルギー損失が大きく、熱が発生しやすいという問題があった。

光電融合の研究成果として、２０１９年４月に「ナノ受光器－ナノ変調器集積素子（ＯＥＯ変換デバイス）」を発表した。ＯＥ（光－電気）変換とＥＯ（電気－光）変換の両機能を10μｍ×15μｍという微小サイズに収めたデバイスである。

ＩＯＷＮのロードマップを公表しており、現状では２０３０年度ごろまでを４つのステージに区切り、段階的に開発していく。

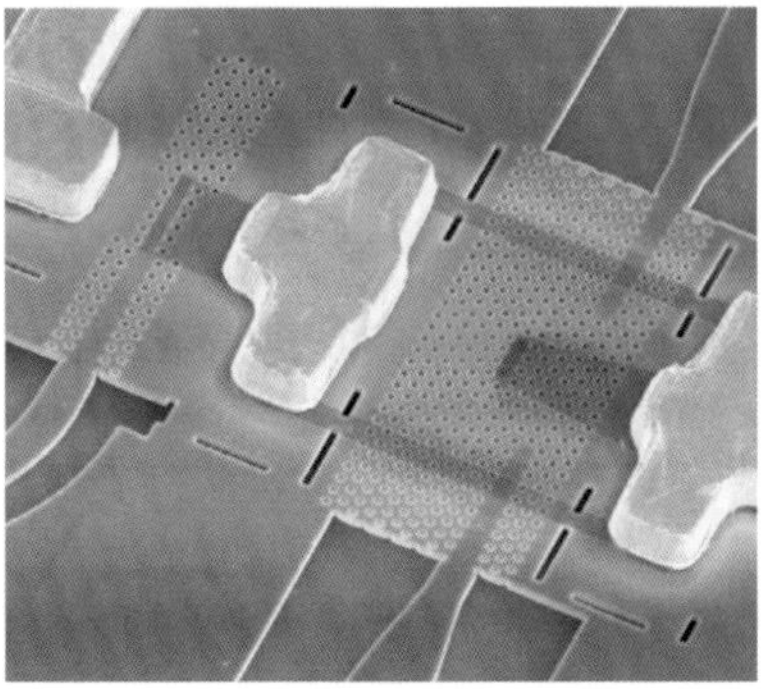

図　OEO変換デバイスの開発品
（出所：NTT）

またＮＴＴはＩＯＷＮを通じて低消費電力の技術を実装し、データセンターなどの消費電力を抑え、持続的可能な社会を目指す。例えばデータセンターの消費電力は２０３０年になると、２０１８年と比較して日本で約６倍、世界で約13倍にまで達するという予測がある。二酸化炭素の排出量、エネルギー消費などの削減が求められる世界情勢に逆行しているため、技術適用を通じ、これらの数値を抑制したい考えだ。

（野々村洸＝日経クロステック）

093

無線給電／無線充電

ＩｏＴデバイスやセンサーのバッテリー交換や給電に無線を利用

技術成熟度……中

2030期待度……22.3

レーザーやマイクロ波、ミリ波を使って「数メートル離れた場所へ給電」する次世代技術が実用の時期を迎えつつある。

ドローンなど空中を浮遊する機器、センサーネットワークなどで大量導入されたＩｏＴ機器、高所など人が行きにくい場所の機材、などに無線で電力を供給、電池交換などメンテナンスコストを削減する。

レーザー光を給電に使う光無線給電システムを研究する東京工業大学の宮本智之准教授（科学技術創成研究院 未来産業技術研究所）は、画像認識機能付きのカメラと白色ＬＥＤベースの投光器で多数のＩｏＴ端末に給電するシステムを試作した。電池なしドローンにレーザーで給電し、飛ばし続ける実験も行っている。

ＬＥＤ投光器のシステムは画像認識により、ＩｏＴ端末の位置を確認、ビームを向けるので、投光器1台で多数のＩｏＴ端末に給電でき、しかも比較的大きな電力を届けられる。

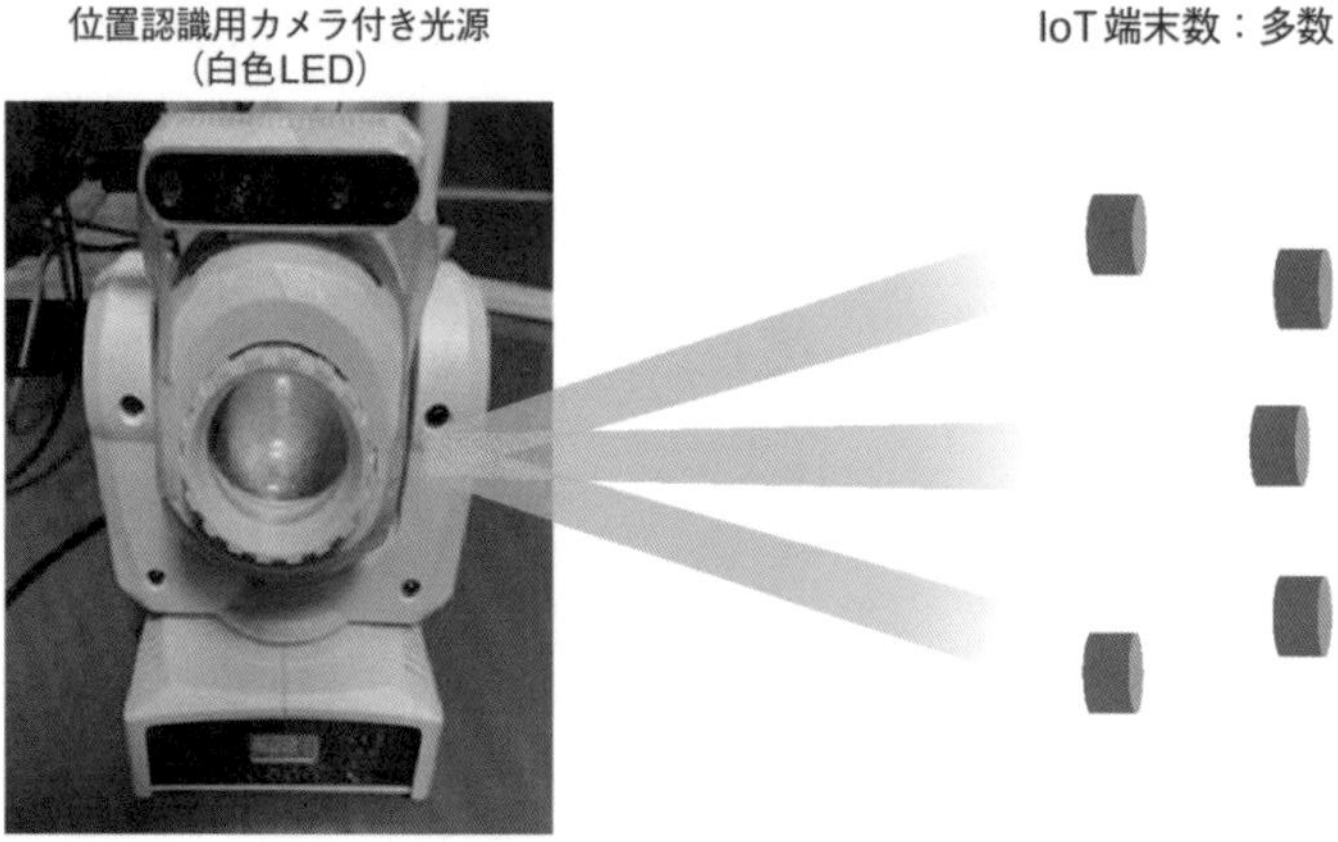

図　東京工業大学の宮本智之准教授の研究室が試作した光源
1台の光給電装置から多数のIoT端末に給電する。光給電装置はカメラを実装、IoT端末の位置を認識して光のビームを向ける。
（出所：宮本研究室）

ドローンへの給電では受光側に太陽電池を使い、光出力35ワットのレーザーで電池なしドローンを35㎝浮上させた。

宮本准教授はＡＩなどによって画像認識の精度が高まり、しかも安価で利用できることになってきたことが、レーザー給電実用化への追い風とみている。強力なレーザー光による電力伝送は以前から可能だったが、その方向に人がいないことを確認し、確実に給電対象にビームを向ける、という課題があった。

ソフトバンクと京都大学、金沢工業大学は、無線で電力を供給する「ワイヤレス電力伝送」の機能を、ミリ波の通信装置に実装したシステムを開発している。通信の需要が少ない時間帯に通信基地局のリソースをワイヤレス電力伝送に振り向け、基地局や周波数といった通信のリソースを活用し、

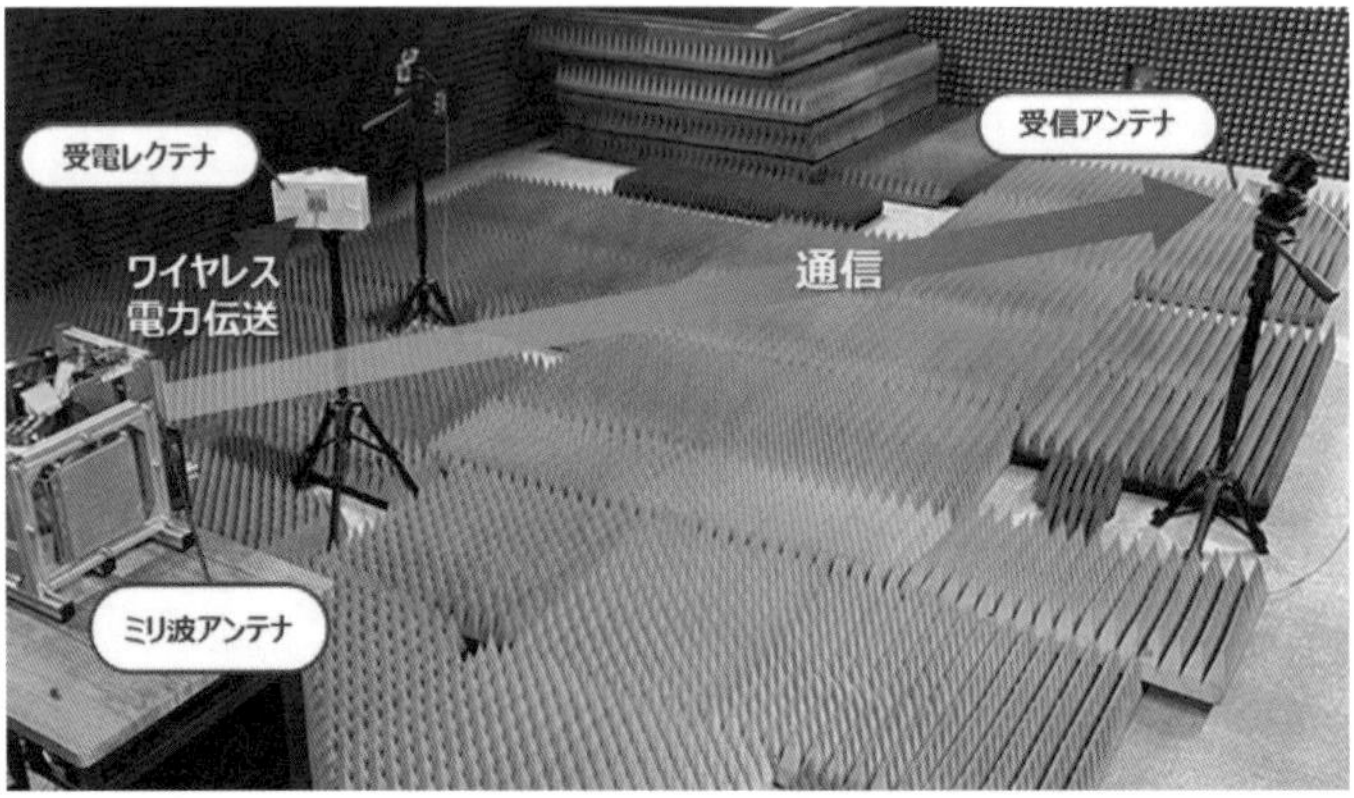

図　ソフトバンク、京都大学、金沢工業大学による実験の様子
ミリ波アンテナを通信と電力供給で使い分ける。
（出所：ソフトバンク）

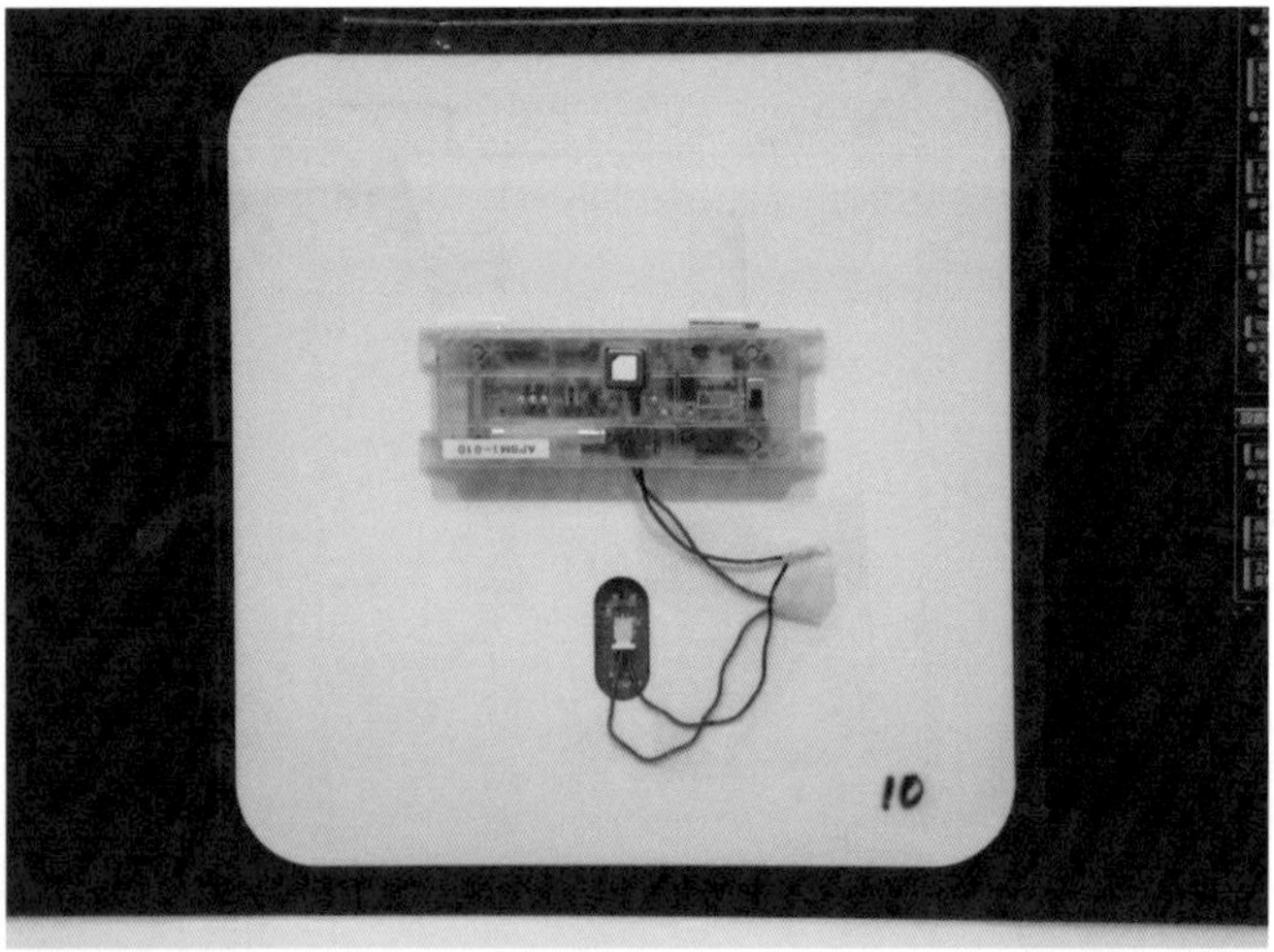

図　竹中工務店が椅子に取り付けた受電機器
床下から給電する。
（写真：日経クロステック）

通信エリア内のＩｏＴ機器に無線給電にする狙いがある。

1本のアンテナでミリ波の通信とワイヤレス電力伝送を実施し、時間や場所に応じて使い分けるために、電波の出力や位相を調整するビームフォーミング機能を活用する。アンテナから電力を受け取る場合は、金沢工業大が開発した電波を電気エネルギーに変換する「受電レクテナ」で電気エネルギーを得る。

竹中工務店の静岡営業所は２０２２年9月から国内初となる「無線電力伝送用構内無線局」の運用を始めた。床下数カ所に、数ｍ離れた距離からマイクロ波で無線給電できる機器を導入し、会議室の椅子に取り付けた人感センサーに電力を送る。

同時にセンシング情報を受け取ることで、従業員の位置を把握、その場の人数に合うように空調や照明を制御する。電池式のセンサーで導入を検討したことがあったが「センサーを1万台導入すると単3電池が2万本必要になり、維持管理が難しい」と断念していた。

マイクロ波による無線給電は日本政府が２０２２年5月から法改正で解禁した新方式で10ｍ以上先の対象にも給電できる。竹中工務店が導入した技術は20ｍ程度先のＩｏＴデバイスに数ｍＷの無線給電ができる。

送電機側で電気を高周波（マイクロ波）に変換、送電アンテナを通して遠隔の受電機に送る。受電機側はアンテナで受信したマイクロ波を再び電気に変換し、対象となる機器に給電する。

（野澤 哲生＝日経クロステック・日経エレクトロニクス、大川原 拓磨＝日経クロステック・日経ＮＥＴＷＯＲＫ、久保田 龍之介＝日経クロステック・日経エレクトロニクス、野々村 洸＝日経クロステック）

094

五感遠隔転送

遠隔地にあるものに触ったり、においをかいだりできる

技術成熟度……高

2030期待度……4.8

五感の中で伝達が難しいとされてきた味覚と嗅覚の通信について研究が進んでいる。遠隔地にある料理の味や香りをデータに変換、インターネット経由で送信し、受信先で忠実に再現する技術がある。

味を構成する甘味、塩味、酸味、苦味、うま味の溶液をミックスして霧状で食材に吹きかける装置「ＴＴＴＶ２」は、明治大学総合数理学部先端メディアサイエンス学科の宮下芳明教授が開発した。

オリジナルの料理と、味をコピーしたい対象食材について、5味をどんな比率で含むかをそれぞれ測定。塩味なら、含有する塩化ナトリウムの濃度値をデータにする。オリジナルとコピーの味データの差分を算出し、ＴＴＴＶ2にセットすれば5味の各カプセルから当該量を抽出し、対象食材に混合噴霧できる。抽出量はミリ秒単位で制御する。

例えばスーパーで買ってきた焼き鳥の味を、名店の大将が焼いた焼き鳥の味に近づけられる。

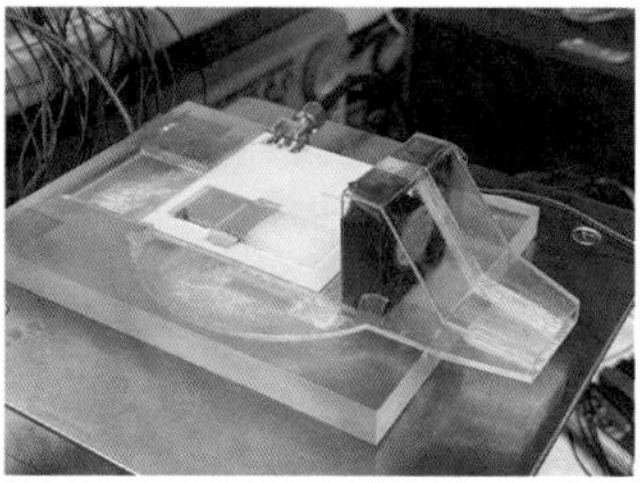

図　香りの混合液を瞬間液化するデバイス
（出所：東京工業大学科学技術創成研究院の中本高道教授）

図　味の伝達装置の次世代機（Open-TTTV）
幅20×奥行き30×高さ30cm。家庭の台所に置ける。
（出所：明治大学総合数理学部先端メディアサイエンス学科の宮下芳明教授）

コピー先は別の食材でもよく、カニクリームコロッケそっくりの味がする牛乳をつくれる。

一方、東京工業大学科学技術創成研究院の中本高道教授は、果物や花などの精油185種類を多次元データ解析し、香りを構成する基本となる20種類の「要素臭」を組み合わせれば、香りを再現できることを突き止めた。レモンやラベンダーなど7種類の精油について香りを再現し、これを18人の被験者に対して検査をしたところ、本物と有意な差が出なかった。

香りを再現する装置も開発している。液体化した20種の要素臭をカプセルに収め、再現したい香りの比率に応じて液を射出し、瞬間霧化できるプレート状デバイスを使って香りを鼻に届ける。

この技術を応用すれば、オリジナルの料理の要素臭をデータ化することで、おいしそうな香りをリアルタイムで遠隔地に届けられる。

宮下氏も中本氏も、味覚と嗅覚は密接な関係にあり、料理のおいしさを届けるためには双方の研究の連携が必要だと考える。将来、最新の3D食品プリンターを活用すれば、形まで似せて料理を再現することも難しくないという。

（高田 学也＝日経クロストレンド）

095

BMI（ブレイン・マシン・インターフェース）

脳とコンピューターをつなぐ

技術成熟度……高

2030期待度……24.9

BMIは脳波などを使って、脳とコンピューターをつなぐ技術の総称である。ただし、脳で考えた通りに機器を動かす、といった取り組みを指す場合が多い。

より広い範囲を示す言葉として、ブレイン・テックあるいはニューロテックがある。脳からデータを収集し、人間が何に興味・関心を抱いているのかなどを探る取り組みがある。

三菱総合研究所は米国の調査会社のリポートを基に、ブレインテックの市場規模は２０２４年ごろに世界で約5兆円になると試算する。「視聴者の脳の反応を基に購買につながる効果的な広告を作成する」「脳の状態を把握して学習効率や睡眠の質を高める」など、医療やヘルスケア、マーケティング、教育、スポーツなど幅広い分野での利用が期待される。

テスラやスペースＸの経営、最近ではツイッター（現Ｘ）の買収で著名なイーロン・マスク氏はＢＭＩを狙う、スタートアップ、米ニューラリンクも手掛けている。同社は脳直結型デバイスやそれを埋め込むための外科手術用ロボットを開発しており、２０２２年8月には国際会議

「SIGGRAPH 2022」で試作装置を披露した。

試作装置には電極を刺す機構のほか、脳を撮影し、電極を刺す場所を画像認識で決めるために利用するカメラや照明用ライトなどが複数備わっている。機器の先端部分にある細い針のような部分を通じて細い糸のような電極を脳に埋め込む。あくまでも試作品であり、まだ人間には使えない。

図　ニューラルリンクが試作した脳に電極を刺すための装置
（出所：日経クロステック）

脳にかかわる技術であり、期待と共に不安もつきまとう。国際電気通信基礎技術研究所（ATR）、AIスタートアップのアラヤ、慶應義塾大学は2022年10月、「ブレイン・テック ガイドブック ver1・0」を公開した。「一般消費者が市販のブレイン・テック製品を正しく理解するために注意すべき事項や、事業者が研究開発を行う際に参考となる情報など、技術の現状と課題」がまとめたと。3者は内閣府が主導するムーンショット型研究開発事業において「身体的能力と知覚能力の拡張による身体の制約からの解放」というプロジェクトに取り組んでいる。

（根津禎、野々村洸、増田圭祐＝日経クロステック）

096

オープンデータ・エコシステム

企業や業界が団結し、情報を共有する仕組みをつくる

技術成熟度……中

2030期待度……15.5

企業や業界の枠を超えて情報を共有する仕組みのこと。データスペースという場合もある。「ＧＡＩＡ-Ｘ（ガイアエックス）」「Ｃａｔｅｎａ-Ｘ（カテナエックス）」「Ｍａｎｕｆａｃｔｕｒｉｎｇ-Ｘ」といった活動が２０２０年以降、欧州で相次いで動き出している。

カーボンニュートラルやサプライチェーンの安定化といった課題を達成する仕組みとして開発が進む。新たな産業を創出する基盤へと発展する可能性がある。

ＧＡＩＡ-ＸやＣａｔｅｎａ-Ｘは企業や組織間でデータを安全にやり取りする構想や方法の呼称であり、推進組織の名称でもある。ＧＡＩＡ-Ｘがデータの標準や交換手法、ルールなどを決め、それらを使ってＣａｔｅｎａ-Ｘは自動車産業向けに、Ｍａｎｕｆａｃｔｕｒｉｎｇ-Ｘは各種製造業向けに、それぞれデータ連携の仕組みを整えていく。今後、日本企業が欧州企業と機密性の高いデータを交換する場合、ＧＡＩＡ-Ｘへの準拠が求められる可能性がある。そこでＮＴＴコミュニケーションズとオムロンが国内外の企業がデータを安全に交換できるシス

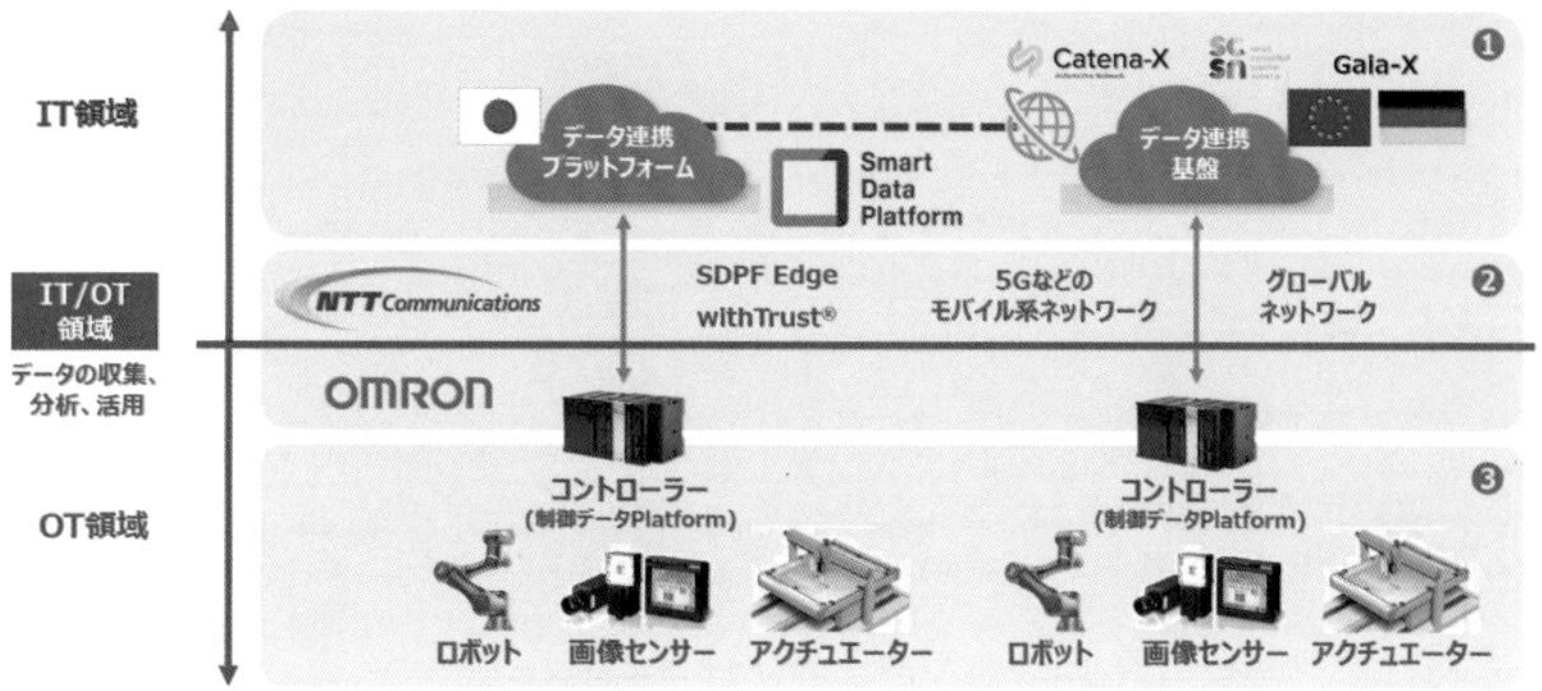

オープンデータ・エコシステムの例
（出所：NTTコミュニケーションズ、オムロン）

テムを共同開発し、ＧＡＩＡ-Ｘと製造現場との接続を容易にする取り組みを進めている。両社は関連するネットワークサービスや制御機器向け接続ソフトの販売も狙っていく。

ＮＴＴコミュニケーションズとオムロンは２０２１年から、それぞれの通信ソフトウエアやコントローラー製品を使って、ＧＡＩＡ-Ｘと接続する実験を進めてきた。その取り組みを拡大させ、オムロンのより多くの製品とＮＴＴコミュニケーションズのＩＴインフラを連携させていく。ＮＴＴコミュニケーションズがＮＴＴデータと開発を進めているデータ連携プラットフォームを経由して、オムロンの機器とＣａｔｅｎａ-Ｘなどを相互接続し、データを交換できるようにする。

自社ないし自国のデータを保護しながら、製造現場などのデータをサプライチェーン全体で共有するシステムの実現を目指す。この仕組みを使って、例えばサプライチェーン全体の脱炭素化を進められる。また、企業間で生産時のデータを安全に共有できれば、製品全体の二酸化炭素（CO_2）排出量を集計しやすくなり、ＬＣＡ（ライフサイクルアセスメント）に役立つ。

（斉藤 壮司＝日経クロステック・日経ものづくり）

097

オルタナティブデータ

ＳＮＳやＩｏＴ機器、決済履歴、衛星画像などから得られる新たなデータ群

ＳＮＳ（交流サイト）の投稿や携帯電話機、ＩｏＴ（インターネット・オブ・シングズ）機器の利用状況、ＰＯＳ（販売時点情報管理）やクレジットカードの決済履歴などを統計処理するなどして得られるようになった新たなデータ群を指す。オルタナティブデータを投資判断や小売り、マーケティングなどに活用する動きが加速している。

技術成熟度……高

2030期待度……9.8

オルタナティブデータの特徴は速報性にあり、リアルタイムに近いデータの分析によりスピーディーな意思決定が可能になる。機械学習や自然言語処理、演算性能などの技術向上により収集・分析できるデータが多様化してきており、金融機関や投資家が投資判断に利用するほか、小売りやマーケティングなどさまざまな領域で活用が広がっている。

「オルタナティブ（非伝統的）」と呼ぶのは、政府や企業が公式に発表する統計データや決算データといったこれまで市場分析や事業分析に使われていた「トラディショナルデータ（伝統的なデータ）」との対比からである。データのサイズにこだわらない点でいわゆる「ビッグデータ」

とは異なる。既に位置情報や消費者の購買履歴データ、船舶の航行データなど、多様な分野でオルタナティブデータを販売する「データプロバイダー」が登場している。

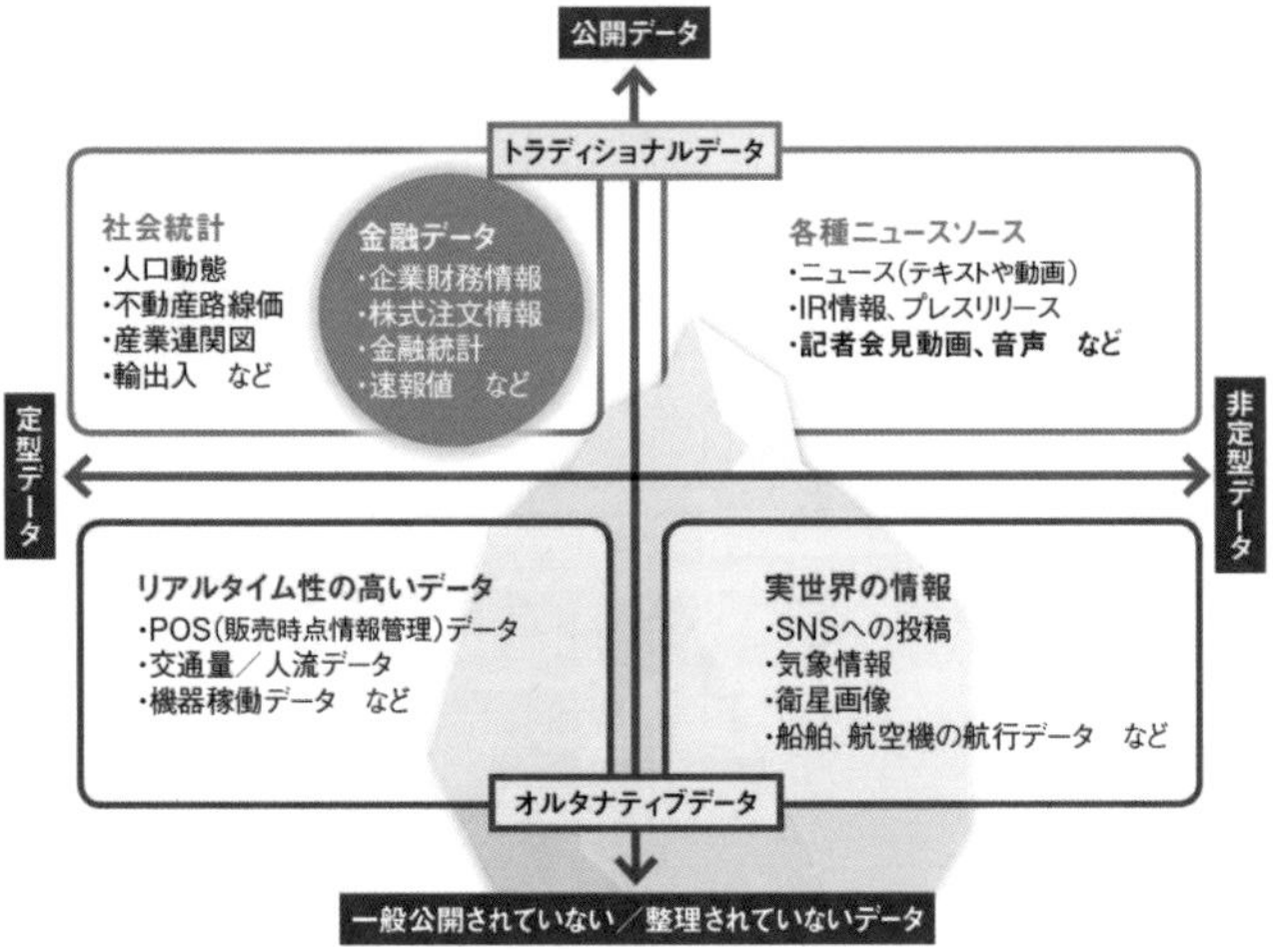

図 トラディショナルデータとオルタナティブデータの分類
金融で活用進むオルタナティブデータ
（出所：野村総合研究所の資料を基に日経コンピュータ作成）

オルタナティブデータが注目されるきっかけは２０１８年、人流データの提供を手掛ける米タソスが米テスラの量産電気自動車Ｍｏｄｅｌ ３の生産工場の人流データ推移からＭｏｄｅｌ ３の増産時期を予測したこと。タソスの顧客であるヘッジファンドがこの予測に基づいた投資を成功させた。

野村総合研究所の亀津敦ＩＴ基盤技術戦略室エキスパートリサーチャーは「日本でも金融業界は海外と同じように利用が進んでいる」と話す。その一方、「ＩｏＴ機器から得られたデータをオルタナティブデータとしてマネタイズしていく動きはまだ遅れている」とも指摘する。２０２１年２月に金融機関などから成るオルタナティブデータ推進協議会が発足しており、今後は活発な動きになりそうだ。

（鈴木 慶太＝日経クロステック・日経コンピュータ）

098

OSINT（オープンソース・インテリジェンス）

公開情報を突き合せて分析し、知見を得る

技術成熟度……高

2030期待度……7.3

直訳すれば「公開された情報を基にした知見」となる。新聞や雑誌、書籍、テレビ、Webサイトなど公開されている情報を収集・整理する活動が基本になる。公開された情報の一つひとつの価値は小さくても、詳細に読み解いて事実関係を積み重ねていけば、軍事活動や政治活動、企業活動に役立つ。

コンピューターセキュリティーの世界でもOSINTが重視される。米マイクロソフトや米グーグル、米アップルなどは自社製品のセキュリティー脆弱性情報を自社サイトで公開している。インターネット上を流れる誰でも解読可能な通信データもOSINTの重要な情報源になる。

日本の内閣サイバーセキュリティセンター（NISC）や情報通信研究機構（NICT）などはこうした情報を分析・集約し、国民や官公庁、日本企業に向けてセキュリティーに関する注意喚起をしたり、情報セキュリティー政策を策定したりするのに役立てている。

OSINTは古くからある手法であるが、ロシアによるウクライナ侵攻が契機になり、注目されている。ウクライナを巡るOSINTでは多くの民間団体が活動している。例えば英ベリングキャット（Bellingcat）はウクライナ侵攻初期に、非人道的兵器とされるクラスター弾が使用されたことをSNSに投稿された写真などの公開情報から突き止めた。このことは日米欧で広く報道され、OSINTの有効性を改めて知らしめた。

もっと初歩的なOSINTにGoogleマップがある。例えばウクライナの西に隣接するポーランドの渋滞情報を閲覧できる。国境の主要道路、特にウクライナ西部の大都市リビウに通じる道路の渋滞ぶりや渋滞の長さの時系列変化から見えてくるものがある。

図 OSINTを駆使してウクライナ情勢を浮き彫りにするWebサイト「Bellingcat」
（出所：日経クロステック）

ウクライナ国内でのロシア軍による攻撃による建物の被害や、撃破されたロシア軍の戦車などの写真・動画も、住民や軍人が撮影したものがYouTubeやX（旧ツイッター）などのSNSに投稿されることが多い。真実か、当局などによるフェイクかの見極めは必要だが、日本を含む各国の報道機関は戦況の報道に役立てている。ウクライナ軍やロシア軍、北大西洋条約機構（NATO）などの陣営も戦況・戦果の把握に活用しているようだ。

（清嶋 直樹＝日経TechFind）

099

WebAssembly（ウェブアセンブリー）

あらゆるブラウザー上で実行できるファイルフォーマット

技術成熟度……高

2030期待度……5.5

ブラウザー上でプログラムを実行できるバイナリー形式のファイルフォーマット。開発に多様なプログラミング言語を使えるため、プログラマーの生産性を高め、既存のソフトウエア資産を活用できる。

もともとはＷｅｂブラウザー上で動かすプログラム（Ｗｅｂアプリ）の高速化を狙って２０１９年にＷ３Ｃ（World Wide Web Consortium）が標準化した技術で、Ｗｅｂアプリの一部機能で既に使われている。米ユニティソフトウエアが開発するゲームエンジン・開発環境「Ｕｎｉｔｙ」や、米マイクロソフトが開発するＷｅｂアプリケーションフレームワーク「Ｂｌａｚｏｒ」に採用されるなど利用機会が増えている。

ＷｅｂＡｓｓｅｍｂｌｙのプログラムはＷａｓｍバイトコードと呼ばれ、これをＷｅｂブラウザーなどが搭載するＷａｓｍ仮想マシンで実行する。Ｗａｓｍ仮想マシンをランタイムとしてインストールすれば、Ｗｅｂブラウザー抜きでも利用できる。

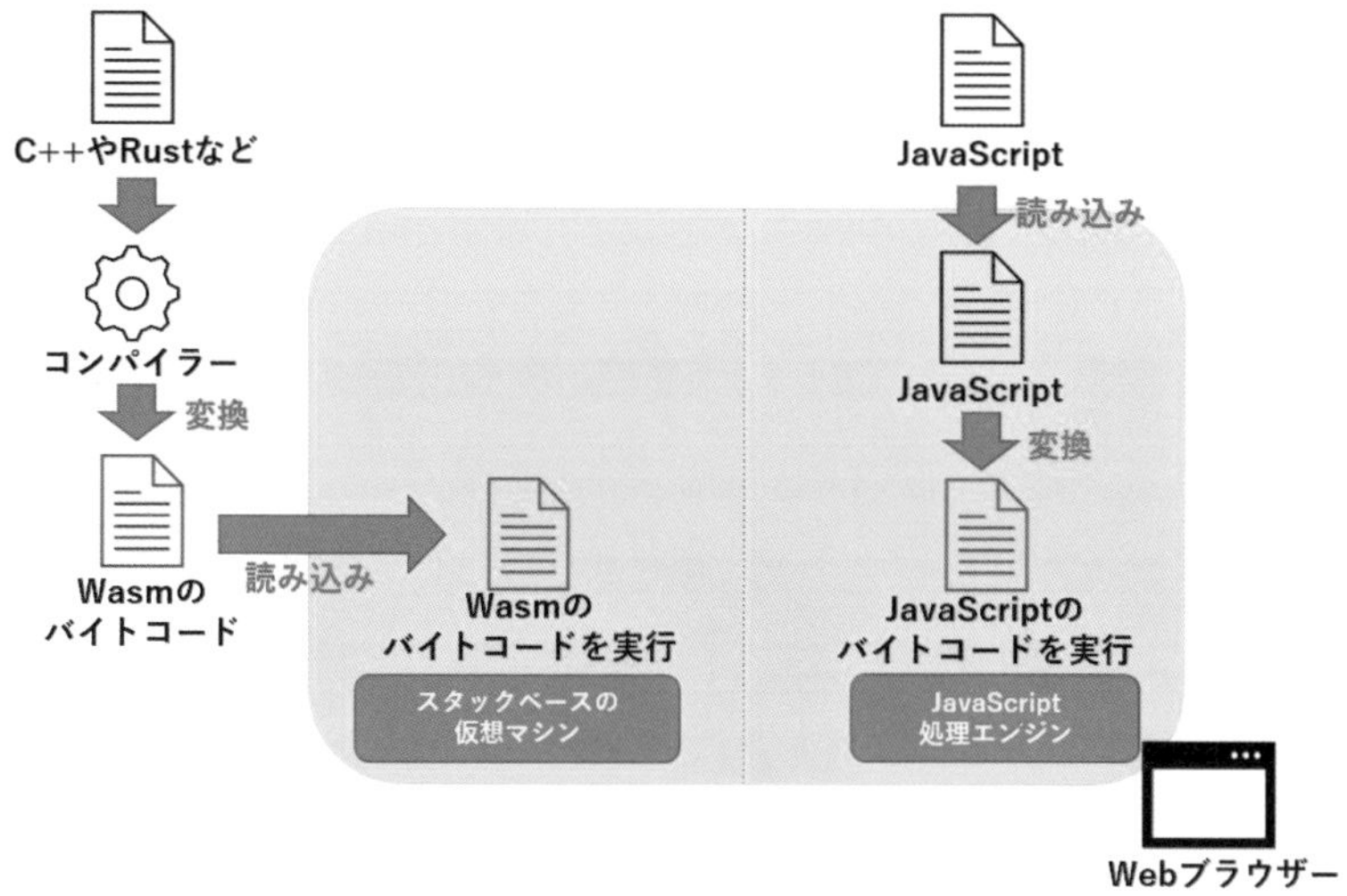

図　WebAssemblyとJavaScriptの処理の違い

Webブラウザーが搭載した仮想マシンや処理エンジンが実行するという点では同じだが、WebAssemblyは汎用プログラミング言語で開発し、コンパイラーで事前にバイナリー形式へ変換する
（出所：日経クロステック）

Wasmバイトコードは、C++やRustといった汎用プログラミング言語で開発し、それをコンパイルして生成する。アプリ開発やサーバーサイドプログラミングで開発者それぞれが慣れ親しんだ言語でWebアプリ向けのプログラムを開発できる。C++などで既に開発済のソフトウエア資産をWebアプリ向けに転用しやすい利点もある。

従来のWebアプリのプログラムはテキストベースのJaveScriptを使っている。JaveScriptも専用の仮想マシンが実行する点では同じだが、テキストで書かれたプログラムを読み込んでからバイナリー形式に変換したうえで実行しており、処理速度がどうしても遅くなる。

（安藤 正芳＝日経クロステック・日経コンピュータ）

100

Rust（ラスト）

高速かつ安全性の高いプログラムを開発できる言語

技術成熟度……高

2030期待度……7.2

安全性と高速処理を両立させた新しいプログラミング言語。脆弱性の原因となるメモリー関連のバグが発生しないように設計されており、なおかつハードウエア上で直接動作する高速なプログラムを記述できる。オペレーティングシステム（ＯＳ）やコンパイラー、デバイスドライバーといった基本ソフトの開発に使える。これまでＣやＣ＋＋が使われてきた領域に安全性を武器に食い込もうとしている。

プログラミング技術コミュニティーのスタックオーバーフローが毎年実施している「ディベロッパー・サーベイ」で、２０１６年以降「最も愛される」プログラミング言語（注：２０２３年から「最も称賛される」に変更）の1位を獲得し続けている。日経クロステックが２０２２年に集めたアンケートでも「今後スキルを磨きたいと思う言語」部門で2位となった。

米アマゾン・ウェブ・サービスの仮想化機能「Ｆｉｒｅｃｒａｃｋｅｒ」や米グーグルのスマートフォンＯＳ「アンドロイド」のＢｌｕｅｔｏｏｔｈモジュールなどの開発に既に採用さ

図　オリジナルのプリントTシャツやトートバッグなどが作れるSUZURIのWeb画面

利用者が投稿したプリント画像を、人が試着した映像に合成したプレビュー画像を作る部分をRustで開発している
（出所：GMOペパボ）

れている。

　メモリーの扱いに関する厳しいルールを取り入れ、メモリー関連のバグの発生を防ぐ。言語の設計で脆弱性を封じ込め、ルールを守らないプログラムはコンパイラーがエラーを出す。ＪａｖａやＰｙｔｈｏｎ、ＪａｖａＳｃｒｉｐｔといった近年主流の言語で採用されているガベージコレクション（ＧＣ）は使わない。ＧＣは不要になったメモリー領域をシステムが自動的に解放する仕組みだが、場合によっては性能低下の原因になってしまう。

　Ｒｕｓｔは現在、Ｒｕｓｔ開発チームによりオープンソースで開発されている。２００６年に米Ｍｏｚｉｌｌａ（モジラ）財団のグレイドン・ホアレ氏の個人プロジェクトとして始まった。その後Ｍｏｚｉｌｌａの公式プロジェクトとなり、開発が加速した。２０１５年の「１・０」以降は安定したサイクルで改良が続けられている。

（武部健一＝日経ソフトウエア）

日経 BP

経営（ビジネス）、技術（テクノロジー）、生活（ライフスタイル）の広い分野で先端・専門メディアを発行、最新のトピックスを深く掘り下げた信頼性の高いコンテンツを発信する日本経済新聞社の100%子会社。日経ビジネスなど経営情報誌、日経トレンディなど生活情報誌に加え、日経アーキテクチュア、日経エレクトロニクス、日経コンピュータなど技術情報誌を発行。日経クロステック、日経メディカルOnline、日経クロストレンドをはじめとするウェブサイトを運営。本書においては、雑誌やサイトの編集長、日経BP 総合研究所のラボ所長、総勢50人が今後世界を変える可能性があるテクノロジーを100件選び、専門記者がビジネスパーソンに向けて分かりやすく解説した。

日経テクノロジー展望2024

世界を変える100の技術

2023年9月19日　第1版第1刷発行

編者　日経BP
発行者　中川ヒロミ
発行　株式会社日経BP
発売　株式会社日経BPマーケティング
〒105-8308　東京都港区虎ノ門4-3-12
URL: https://bookplus.nikkei.com
装幀　小口翔平＋畑中茜（tobufune）
制作　松川直也（日経BPコンサルティング）
印刷・製本　大日本印刷株式会社

ISBN 978-4-296-00165-1
Printed in Japan　

本書籍に関するお問い合わせ、ご連絡は下記にて承ります。
https://nkbp.jp/booksQA